ALÉM DA ORDEM

MAIS 12 REGRAS PARA A VIDA

CONHEÇA TAMBÉM:

12 Regras para a Vida: Um antídoto para o caos

OUTRA OBRA DE JORDAN B. PETERSON:

Mapas do Significado: A arquitetura da crença

JORDAN B. PETERSON

ALÉM DA ORDEM

MAIS 12 REGRAS PARA A VIDA

ALTA BOOKS
EDITORA
Rio de Janeiro, 2021

Além da Ordem: Mais 12 regras para a vida
Copyright © 2021 da Starlin Alta Editora e Consultoria Eireli.
ISBN: 978-65-552-0497-1

Translated from original Beyond order: 12 more rules for life. Copyright © 2021 by Dr. Jordan B. Peterson. ISBN 9780593420164. This translation is published and sold by permission of Portfolio / Penguin, an imprint of Penguin Random House LLC, the owner of all rights to publish and sell the same. PORTUGUESE language edition published by Starlin Alta Editora e Consultoria Eireli, Copyright © 2021 by Starlin Alta Editora e Consultoria Eireli.

Todos os direitos estão reservados e protegidos por Lei. Nenhuma parte deste livro, sem autorização prévia por escrito da editora, poderá ser reproduzida ou transmitida. A violação dos Direitos Autorais é crime estabelecido na Lei nº 9.610/98 e com punição de acordo com o artigo 184 do Código Penal.

A editora não se responsabiliza pelo conteúdo da obra, formulada exclusivamente pelo(s) autor(es).

Marcas Registradas: Todos os termos mencionados e reconhecidos como Marca Registrada e/ou Comercial são de responsabilidade de seus proprietários. A editora informa não estar associada a nenhum produto e/ou fornecedor apresentado no livro.

Impresso no Brasil — 1a Edição, 2021 — Edição revisada conforme o Acordo Ortográfico da Língua Portuguesa de 2009.

Erratas e arquivos de apoio: No site da editora relatamos, com a devida correção, qualquer erro encontrado em nossos livros, bem como disponibilizamos arquivos de apoio se aplicáveis à obra em questão.

Acesse o site www.altabooks.com.br e procure pelo título do livro desejado para ter acesso às erratas, aos arquivos de apoio e/ou a outros conteúdos aplicáveis à obra.

Suporte Técnico: A obra é comercializada na forma em que está, sem direito a suporte técnico ou orientação pessoal/exclusiva ao leitor.

A editora não se responsabiliza pela manutenção, atualização e idioma dos sites referidos pelos autores nesta obra.

Produção Editorial
Editora Alta Books

Gerência Comercial
Daniele Fonseca

Editor de Aquisição
José Rugeri
acquisition@altabooks.com.br

Produtores Editoriais
Ian Verçosa
Illysabelle Trajano
Larissa Lima
Maria de Lourdes Borges
Paulo Gomes
Thié Alves
Thales Silva

Equipe Ass. Editorial
Brenda Rodrigues
Caroline David
Luana Goulart
Marcelli Ferreira
Mariana Portugal
Raquel Porto

Diretor Editorial
Anderson Vieira

Coordenação Financeira
Solange Souza

Equipe Comercial
Alessandra Moreno
Daiana Costa
Fillipe Amorim
Kaique Luiz
Tairone Oliveira
Thiago Brito
Vagner Fernandes
Victor Hugo Morais
Viviane Paiva

Marketing Editorial
Livia Carvalho
Gabriela Carvalho
marketing@altabooks.com.br

Atuaram na edição desta obra:

Tradução
Wendy Campos

Copidesque
Ana Gabriela Dutra

Revisão Gramatical
Hellen Suzuki
Thaís Pol

Diagramação
Joyce Matos

Ouvidoria: ouvidoria@altabooks.com.br

Dados Internacionais de Catalogação na Publicação (CIP) de acordo com ISBD

P485a	Peterson, Jordan B.
	Além da Ordem: Mais 12 regras para a vida / Jordan B. Peterson ; traduzido por Wendy Campos. - Rio de Janeiro : Alta Books, 2021. 432 p. : il. ; 17cm x 24cm.
	Tradução de: Beyond Order Inclui índice. ISBN: 978-65-552-0497-1
	1. Autoajuda. 2. Vida. I. Campos, Wendy. II. Título.
2021-1658	CDD 158.1 CDU 159.947

Elaborado por Vagner Rodolfo da Silva - CRB-8/9410

Rua Viúva Cláudio, 291 — Bairro Industrial do Jacaré
CEP: 20.970-031 — Rio de Janeiro (RJ)
Tels.: (21) 3278-8069 / 3278-8419
www.altabooks.com.br — altabooks@altabooks.com.br
www.facebook.com/altabooks — www.instagram.com/altabooks

Editora afiliada à:

Para minha esposa, Tammy Maureen Roberts Peterson, dona de meu mais profundo amor há 50 anos, uma mulher admirável, a meu ver, em todos os aspectos e além de toda a razão.

Sumário

Sumário de Ilustrações **xi**

Nota do Autor em Tempos de Pandemia **xiii**

Introdução **xv**

REGRA 1

Não denigra as instituições sociais ou as realizações criativas de forma negligente **1**

REGRA 2

Imagine quem você poderia ser e mire esse alvo com determinação **51**

REGRA 3

Não esconda na névoa o que é indesejável **89**

REGRA 4

Perceba que a oportunidade se esconde onde a responsabilidade foi abdicada **111**

REGRA 5

Não faça o que odeia **141**

REGRA 6

Abandone a ideologia   **157**

REGRA 7

Dedique-se ao máximo a pelo menos uma tarefa e veja o que acontece   **181**

REGRA 8

Tente deixar um cômodo de sua casa o mais bonito possível   **201**

REGRA 9

Escreva em detalhes todas as velhas lembranças que ainda o perturbam   **231**

REGRA 10

Planeje e se esforce para manter o romance em seu relacionamento   **269**

REGRA 11

Não permita que você se torne ressentido, dissimulado ou arrogante   **307**

REGRA 12

Seja grato apesar de seu sofrimento   **361**

Encerramento   **383**

Notas   **389**

Índice   **397**

Sumário de Ilustrações

1. **O Tolo (O Louco):** Inspirado em Pamela Colman Smith. *The Fool* (1910), das cartas de tarô Rider-Waite; the Rider Company.

2. ***Materia Prima:*** Inspirado em Hermes Trismegistus. *Occulta philosophia* (1613). Também no trabalho de H. Nollius (1617). *Theoria philosophiae hermeticae* (Hanoviae *apud* P. Antonium, 1617).

3. **São Jorge e o Dragão:** Inspirado em Paolo Uccello. *St. George and the dragon* (ca. 1458).

4. **Atlas e as Hespérides:** Inspirado em John Singer Sargent. *Atlas and the Hespirides* (ca. 1922-1925).

5. **Anjo Caído:** Inspirado em Alexandre Cabanel. *Fallen Angel* (1847).

6. **Em Nossa Fazenda Comunal:** Inspirado em B. Deykin. *In Our Communal Farm, There is no Place for Priests and Kulaks* (1932).

7. **Aprendiz:** Inspirado em Louis Emile Adan. *Apprentice* (1914).

8. **Lírios:** Inspirado em Vincent Van Gogh. *Irises* (1890).

9. **A Tentação de Santo Antônio:** Inspirado em Martin Schongauer. *The Temptation of St Anthony* (ca. 1470-1475).

10. **A Poção do Amor:** Inspirado em Aubrey Beardsley. *How Sir Tristram Drank of the Love Drink* (1893).

11. **Satanás:** Inspirado em Gustave Doré (1900). *Satan*, de John Milton, *Milton's Paradise Lost* (com ilustrações de Gustave Doré. (Londres: Cassell & Company, Ltd., 1905).

12. **São Sebastião:** Inspirado em Martin Schongauer. *Saint Sebastian* (ca. 1480).

Nota do Autor em Tempos de Pandemia

É uma tarefa confusa escrever um livro de não ficção durante a crise global provocada pela disseminação da Covid-19. Parece absurdo, de certa forma, sequer pensar em qualquer outra coisa que não seja a doença durante este período de tamanha provação. No entanto, vincular todos os pensamentos contidos nas obras atuais à existência da pandemia — que também passará — parece um erro, pois, em algum momento, os problemas normais da vida retornarão (felizmente) para o primeiro plano. Isso significa que, nos dias atuais, um autor inevitavelmente cometerá um erro (se concentrar demais na pandemia, que tem uma vida útil incerta, e com isso produzir um livro imediatamente datado) ou outro (ignorar a pandemia, o que é muito parecido com deixar de lidar com o proverbial elefante na sala).

Depois de muito ponderar e discutir as questões com meus editores, decidi escrever *Além da Ordem: Mais 12 regras para a vida*, conforme o plano traçado há vários anos, e me concentrar em abordar questões não específicas do momento atual (assim, arriscar o segundo erro, em vez do primeiro). Também é possível, suponho, que as pessoas que optarem por ler ou ouvir este livro fiquem aliviadas em voltar sua atenção para algo diferente do coronavírus e a devastação que ele causou.

Introdução

Em 5 de fevereiro de 2020, acordei em uma unidade de tratamento intensivo em nada mais nada menos que Moscou. Correias de quinze centímetros de largura me prendiam às laterais da cama, porque, em meu estado de inconsciência, fiquei agitado a ponto de tentar arrancar os cateteres do meu braço e sair da UTI. Eu estava confuso e frustrado por não saber onde estava, cercado de pessoas falando um idioma estrangeiro e sem a companhia de minha filha, Mikhaila, e do marido dela, Andrey, que não tiveram autorização para estar ao meu lado quando eu acordasse e cuja presença era limitada a breves horários de visitação. Eu também estava furioso por estar lá e descontei em minha filha no horário da visita, horas antes. Eu me sentia traído, embora isso não pudesse estar mais longe da verdade. As pessoas faziam de tudo para atender às minhas muitas necessidades com grande diligência, sobretudo depois do tremendo desafio logístico de procurar atendimento médico em um país tão diferente. Não me lembro de nada que aconteceu comigo nas semanas anteriores, e bem pouco entre aquele momento e minha internação em Toronto, cidade canadense onde moro, em meados de dezembro. Uma das poucas coisas de que consigo me lembrar, dos primeiros dias do ano, é o tempo que passei escrevendo este livro.

Escrevi e revisei grande parte deste livro durante o período em que minha família foi assolada por episódios sequenciais e coincidentes de sérios problemas de saúde, muitos dos quais acabaram sendo objeto de discussão pública e, por essa razão, requerem uma explicação detalhada. Primeiro, em janeiro de 2019, minha filha, Mikhaila, precisou fazer uma cirurgia para substituir parte de seu tornozelo artificial, implantado cerca de uma década antes, já que a primeira implantação não havia ficado perfeita e, como consequência, causava fortes dores e problemas de mobilidade que se agravaram a ponto de debilitá-la. Passei um mês com ela em um hospital em Zurique, na Suíça, durante o período do procedimento e de sua recuperação inicial.

No início de março, menos de quatro semanas depois, minha esposa, Tammy, passou por uma cirurgia simples em Toronto para retirada de um tumor no rim, um tipo de câncer comum e de alta tratabilidade. Um mês e meio após a cirurgia, que envolveu a remoção de um terço de um dos rins, descobrimos que na verdade ela sofria de um tipo raro e extremamente agressivo de câncer, com uma taxa de mortalidade de quase 100% no prazo de um ano.

Duas semanas depois, os médicos encarregados de seu tratamento removeram os dois terços remanescentes do rim afetado, além de uma porção substancial do sistema linfático abdominal associado. A cirurgia pareceu interromper a progressão do câncer, mas resultou em um vazamento de fluidos (até quatro litros por dia) de seu agora debilitado sistema linfático — uma condição conhecida como ascite quilosa, que pode ser equiparada à sua doença subjacente em termos de risco. Viajamos para consultar uma equipe médica na Filadélfia, que, depois de 96 horas da primeira injeção de contraste de óleo de semente de papoula — usado para realçar as imagens da tomografia computadorizada e da ressonância magnética —, conseguiu fazer cessar completamente a perda de fluidos de Tammy. Esse progresso ocorreu no dia em que comemorávamos nosso trigésimo aniversário de casamento. Ela se recuperou de forma rápida e,

INTRODUÇÃO

ao que parecia, plena — uma boa demostração da sorte de que todos necessitamos para viver, e da admirável força e resistência de Tammy.

Infelizmente, durante o desenrolar desses acontecimentos, minha saúde entrou em colapso. No início de 2017, eu havia começado a tomar um ansiolítico, após sofrer o que parecia ser uma reação autoimune a algo que consumi no período de festas de 2016.[1] A reação alimentar me deixou em um estado de ansiedade constante e aguda; eu sentia um frio congelante, não importava o quanto me agasalhasse ou com quantos cobertores me cobrisse. Além disso, minha pressão sanguínea baixou tão drasticamente que sempre que eu tentava me levantar tinha uma sensação de desmaio e era forçado a me agachar algumas vezes antes de tentar de novo. Também sofri de uma insônia que parecia quase absoluta. Meu médico de família me receitou um benzodiazepínico e um medicamento para dormir. Tomei este último apenas algumas vezes e depois interrompi o uso por completo; os terríveis sintomas que eu estava experienciando, incluindo a insônia, cessaram quase que de imediato em decorrência do tratamento com o benzodiazepínico, o que tornou o sonífero desnecessário. Continuei com o benzodiazepínico por quase três anos exatos, pois minha vida parecia extraordinariamente estressante naquela época (um período em que minha existência tranquila como professor universitário e psicólogo se transformou na tumultuosa realidade de uma figura pública), e porque eu acreditava que o medicamento era — como é comum ouvirmos a respeito dos benzodiazepínicos — uma substância relativamente inofensiva.

Porém, em março de 2019, no início da batalha médica de minha esposa, as coisas mudaram. Notei minha ansiedade ni-

---

[1] A doença que destruiu o tornozelo de Mikhaila, que precisou ser substituído, assim como seu quadril, também era de origem autoimune, e minha esposa tinha alguns sintomas artríticos semelhantes. Menciono isso para esclarecer por que a ideia de uma reação autoimune me veio à mente e fez certo sentido.

tidamente aumentar após a hospitalização, a cirurgia e a recuperação de minha filha. Em razão disso, pedi ao médico de família para aumentar a dose do benzodiazepínico, para que eu não precisasse me preocupar nem afligir os outros com minha ansiedade. Infelizmente, experimentei um significativo aumento nas emoções negativas após o ajuste da dose. De novo, pedi um aumento na dosagem (nessa época, estávamos tentando lidar com a segunda cirurgia de Tammy e suas complicações, e atribui minha ansiedade ainda mais severa a esses problemas), mas minha condição se agravou ainda mais. Não imaginei que isso pudesse ser um efeito paradoxal do medicamento (o que foi diagnosticado mais tarde), mas, sim, uma recaída de uma tendência à depressão que me assombra há anos.[II] De qualquer modo, em maio daquele ano, interrompi por completo o uso do benzodiazepínico e passei para um teste de duas doses de cetamina no prazo de uma semana, como sugerido por um psiquiatra com quem me consultei. A cetamina é um anestésico/psicodélico atípico que, muitas vezes, tem efeitos positivos rápidos e significativos contra a depressão. Para mim, os efeitos não passaram de duas viagens de noventa minutos para o inferno. No âmago do meu ser, era como se eu só tivesse motivos para sentir culpa e vergonha, como se não tivesse extraído nada de bom das minhas experiências positivas.

Poucos dias após a segunda experiência com cetamina, comecei a sofrer os efeitos da abstinência aguda dos benzodiazepínicos, que eram realmente intoleráveis — ansiedade muito além do que eu já tinha experimentado, uma inquietação incontrolável e uma necessidade de me mover (formalmente conhecida como acatisia), pensamentos angustiantes de autodestruição e a completa ausência de felicidade. Um amigo da família — médico — me esclareceu sobre os perigos da abstinência súbita

---

II Eu havia tomado inibidores da recaptação de serotonina, como o Celexa, por quase duas décadas, e tive bons resultados, mas parei de tomá-los no início de 2016, pois uma mudança drástica na dieta pareceu torná-los desnecessários.

INTRODUÇÃO

de benzodiazepínicos. Portanto, voltei a tomá-los, mas em uma dose menor que a anterior. Muitos dos meus sintomas, mas não todos, diminuíram. Para lidar com os que persistiam, também comecei a tomar um antidepressivo que havia sido de grande ajuda para mim no passado. No entanto, tudo que consegui foi ficar exausto a ponto de necessitar de quatro ou mais horas adicionais de sono por dia — o que não ajudou em nada em meio aos sérios problemas de saúde de Tammy —, além de aumentar meu apetite em duas ou três vezes.

Depois de quase três meses de uma ansiedade terrível, hipersonia incontrolável, acatisia torturante e apetite excessivo, fui para uma clínica nos Estados Unidos especializada em retirada rápida de benzodiazepínicos. Apesar das boas intenções de muitos de seus psiquiatras, a clínica só conseguiu uma retirada lenta ou a diminuição progressiva da minha dosagem de benzodiazepínicos, e os efeitos negativos que eu já vinha experimentando não foram nem puderam ser controlados a um nível significativo pelo tratamento de internação oferecido.

Apesar de tudo, permaneci nessa clínica de meados de agosto, apenas alguns dias após a recuperação de Tammy das complicações pós-cirúrgicas, até o fim de novembro, quando voltei para casa, em Toronto, totalmente exaurido. A essa altura, a acatisia (a condição descrita anteriormente, que provoca movimentos incontroláveis) atingira um nível em que me sentar ou repousar em qualquer posição, pelo tempo que fosse, significava um imenso sofrimento. Em dezembro, dei entrada em um hospital local, e foi nesse ponto que minha consciência sobre os eventos antes do meu despertar em Moscou se apagou. Conforme descobri mais tarde, minha filha, Mikhaila, e o marido, Andrey, me tiraram do hospital em Toronto no início de janeiro, por acharem que o tratamento que vinha recebendo lá me fazia mais mal do que bem (opinião com a qual concordei depois que soube o que acontecera).

INTRODUÇÃO

A situação em que me encontrava ao recobrar a consciência na Rússia era complicada por eu também ter desenvolvido pneumonia dupla no Canadá, embora essa condição não tenha sido descoberta nem tratada até que eu chegasse à unidade de tratamento intensivo em Moscou. Entretanto, o motivo principal de minha estada era que a clínica conseguisse ajudar na retirada dos benzodiazepínicos, usando um procedimento desconhecido ou considerado perigoso demais na América do Norte. Como eu não conseguira tolerar qualquer diminuição na dosagem — além da redução inicial, meses antes —, a clínica me colocou em coma induzido para que permanecesse inconsciente durante os piores sintomas de abstinência. Esse tratamento teve início no dia 5 de janeiro e durou nove dias, ao longo dos quais fui ligado a um aparelho para que minha respiração fosse mecanicamente controlada. Em 14 de janeiro, a anestesia e a intubação foram retiradas. Acordei por algumas horas e disse para minha filha que a acatisia havia desaparecido, embora não me recorde de nada desse período.

Em 23 de janeiro, fui transferido para outra unidade de tratamento intensivo especializada em reabilitação neurológica. Como mencionei anteriormente, lembro-me de acordar no dia 26, por breves períodos, até enfim recobrar completamente a consciência no dia 5 de fevereiro — dez dias durante os quais passei por um período de delírios intensos e vívidos. Superada essa fase, fui para um centro de reabilitação, mais parecido com uma casa, nos subúrbios mais afastados de Moscou. Lá, tive que reaprender a andar, subir e descer escadas, abotoar minhas roupas, me deitar na cama sozinho, posicionar minhas mãos corretamente no teclado e digitar. Parecia que eu não conseguia enxergar direito — ou, para ser mais exato, usar meus membros para interagir com os objetos que via. Algumas semanas depois que os problemas na percepção e na coordenação praticamente desapareceram, minha filha, o marido, seus filhos e eu nos mudamos para a Flórida para o que esperávamos ser um

INTRODUÇÃO

período de recuperação tranquilo sob o sol (muito bem-vindo após o inverno cinzento e congelante de Moscou). Isso foi pouco antes do surgimento da preocupação mundial com a pandemia da Covid-19.

Na Flórida, tentei diminuir a medicação prescrita pela clínica de Moscou, embora ainda sentisse dormência na mão e no pé esquerdos, tremores nessas duas extremidades, bem como nos músculos da testa, convulsões e uma ansiedade debilitante. Todos esses sintomas aumentavam acentuadamente à medida que a dosagem dos medicamentos era diminuída, chegando ao ponto de, cerca de dois meses depois, eu voltar às doses inicialmente prescritas na Rússia. Foi uma derrota concreta, pois o processo de diminuição do uso foi alimentado por um otimismo que acabou despedaçado, além de me fazer voltar ao nível inicial de medicação pelo qual paguei um alto preço para tentar eliminar. Felizmente, meus familiares e amigos permaneceram comigo durante esse período, e a companhia deles me ajudou a manter a motivação para seguir em frente apesar de os sintomas serem insuportáveis, principalmente pela manhã.

No final de maio, três meses após deixar a Rússia, estava bastante óbvio que meu estado piorava ao invés de melhorar, e depender das pessoas que eu amava e que retribuíam esse sentimento era insustentável e injusto. Mikhaila e Andrey contataram uma clínica sérvia que praticava uma abordagem nova ao problema da retirada de benzodiazepínicos e tomaram as providências para me transferir para lá, apenas dois dias depois da reabertura do lockdown em razão da pandemia.

Não pretendo sugerir que os eventos ocorridos com minha esposa, comigo e com aqueles que estiveram intimamente envolvidos no tratamento dela contribuíram, em última análise, para um bem maior. O que aconteceu com Tammy foi terrível. Ao longo de mais de seis meses, ela enfrentou, a cada dois ou três dias, uma crise de saúde potencialmente fatal e então teve que lidar com minha doença e ausência. De minha parte, fui atormentado pela possibilidade da perda de alguém de quem era amigo havia cinquenta anos e com quem era casado há trinta, pelo vislumbre das terríveis consequências disso para os outros membros da família, incluindo nossos filhos, e pelas terríveis e apavorantes consequências de uma dependência química na qual fui involuntariamente lançado. Não menosprezarei nada disso afirmando que nos tornamos pessoas melhores por causa dessa experiência. No entanto, posso dizer que passar tão perto da morte motivou minha esposa a cuidar de algumas questões relativas ao seu próprio desenvolvimento espiritual e criativo de uma maneira mais imediata e assídua do que provavelmente faria em circunstâncias normais, e a mim, a escrever ou a manter neste livro, durante a revisão, apenas as palavras que mantiveram seu significado mesmo em condições marcadas por sofrimento extremo. Com certeza, é graças à família e aos amigos (que são nomeados especificamente no Encerramento deste livro) que ainda estamos vivos, mas também é verdade que a significativa imersão no que eu estava escrevendo, que perdurou durante todo o tempo que relatei — exceto meu mês inconsciente na Rússia —, me deu uma razão para viver e um meio de testar a viabilidade dos pensamentos com os quais eu lutava.

Acredito que jamais aleguei — em meu livro anterior ou mesmo neste — que *necessariamente* seria suficiente viver de acordo com as regras que apresentei. Acredito que o que afirmei — ou o que espero ter afirmado — foi o seguinte: quando você se depara com o caos e é engolido por ele; quando a natureza amaldiçoa você ou alguém que ama com uma doença; ou quando a tirania destroça algo de valor que construímos, é salutar conhecer o restante da história. Todo esse infortúnio é apenas a metade amarga da existência, que ignora o fato de que o elemento heroico da redenção ou a nobreza do espírito humano requer assumir certa responsabilidade sobre os ombros. Ignoramos essa parte da história por nossa conta e risco, pois a vida é

INTRODUÇÃO

tão difícil que perder de vista essa parte heroica da existência pode ter um preço alto demais. Não queremos que isso aconteça. Precisamos, em vez disso, criar coragem e força, enxergar as coisas de maneira adequada e cuidadosa, e viver do modo que podemos viver.

Você tem a seu dispor fontes das quais extrair força, e, ainda que possam não funcionar direito, elas podem ser o bastante. Tem as lições que é capaz de extrair se conseguir aceitar seus erros. Tem remédios e hospitais, bem como médicos e enfermeiras que se preocupam genuinamente em levantá-lo e ajudá-lo a superar cada dia. E ainda tem seu caráter e sua coragem, e, se estes tiverem sido reiteradamente abatidos e você estiver pronto para jogar a toalha, ainda tem o caráter e a coragem daqueles com quem se importa e que se importam com você. E talvez, só talvez, com tudo isso, você consiga superar. Posso lhe dizer o que me salvou até agora — o amor que tenho pela minha família; o amor que eles têm por mim; todo o incentivo que eles e meus amigos me deram; o fato de eu ainda ter um trabalho significativo ao qual me dedicar enquanto enfrento o abismo. Precisei me obrigar a me sentar em frente ao computador. Precisei me forçar a me concentrar, e respirar fundo, e me controlar para não dizer "para o diabo com isso" durante os intermináveis meses em que fui tomado por sofrimento e terror. E quase não consegui. Na maior parte do tempo, achei que morreria em um dos hospitais pelos quais passei. E acredito que, se tivesse me deixado levar pelo ressentimento, por exemplo, teria sucumbido de uma vez por todas — e sei que tenho muita sorte por ter conseguido evitar esse destino.

Seria possível sermos mais capazes de lidar com a incerteza, os horrores da natureza, a tirania da cultura e a nossa própria maleficência e a dos outros se fôssemos pessoas melhores e mais corajosas (mesmo que nem sempre isso nos livre da terrível situação em que nos encontramos)? Se nos esforçássemos para alcançar valores mais elevados? Se fôssemos mais verdadeiros? Os elementos benéficos da experiência não teriam maior probabilidade de se manifestar ao nosso redor? Se seus objetivos fossem nobres o suficiente; sua coragem, adequada; e seu foco na verdade, infalível, seria possível que o Bem assim produzido, digamos, aplacasse o horror? Não é exatamente assim, mas é quase. Essas atitudes e ações podem, pelo menos, nos fornecer significado suficiente para impedir que o encontro com aquele sofrimento e horror nos corrompa e transforme o mundo ao redor em algo muito parecido com o inferno.

Por que *Além da Ordem*? De certa maneira, é simples. A ordem é o território explorado. Estamos na ordem quando as ações que consideramos adequadas produzem os resultados que desejamos. Avaliamos positivamente esses resultados, pois, em primeiro lugar, eles indicam que nos aproximamos do que desejamos e, em segundo, que nossa teoria sobre como o mundo funciona permanece aceitavelmente correta. Ainda assim, todos os estados de ordem, não importa quão seguros e confortáveis, têm suas falhas. Nosso conhecimento de como agir no mundo permanece eternamente incompleto — em parte por causa de nossa profunda ignorância do vasto desconhecido; em parte por causa de nossa cegueira deliberada; e em parte porque o mundo continua, em sua maneira entrópica, a se transformar de forma inesperada. Além do mais, a ordem que nos empenhamos para impor ao mundo pode enrijecer, como consequência de tentativas irrefletidas de desconsiderar tudo que é desconhecido. Quando essas tentativas vão longe demais, o totalitarismo é uma ameaça, movido pelo desejo de exercer pleno controle onde ele é impossível, mesmo em teoria. Isso significa arriscar uma perigosa restrição a todas as mudanças psicológicas e sociais necessárias para nos mantermos adaptados a um mundo em constante mudança. E, assim, acabamos inescapavelmente confrontados pela necessidade de nos mover além da ordem, na direção oposta: o caos.

INTRODUÇÃO

Se a ordem acontece quando o que queremos se torna conhecido — quando agimos de acordo com nossa sabedoria arduamente conquistada —, o caos se dá quando algo inesperado ou para o qual permanecemos cegos emerge do potencial que nos rodeia. O fato de algo ter ocorrido muitas vezes no passado não é garantia de que continuará a ocorrer da mesma maneira.[1] Por toda a eternidade, haverá um domínio que está além do que sabemos e podemos prever. O caos é a anomalia, a novidade, a imprevisibilidade, a transformação, a ruptura e, com muita frequência, a queda, à medida que o que passamos a considerar certo se revela pouco confiável. Às vezes ele se manifesta de maneira branda, revelando seus mistérios em uma experiência que nos deixa curiosos, compelidos e interessados. Esse é o cenário mais provável, embora não seja inevitável, de ocorrer quando abordamos voluntariamente algo que não entendemos, com preparação cuidadosa e disciplina. Outras vezes, o inesperado se torna conhecido de forma repentina, acidental e terrível, então ficamos devastados, e nos desintegramos, e só nos recompomos com grande dificuldade — se conseguirmos.

Nem o estado de ordem nem o de caos é preferível, intrinsecamente, em relação ao outro. Esse é o jeito errado de encarar a questão. Contudo, em meu livro anterior, *12 Regras para a Vida: Um antídoto para o caos*, me concentrei mais em como remediar as consequências do excesso de caos.[2] Reagimos a uma mudança súbita e imprevisível nos preparando, fisiológica e psicologicamente, para o pior. E, porque somente Deus sabe o que esse pior pode ser, precisamos, em nossa ignorância, nos preparar para todas as eventualidades. E o problema com essa preparação contínua é que, em excesso, ela nos exaure. Mas isso não sugere de maneira alguma que o caos deva ser eliminado (o que é, de qualquer forma, uma impossibilidade), embora, como meu livro anterior enfatiza reiteradamente, o desconhecido precise ser abordado com cuidado. Tudo o que não é tocado pelo novo fica estagnado, e certamente uma vida

INTRODUÇÃO

sem curiosidade — o instinto que nos empurra para o desconhecido — seria uma forma de existência muito exígua. O novo é também excitante, instigante e provocante, desde que a proporção em que é introduzido não mine ou desestabilize insuportavelmente nosso estado de espírito.

Assim como *12 Regras para a Vida*, este livro oferece uma explicação de regras extraídas de uma lista mais extensa que contém 42, originalmente publicada e popularizada no site de perguntas e respostas Quora. Ao contrário do livro anterior, *Além da Ordem* explora, como tema abrangente, de que maneira os perigos do excesso de segurança e controle podem ser beneficamente evitados. Tendo em vista que o que entendemos é insuficiente (algo que descobrimos quando as coisas que nos esforçamos para controlar dão errado assim mesmo), precisamos manter um pé na ordem ao mesmo tempo que estendemos o outro, hesitantemente, além. E, assim, somos impelidos a explorar e encontrar os significados mais profundos quando estamos na fronteira, seguros o suficiente para controlar o medo, mas aprendendo, constantemente, ao enfrentar algo com que ainda não nos conciliamos ou nos adaptamos. É esse instinto de significado — algo muito mais profundo do que o mero pensamento — que nos orienta de forma adequada na vida, para que não fiquemos sobrecarregados pelo que está além de nós ou, igualmente perigoso, embrutecidos e paralisados por sistemas de valor e de crenças antiquados, medíocres ou defendidos com tanta soberba.

Sobre o que escrevi, especificamente? A Regra 1 descreve as relações entre as estruturas sociais estáveis e previsíveis e a saúde psicológica individual, além de argumentar que essas estruturas precisam ser atualizadas por pessoas criativas de modo a preservar a vitalidade. A Regra 2 analisa a imagem da alquimia secular, valendo-se de várias histórias — modernas e ancestrais — para elucidar a natureza e o desenvolvimento

INTRODUÇÃO

da personalidade humana integrada. A Regra 3 alerta sobre os perigos de evitar a informação (vital para o contínuo rejuvenescimento da psique) sinalizada pelo surgimento de emoções negativas como dor, ansiedade e medo.

A Regra 4 argumenta que o significado que ajuda as pessoas a superarem momentos de dificuldade não é encontrado na felicidade, que é transitória, mas, sim, na aceitação voluntária da responsabilidade madura por si mesmo e pelos outros. A Regra 5 usa um único exemplo, extraído de minha experiência como psicólogo clínico, para ilustrar a necessidade pessoal e social de prestar atenção aos ditames da consciência. A Regra 6 descreve o perigo de atribuir a causa de problemas individuais e sociais complexos a uma única variável, como sexo, classe ou poder.

A Regra 7 descreve a relação crucial entre o esforço disciplinado em uma única direção e a formação de um caráter individual capaz de ser resiliente diante da adversidade. A Regra 8 foca a vital importância da experiência estética como uma diretriz do que é verdadeiro, bom e sustentável no mundo da experiência humana. A Regra 9 declara que as experiências passadas, cujas recordações atuais permanecem carregadas de dor e medo, podem ter todo seu horror expurgado por meio de exploração verbal voluntária e reconsideração.

A Regra 10 observa a importância da negociação explícita para a manutenção da boa vontade, da consideração mútua e da cooperação sincera, sem as quais nenhum romance verdadeiro consegue se manter. A Regra 11 começa pela descrição do mundo da experiência humana de uma forma que explica o que motiva três padrões de resposta psicológica comuns, mas terrivelmente perigosos; delineia as consequências catastróficas de desenvolver qualquer um ou todos eles; e mostra uma rota alternativa. A Regra 12 demonstra que a gratidão diante das tragédias inevitáveis da vida deve ser considerada a principal manifestação da admirável coragem moral necessária para continuar nossa difícil marcha ascendente.[III]

Espero que, em minha explanação deste segundo conjunto de 12 Regras, eu esteja de alguma forma mais sábio do que era quatro anos atrás, quando escrevi o primeiro — especialmente por causa do feedback informativo que recebi ao longo de meus esforços para formular minhas ideias para públicos do mundo todo, pessoalmente, no YouTube, no meu podcast e no meu blog.[IV] Assim, além de esperar ser bastante claro ao apresentar o conteúdo original, espero que consiga esclarecer alguns dos pontos que talvez não tenham sido desenvolvidos da melhor maneira possível em meu trabalho anterior. Por fim, espero que as pessoas achem este livro tão pessoalmente útil quanto parecem ter achado o primeiro conjunto de 12 Regras. Tem sido muito gratificante o fato de que tantas pessoas relatem extrair forças dos pensamentos e das histórias que tive o privilégio de escrever e compartilhar.

III É interessante observar que este livro e o anterior — embora sejam independentes — foram idealizados de forma conjunta para representar o equilíbrio que ambos se esforçam em descrever. Por essa razão (ao menos nas versões em inglês), o primeiro tem capa branca e o segundo, preta. Eles formam um par que se complementa, como o símbolo taoista de yin e yang.

IV Meu canal no YouTube pode ser acessado em https://www.youtube.com/user/JordanPetersonVideos. Meu podcast e blog podem ser acessados em jordanbpeterson.com [todos com conteúdo em inglês].

"O TOLO (O LOUCO)"

REGRA 1

NÃO DENIGRA AS INSTITUIÇÕES SOCIAIS OU AS REALIZAÇÕES CRIATIVAS DE FORMA NEGLIGENTE

SOLIDÃO E CONFUSÃO

Durante anos, atendi um cliente que morava sozinho.[1] Ele era isolado de muitas outras maneiras, além da própria situação de moradia. Tinha laços familiares muito limitados. As duas filhas se mudaram para fora do país e quase não mantinham contato, e ele não tinha outros parentes exceto o pai e a irmã, dos quais havia se distanciado. A esposa, mãe de suas filhas, morrera anos atrás, e o único relacionamento que conseguiu estabelecer enquanto o atendi ao longo de mais de uma década e meia terminou tragicamente quando sua nova parceira morreu em um acidente de carro.

---

[1] Modifiquei os relatos extraídos de minha prática clínica apenas o suficiente para garantir a privacidade de meus clientes e, ao mesmo tempo, manter a essência da verdade narrativa.

Quando começamos a trabalhar juntos, nossas conversas eram bastante desconfortáveis. Como ele não estava acostumado às sutilezas da interação social, seus comportamentos, tanto os verbais quanto os não verbais, careciam do ritmo coreografado e harmônico característico da fluência social. Quando criança, fora completamente ignorado e ativamente desestimulado pelos pais. A mãe era alcoolista crônica e o pai — ausente na maior parte do tempo — era negligente e tinha inclinações sádicas. Ele também fora constantemente atormentado e hostilizado na escola, e, ao longo de todos os anos de educação formal, nunca encontrou um professor que realmente prestasse atenção nele. Essas experiências deixaram meu cliente com uma propensão à depressão, ou pelo menos exacerbaram o que pode ter sido uma tendência biológica nessa direção. Em consequência disso, ele era ríspido, irritável e um tanto explosivo caso se sentisse incompreendido ou fosse inesperadamente interrompido durante uma conversa. Essas reações ajudaram a perpetuar sua condição de alvo de bullying na vida adulta, principalmente no trabalho.

No entanto, logo percebi que nossas sessões funcionavam muito bem se eu me mantivesse calado a maior parte do tempo. Ele me visitava, semanal ou quinzenalmente, e falava sobre o que havia ocorrido ou o preocupado durante os sete ou quatorze dias anteriores. Se eu fizesse silêncio pelos primeiros cinquenta minutos de nossas sessões de uma hora, ouvindo com atenção, conseguíamos conversar, de uma maneira relativamente normal e recíproca, nos dez minutos restantes. Esse padrão continuou por mais de uma década, à medida que aprendi, aos poucos, a segurar minha língua (algo que não é muito fácil para mim). Entretanto, com o passar dos anos, percebi que a proporção de tempo em que ele passava discutindo assuntos negativos comigo diminuiu. Nossa conversa — seu monólogo, na verdade — sempre começava com o que o incomodava e raramente progredia além disso. Mas ele se esforçava fora de nossas sessões, cultivando amigos, frequentando reuniões artísticas e festivais de músicas e ressuscitando um talento há muito tempo adormecido para compor música e tocar violão. À medida que se tornou mais sociável, ele começou a criar soluções para os problemas que me comunicava e a discutir, na última parte das horas que passávamos juntos, alguns dos aspectos mais positivos de sua existência. Foi um processo lento, mas com progressos graduais e contínuos. Na primeira vez que ele veio me ver, não conseguíamos sentar juntos em uma cafeteria — ou, na verdade, em qualquer local público — e praticar algo remotamente semelhante a uma conversa real sem que ele ficasse paralisado em absoluto silêncio. Ao final do nosso trabalho, ele já conseguia ler as próprias poesias diante de pequenos grupos e chegou a fazer uma apresentação de comédia stand-up.

Ele foi meu melhor exemplo pessoal e prático de algo que vim a perceber ao longo de mais de vinte anos de psicologia clínica: as pessoas dependem de comunicação constante com outras para manter a mente organizada. Precisamos pensar para compreender, mas esse processo é feito principalmente ao falar. Precisamos conversar sobre o passado para que possamos diferenciar as incessantes preocupações triviais — que, do contrário, dominariam nossos pensamentos — das experiências verdadeiramente importantes. Precisamos falar sobre a natureza do presente e nossos planos para o futuro, para que saibamos onde estamos, para onde estamos indo e por quê. Precisamos submeter as estratégias e táticas que formulamos ao julgamento alheio para nos certificarmos de sua eficiência e resiliência. Também precisamos nos ouvir enquanto falamos — a fim de organizar nossas reações físicas, motivações e emoções, normalmente incipientes, em algo articulado e organizado — e nos livrar das preocupações exageradas e irracionais. Precisamos falar — tanto para lembrar quanto para esquecer.

Meu cliente precisava desesperadamente de alguém para ouvi-lo. Ele também precisava integrar de forma plena outros grupos sociais maiores e mais complexos — algo que ele planejava em nossas sessões e depois executava por conta própria. Caso caísse na tentação de menosprezar o valor das interações e dos relacionamentos interpessoais, por causa de seu histórico de isolamento e tratamento hostil, ele teria pouquíssimas chances de recuperar sua saúde e seu bem-estar. Mas, em vez disso, aprendeu a lidar com esse aspecto e ingressou no mundo.

A SANIDADE COMO UMA INSTITUIÇÃO SOCIAL

Para os Drs. Sigmund Freud e Carl Jung, grandes representantes da psicologia profunda, a sanidade era uma característica da mente individual. Na opinião deles, as pessoas eram bem ajustadas quando a expressão das subpersonalidades existentes dentro de cada um era adequadamente integrada e equilibrada. Para Freud, o primeiro a conceituá-los, o id, a parte instintiva da psique (do alemão *es*, que significa "isso", representando a natureza, em todo seu poder e estranheza, dentro de nós); o superego (o por vezes opressivo representante internalizado da ordem social); e o ego (o eu, a personalidade em si, espremida entre as duas inevitáveis tiranas mencionadas anteriormente) têm funções especializadas. O id, o ego e o superego interagem entre si como se fossem os poderes executivo, legislativo e judiciário de um governo moderno. Jung, embora profundamente influenciado por Freud, destrinchava a complexidade da psique humana de uma forma diferente. Para ele, o ego do indivíduo tinha que encontrar seu lugar adequado em relação à sombra (o lado obscuro da personalidade), à anima ou ao animus (o lado da personalidade contrassexual e, portanto, reprimido) e ao eu (o ser interno da possibilidade ideal). Mas todas essas diferentes subentidades, tanto junguianas quanto freudianas, compartilham um aspecto em comum: existem no interior da pessoa, independentemente de seu ambiente. Entretanto, pessoas são seres sociais — por excelência —, e não nos faltam conhecimento e orientação fora de nós, incorporados ao mundo social. Por que contar com nossos próprios recursos limitados para nos lembrar do caminho, ou para nos orientar em um novo território, quando podemos utilizar placas e sinalizações dispostas com tanto esforço por outros? Freud e Jung, com seu intenso foco na psique do indivíduo autônomo, deram pouquíssima ênfase ao papel da comunidade na manutenção da saúde mental pessoal.

É por essas razões que, assim que começo meu trabalho, avalio a situação de todos os meus clientes dentro de algumas dimensões amplamente dependentes no mundo social: eles receberam educação para suprir o nível de suas habilidades intelectuais ou de sua ambição? Eles utilizam o tempo livre de forma envolvente, significativa e produtiva? Formularam planos sólidos e bem articulados para o futuro? Eles (e as pessoas próximas deles) estão livres de condições físicas/de saúde graves ou problemas econômicos? Têm amigos e vida social? Uma parceria íntima estável e satisfatória? Relações familiares próximas e funcionais? Uma carreira — ou, pelo menos, um emprego — que seja financeiramente suficiente, estável e, se possível, fonte de satisfação e oportunidade? Se a resposta para três ou mais dessas perguntas for "não", considero que meu novo cliente não está incorporado o suficiente ao mundo interpessoal e está em risco de mergulhar em uma espiral psicológica descendente por causa disso. As pessoas existem em um contexto social, e não como mentes puramente individuais. Um indivíduo não precisa ser tão bem-composto se puder manter um comportamento minimamente aceitável por outros. Em outras palavras: nós terceirizamos o problema da sanidade. As pessoas permanecem mentalmente saudáveis não apenas por causa da integridade de suas próprias mentes, mas porque estão sempre sendo lembradas de como pensar, agir e falar pelas outras pessoas ao seu redor.

Se você começar a se desviar do caminho virtuoso — se começar a agir de maneira inadequada —, as pessoas reagirão aos seus erros antes que eles se tornem grandes demais, e irão persuadir, rir, corrigir e criticar até que você volte para o caminho. Elas irão desaprovar, sorrir (ou não) ou prestar atenção (ou não). Em outras palavras, se outras pessoas conseguem tolerar sua presença, elas constantemente o lembrarão de não se comportar mal e, com a mesma frequência, exigirão que demonstre o seu melhor. Tudo que lhe resta fazer é observar, ouvir e responder de maneira adequada às pistas. Assim, você consegue continuar motivado e capaz de se manter suficientemente composto para não mergulhar na longa viagem ladeira abaixo. Isso é razão suficiente para apreciar sua imersão no mundo das outras pessoas — amigos, familiares e também inimigos —, apesar da ansiedade e frustração que as interações sociais, com frequência, acarretam.

Mas como desenvolvemos o amplo consenso em relação ao comportamento social que serve para sustentar nossa estabilidade psicológica? Parece uma tarefa hercúlea — ou até impossível — diante de toda a complexidade com a qual nos confrontamos. "Buscamos isso ou aquilo?"; "Como o valor dessa obra se compara ao valor daquela outra?"; "Quem é mais competente, ou mais criativo, ou mais assertivo, e para quem deveria, portanto, ser concedida a autoridade?". Respostas para essas perguntas são principalmente formuladas em consequência de uma intensa negociação — verbal e não verbal — que regula a ação, a cooperação e a competição individuais. O que consideramos valioso e digno de atenção se torna parte do contrato social; parte das recompensas e punições atribuídas, respectivamente, por sua adequação ou inadequação; parte do que nos indica e nos lembra a todo momento: "Eis o que é valioso. Olhe para isso (perceba isso), e não para outra coisa. Busque isso (aja com esse objetivo), e não outra coisa qualquer." A adequação em relação a essas indicações e lembretes é, em grande medida, a própria sanidade — e é algo exigido de todos nós desde os primeiros estágios de nossas vidas. Sem a intermediação do mundo social, seria impossível organizar nossas mentes, e ficaríamos simplesmente sobrecarregados com o mundo.

A IMPORTÂNCIA DE APONTAR

Tenho a felicidade de ter uma neta, Elizabeth Scarlett Peterson Korikova, nascida em agosto de 2017. Observo seu desenvolvimento atentamente, na tentativa de acompanhar seus avanços e participar. Quando ela tinha cerca de 1 ano e meio, começou a exibir uma gama de comportamentos incrivelmente cativantes — ria e gargalhava quando a cutucávamos, batia a palminha da mão na nossa, encostava a cabeça na nossa e esfregava o nariz no nosso. No entanto, na minha opinião, sua ação mais notável nessa idade era apontar.

Elizabeth acabara de descobrir seu dedo indicador, e o usava para especificar todos os objetos que achava interessantes no mundo. Ela adorava, especialmente quando o fato de apontar chamava a atenção dos adultos à sua volta. A atenção das pessoas indicava, de maneira singular, que sua ação e intenção tinham *importância* — que pode ser definida, ao menos em parte, como a tendência de um comportamento ou uma atitude de atrair a atenção de outras pessoas. Não é de surpreender que isso a fascinasse. Competimos por atenção, pessoal, social e economicamente. Nada tem mais valor do que isso. Crianças, adultos e sociedades definham ante a ausência da atenção. Chamar a atenção das pessoas para o que você acha importante ou interessante, em primeiro lugar, valida a importância do objeto em si, porém, o mais crucial, valida o indivíduo como centro respeitável de experiência consciente e contribuidor para o mundo coletivo. Apontar é, assim, um precursor vital do desenvolvimento da linguagem. Nomear — usar uma palavra para identificar algo — é basicamente apontar; especificar em meio a todo o resto; isolar para o uso individual e social.

Quando minha neta apontava, ela o fazia publicamente. Ao apontar para algo, conseguia imediatamente observar como as pessoas ao seu redor reagiam. Não tem sentido apontar para algo com que ninguém mais se importa. Então, ela apontava com o indicador qualquer coisa que achava interessante e, em seguida, olhava para as pessoas ao seu redor para descobrir se mais alguém se importava. Era tão jovem e já estava aprendendo uma importante lição: se você não se comunica sobre algo que interessa a outras pessoas, o valor de sua comunicação — até mesmo o valor de sua presença — tende a ser nulo. Dessa maneira, ela começou a explorar com mais profundidade a complexa hierarquia de valor que compõe a sua família e a sociedade mais abrangente ao seu redor.

Elizabeth Scarlett está aprendendo a falar — uma forma mais sofisticada de apontar (e de explorar). Cada palavra é um ato de apontar, bem como uma simplificação ou generalização. Nomear algo não é apenas destacá-lo em meio a uma infinidade de elementos potencialmente nomeáveis, mas agrupá-lo ou categorizá-lo, simultaneamente, com muitos outros fenômenos de utilidade ou significado amplo. Usamos a palavra "piso", por exemplo, mas geralmente não utilizamos uma palavra separada para todos os tipos de piso que podemos encontrar (concreto, madeira, terra, vidro), muito menos para todas as infinitas variações de cor, tom e textura que compõem os detalhes dos pisos existentes. Empregamos uma representação pouco nítida, de baixa resolução: se serve de sustentação, podemos andar sobre ele e é situado dentro de uma edificação, então é um "piso" e o termo é preciso o bastante. A palavra distingue os pisos, digamos, de paredes, mas também restringe a variabilidade em todos os pisos existentes a um conceito único — superfícies planas, estáveis e internas em que se pode caminhar.

As palavras que empregamos são ferramentas que estruturam a nossa experiência de forma subjetiva e particular e são, da mesma forma, socialmente determinadas. Não conheceríamos e usaríamos a palavra "piso" a menos que todos tivéssemos concordado que era algo importante o bastante para justificar a atribuição de uma palavra. Então, o simples fato de nomear algo (e, claro, concordarmos em relação a um nome) é uma parte importante do processo pelo qual o mundo infinitamente complexo dos fenômenos e dos fatos é reduzido ao mundo funcional do valor. E é a interação contínua com as instituições sociais que torna essa redução — essa especificação — possível.

PARA O QUE DEVEMOS APONTAR?

O mundo social restringe e especifica o mundo para nós, destacando o que é importante. Mas o que significa "importante"? Como isso é determinado? O indivíduo é moldado pelo mundo social. As instituições sociais, por sua vez, são moldadas pelas necessidades dos indivíduos que as compõem. Precisamos fazer arranjos para que as necessidades básicas da vida sejam atendidas. Não podemos viver sem comida, água, ar limpo e abrigo. De forma menos evidente, necessitamos de companhia, diversão, contato humano e intimidade. Essas são necessidades biológicas bem como psicológicas (e esta não é uma lista exaustiva). Precisamos atribuir significado e depois utilizar os elementos do mundo capazes de atender a essas necessidades. E o fato de sermos profundamente sociais acrescenta outro conjunto de restrições à situação: devemos perceber e agir de maneira a atender às nossas necessidades psicológicas e biológicas — mas, já que ninguém vive ou pode viver isolado, precisamos atendê-las de uma forma aprovada pelos outros. Isso significa que as soluções que aplicamos aos nossos problemas biológicos fundamentais devem ser também socialmente aceitáveis e implementáveis.

Vale a pena considerar mais profundamente como a necessidade limita o universo de soluções viáveis e planos implementáveis. Em primeiro lugar, como já mencionamos, o plano deve, em tese, resolver um problema real. Em segundo, deve ser atraente para outras pessoas — principalmente diante da existência de planos concorrentes — ou essas outras pessoas não cooperarão e podem até se opor. Portanto, se eu valorizo algo, devo determinar como valorizá-lo para que outros possam se beneficiar. Não pode ser bom apenas para mim: deve ser bom para mim e para as pessoas ao meu redor. E, mesmo assim, talvez não seja o suficiente — o que significa que há ainda mais restrições sobre como devemos perceber e agir no mundo. A maneira como vejo e valorizo o mundo, integralmente associada aos meus planos, deve funcionar para mim, para minha família e para a comunidade em geral. Além disso, ela precisa funcionar hoje, de modo a não acarretar consequências negativas amanhã, na próxima semana, mês ou ano (ou ainda na próxima década ou século). Uma boa solução para um problema que envolve sofrimento deve ser reproduzível sem perda de eficácia — ou seja, iterável — entre as pessoas e ao longo do tempo.

Essas restrições universais, manifestadas pela biologia e impostas pela sociedade, reduzem a complexidade do mundo a algo semelhante a um domínio de valor universalmente compreensível. Isso é de excepcional importância, pois existem inúmeros problemas e, hipoteticamente, ilimitadas soluções potenciais, mas há apenas um número relativamente limitado de soluções que funcionam de forma simultânea nas esferas prática, psicológica e social. O fato de as soluções serem limitadas sugere a existência de algo semelhante a uma ética natural — variável,

REGRA 1

talvez, assim como as linguagens humanas, mas com uma base sólida e universalmente reconhecível. É a realidade dessa ética natural que torna a crítica irrefletida acerca das instituições sociais tanto errada quanto perigosa, pois elas evoluíram com o objetivo de resolver problemas que precisam de solução para que a vida possa ter continuidade. Essas instituições não são, de modo algum, perfeitas — mas aperfeiçoá-las, ao invés de piorá-las, é de fato um problema complexo.

Assim, é preciso reduzir a complexidade do mundo a um único aspecto para que eu possa agir, levando em consideração todas as pessoas, quem são hoje e quem serão amanhã. Como é possível? Ao comunicar e negociar. Ao terceirizar o problema cognitivo incrivelmente complexo para os recursos do mundo mais amplo. Os indivíduos que compõem todas as sociedades cooperam e competem linguisticamente (embora a interação linguística não esgote, de forma alguma, os meios de cooperação e competição). As palavras são formuladas de maneira coletiva, e todos precisam concordar com a sua utilização. A estrutura de comunicação verbal que nos ajuda a delimitar o mundo é uma consequência do panorama de valor construído socialmente, mas também limitado pela necessidade crua da própria realidade. Isso ajuda a dar forma ao panorama, e não apenas uma velha forma qualquer. É nesse ponto que as hierarquias — funcionais, produtivas — entram em cena de maneira mais clara.

O que é importante precisa ser feito, ou as pessoas morrerão de fome, de sede ou de exposição às intempéries — ou de solidão e falta de contato humano. O que precisa ser feito deve ser especificado e planejado. As habilidades exigidas para tanto devem ser desenvolvidas. A especificação, o planejamento e o desenvolvimento de habilidades, assim como a implementação do plano informado, precisam ser conduzidos no espaço social, com a cooperação (e competição) das outras pessoas. Em consequência, algumas pessoas serão melhores, e outras, piores, na resolução do problema em questão. Essa variação de capacidade (bem como a multiplicidade de problemas existentes e a impossibilidade de treinar todo mundo em todos os domínios especializados) necessariamente gera a estrutura hierárquica — baseada, de modo ideal, na competência legítima em relação ao objetivo. Tal hierarquia é, na sua essência, uma ferramenta socialmente estruturada que precisa ser empregada para o atendimento eficaz das tarefas necessárias e gratificantes. Ela é também a instituição social que torna o progresso e a paz possíveis ao mesmo tempo.

DE BAIXO PARA CIMA

O consenso composto das presunções de valor explícitas e implícitas que caracterizam nossas sociedades é antigo, desenvolvido ao longo de centenas de milhões de anos. Afinal, "Como agir?" é apenas a versão imediata, de curto prazo, da pergunta fundamental, de longo prazo, "Como sobreviver?". Portanto, é instrutivo olhar para nosso passado distante — nos primórdios do processo evolutivo, direto na origem — e contemplar o estabelecimento do que é importante. Os organismos multicelulares filogeneticamente mais antigos (regressão suficiente para os nossos propósitos) tendem a ser compostos de células sensoriomotoras relativamente indiferenciadas.[1] Essas células mapeiam determinados fatos ou características do ambiente diretamente para a saída motora dessas mesmas células, em uma relação basicamente de um para um. O estímulo A significa a resposta A, e nada mais, enquanto o estímulo B, a resposta B. Entre criaturas mais complexas e com maior diferenciação — os habitantes maiores e mais reconhecíveis do mundo natural —, as funções sensoriais e motoras se dividem e se especializam, de modo que as células responsáveis pelas primeiras funções detectam padrões no mundo e as responsáveis pelas segundas produzem os padrões da saída motora.

REGRA 1

Essa diferenciação permite uma gama mais ampla de padrões a ser reconhecida e mapeada, bem como um espectro mais amplo de ação e reação a ser realizado. Um terceiro tipo de célula — o neurônio — às vezes também entra em ação, servindo de intermediário computacional entre as duas primeiras. Entre espécies que têm um nível de operação neural estabelecido, o "mesmo" padrão de entrada pode produzir um diferente padrão de saída (dependendo, por exemplo, de alterações ambientais ou na condição psicofísica interna do animal).

À medida que a sofisticação do sistema nervoso aumenta, e mais e mais camadas de intermediação neural emergem, a relação entre um acontecimento simples e a saída motora torna-se cada vez mais complexa, imprevisível e sofisticada. Um evento ou uma situação hipoteticamente igual pode ser percebida de várias maneiras, e duas situações percebidas da mesma maneira também podem originar comportamentos muito diferentes. É muito difícil restringir de forma tão severa mesmo um animal isolado em laboratório, por exemplo, a ponto de ele se comportar de forma previsível em testes com o máximo de similaridade possível. À medida que as camadas de tecido neural que intermedeiam a sensação e a ação se multiplicam, elas também se diferenciam. Surgem sistemas motivacionais básicos, conhecidos como impulsos (fome, sede, agressão etc.), adicionando especificidade e variabilidade sensorial e comportamental. As motivações de substituição, por sua vez — sem uma linha clara de demarcação —, são sistemas de emoção. Os sistemas cognitivos surgem muito mais tarde, primeiro tomando forma, possivelmente, como imaginação e, depois — e apenas entre os seres humanos —, como linguagem plenamente desenvolvida. Assim, na mais complexa das criaturas, existe uma hierarquia estrutural interna, que vai do reflexo, passando pelo impulso, até a ação mediada pela linguagem (no caso particular dos seres humanos), que deve ser organizada, antes que possa funcionar como uma unidade e ser direcionada para um objetivo.[2]

Como essa hierarquia foi organizada — uma estrutura que surgiu principalmente de baixo para cima — ao longo dos vastos períodos evolutivos? Voltamos à mesma resposta aludida anteriormente: por meio de cooperação e competição constantes — a contínua disputa por recursos e posição — que definem a luta pela sobrevivência e reprodução. Isso acontece ao longo de períodos inimaginavelmente prolongados, típicos da evolução, bem como durante o período muito mais curto de cada vida. A negociação por uma posição classifica os organismos nas hierarquias onipresentes que governam o acesso a recursos vitais, como abrigo, alimentação e parceiros. Todas as criaturas de razoável complexidade e até uma natureza minimamente social têm seu lugar específico e sabem disso. Todas as criaturas sociais também aprendem o que é considerado valioso por outros membros do grupo e derivam disso, bem como do entendimento de sua própria posição, uma sofisticada compreensão implícita e explícita do valor em si. Em uma frase: a hierarquia interna que converte fatos em ações espelha a hierarquia externa da organização social. É evidente, por exemplo, que os chimpanzés em um bando entendem seu mundo social e seus estratos hierárquicos em um nível preciso de detalhes. Eles sabem o que é importante e quem tem acesso privilegiado a isso. Entendem esses aspectos como se sua sobrevivência e reprodução dependessem disso, pois de fato dependem.[3]

Um recém-nascido é equipado com reflexos relativamente determinísticos: sucção, choro, susto. Contudo, eles fornecem um ponto de partida para a imensa gama de habilidades que se desenvolvem com a maturidade humana. Aos 2 anos de idade (com frequência até muito antes disso, para muitas habilidades), as crianças são capazes de se orientar por meio de todos seus sentidos, andar eretas, usar as mãos dotadas de polegares oponíveis para todos os tipos de finalidades e comunicar seus desejos e suas necessidades de maneira verbal e não verbal — e esta, é claro, não é uma lista exaustiva. Esse imenso conjunto

REGRA 1

de habilidades comportamentais é integrado em uma complexa variedade de comportamentos e impulsos motivacionais (raiva, tristeza, medo, alegria, surpresa, entre outros) e, então, organizado para atender a qualquer que seja o propósito específico e limitado que inspire a criança naquele momento e, gradualmente, por períodos cada vez maiores.

A criança em desenvolvimento também deve ajustar e aprimorar seu estado motivacional, atualmente dominante, em harmonia com todos os seus outros estados motivacionais internos (por exemplo, os desejos diferenciados de comer, dormir e brincar devem aprender a coexistir para que cada um se manifeste de forma otimizada) e de acordo com as demandas, rotinas e oportunidades do meio social. Esse ajuste começa no relacionamento materno da criança e no comportamento espontâneo de brincar dentro desse contexto social, ainda que circunscrito. Então, quando a criança amadurece a ponto de a hierarquia interna das funções emocionais e motivacionais poder ser incorporada, mesmo que temporariamente, em uma estrutura fornecida por um objetivo abstrato consciente e comunicável ("vamos brincar de casinha"), ela está pronta para brincar com as outras — e fazê-lo, ao longo do tempo, de um modo cada vez mais complexo e sofisticado.[4]

Brincar com outras crianças depende (como observou o grande psicólogo do desenvolvimento Jean Piaget)[5] do estabelecimento coletivo de um objetivo compartilhado com seus parceiros de brincadeira. Esse estabelecimento coletivo de um objetivo compartilhado — o propósito do jogo —, aliado a regras que governam a cooperação e a competição no relacionamento para esse objetivo ou propósito, constitui um verdadeiro microcosmo social. Todas as sociedades podem ser consideradas variações sobre esse tema brincar/jogar — *E pluribus unum*[II] —, e em todas as sociedades decentes e funcionais as normas básicas do jogo

---

II "De muitos, um."

limpo, baseado na reciprocidade entre situação e tempo, inevitavelmente se aplicam. Para perdurar, os jogos, assim como as soluções dos problemas, precisam ser iteráveis, e há princípios que se aplicam e reforçam o que constitui essa iterabilidade. Piaget suspeitava, por exemplo, que jogos nos quais nos engajamos de maneira voluntária superarão os jogos impostos e jogados sob ameaça de força, dado que parte da energia que poderia ser despendida no próprio jogo, seja qual for sua natureza, tem que ser gasta na sua imposição. Há evidências indicando a emergência de acordos voluntários similares aos dos jogos até entre nossos parentes não humanos.[6]

As regras universais do jogo limpo incluem a capacidade de controlar a emoção e a motivação enquanto se coopera e compete em busca do objetivo durante o jogo (isso é parte essencial de ser capaz de jogar), bem como a capacidade e o desejo de estabelecer interações reciprocamente benéficas ao longo do tempo e das situações, como já discutido. E a vida não é só um jogo, mas uma série deles, cada um com algo em comum (a definição de jogo) e algo único (ou não haveria motivos para existir mais de um). No mínimo, há um ponto de partida (o jardim de infância, um placar 0-0, o primeiro encontro, o primeiro emprego), que necessita ser aperfeiçoado; um procedimento para essa melhoria; e um objetivo desejável (formatura do ensino médio, um placar vencedor, um relacionamento romântico duradouro, uma carreira de sucesso). Por causa desse ponto em comum, existe uma ética — ou, para sermos mais exatos, uma metaética — que emerge, de baixo para cima, em todas as categorias de jogos. O melhor jogador, portanto, não é o vencedor de um determinado jogo, mas, entre outras coisas, aquele que é convidado pelo maior número de pessoas para jogar a série mais extensa de jogos. É por essa razão — que você pode não entender explicitamente no momento — que dizemos para nossos filhos:

REGRA 1

"O importante não é ganhar ou perder. É como se joga!"[III] Como

---

III Até os ratos entendem isso. Jaak Panksepp, um dos fundadores do subcampo psicológico chamado neurociência afetiva e um pesquisador extremamente criativo, corajoso e talentoso, passou muitos anos analisando o papel da brincadeira no desenvolvimento e na socialização de ratos (veja Panksepp, J. *"Affective neuroscience: The foundations of human and animal emotions"* [Nova York: Oxford University Press, 1998], especialmente o capítulo sobre brincadeiras, pp. 280-299). Os ratos gostam de jogar. E gostam particularmente de jogos de luta, ainda mais se forem ratos machos e jovens. Eles gostam tanto que trabalharão voluntariamente — puxando uma alavanca repetidas vezes, digamos — para ter a oportunidade de entrar em uma arena onde outro jovem o aguarda para jogar. Quando dois jovens estranhos se encontram pela primeira vez nesta situação, eles se avaliam e, então, estabelecem o domínio. Se um rato for apenas 10% maior do que o outro, já é capaz de vencer praticamente todas as disputas físicas, todas as brincadeiras de luta; ainda assim, eles lutam para descobrir quem vence, mas o rato maior quase sempre imobiliza o menor. Se encararmos o estabelecimento da hierarquia como equivalente à dominância pelo poder, seria o fim do jogo. O rato maior e mais poderoso venceu. Fim da história. Mas este não é, de forma alguma, o fim da história, a menos que os ratos se encontrem apenas uma vez. Esses animais vivem em ambientes sociais e interagem com os mesmos indivíduos continuamente. Assim, o jogo, uma vez iniciado, continua — e as regras devem governar não apenas o jogo único, mas também os que se repetem. Uma vez que a dominância é estabelecida, os ratos podem brincar de lutar — o que é muito diferente de uma luta genuína (assim como brincar de lutar com um cachorro de estimação é muito diferente de ser atacado por um cachorro). O rato maior continua sendo capaz de imobilizar o menor todas as vezes. No entanto, isso quebra as regras (na verdade, as metarregras: aquelas que só são observáveis no decorrer de jogos repetidos). O objetivo do jogo reiterado não é o domínio, mas, sim, a continuidade. Isso não quer dizer que o domínio inicial não tenha significado. Ele é importante, sobretudo no seguinte sentido: quando os dois ratos se encontrarem pela segunda vez, ambos assumirão um papel único. O rato menor agora tem o dever de convidar seu amigo maior para jogar, e o rato maior tem o dever de aceitar o convite. O primeiro começará a pular para convidar à brincadeira, indicando sua intenção. O rato maior pode recuar e agir com calma e um pouco de desdém (como agora é sua prerrogativa); mas, se for decente, entrará na diversão, pois no fundo do seu coração o que ele realmente deseja é jogar. No entanto — e esta é a questão crítica —, se o rato maior não deixar o rato menor vencer as lutas repetidas em alguma proporção substancial do tempo (Panksepp estimou 30–40% das vezes), o rato menor não o convidará mais para jogar. Simplesmente não é divertido para o pequenino. Assim, se o rato maior dominar pelo poder (tal qual um valentão), como poderia fazer, perderá no nível mais alto (o nível em que a diversão continua pelo maior tempo possível), mesmo quando "ganha" com mais frequência no nível inferior. O que isso significa? O mais importante, esse poder simplesmente não é uma base estável sobre a qual construir uma hierarquia projetada para governar de forma otimizada as interações repetidas. E isso não é verdade apenas para os ratos. Os machos alfa, pelo menos entre certos grupos de primatas, são muito mais pró-sociais do que seus camaradas menores. O poder também não funciona para eles (veja de Waal, F. B. M. e Suchak, M. "Prosocial primates: selfish and unselfish motivations". *Philosophical Transactions of the Royal Society of London: Biological Science*, 365, [2010], 2711-2722. Veja tam-

devemos jogar para sermos o jogador mais desejável? Que estrutura precisa tomar forma dentro de você para que tal jogo seja possível? E essas duas perguntas estão inter-relacionadas, pois a estrutura que permitirá que você jogue de maneira apropriada (e com precisão crescente e automatizada ou habitual) somente emergirá no processo de praticar continuamente a arte de jogar de forma adequada. Onde podemos aprender a jogar? Em todos os lugares... se tiver sorte e estiver atento.

A UTILIDADE DO TOLO

É útil assumir seu lugar na base da hierarquia. Pode ajudar no desenvolvimento da gratidão e da humildade. *Gratidão*: existem pessoas com mais expertise que você, e o mais sábio é agradecer que seja assim. Há muitos nichos valiosos para se preencher, considerados os muitos problemas complexos e sérios que precisamos resolver. O fato de haver pessoas que preenchem esses nichos com experiência e habilidade confiáveis é algo pelo que devemos ser verdadeiramente gratos. *Humildade*: é melhor presumir a ignorância e instigar o aprendizado do que presumir um conhecimento suficiente e arriscar a cegueira decorrente. É muito melhor fazer as pazes com o que você não sabe do que com o que sabe, pois há um suprimento infinito do primeiro, mas um estoque finito demais do segundo. Quando você está imobilizado ou encurralado — frequentemente por sua própria teimosia e adesão imutável a algumas presunções que idolatra de maneira inconsciente —, só conseguirá obter ajuda do que ainda não aprendeu.

É necessário e útil ser, e de algumas maneiras permanecer, um iniciante. Por esse motivo, as cartas de tarô adoradas pe-

---

bém de Waal, F., *The surprising science of alpha males,* TEDMED 2017, bit.ly/primate_ethic).

REGRA 1

los intuitivos, românticos, videntes e outros charlatões trazem o Tolo [também chamado de Louco] como uma carta positiva, uma versão ilustrada semelhante à que abre este capítulo. O Tolo é um homem jovem e bonito, que olha para cima, caminhando pelas montanhas, banhado pela reluzente luz do sol — prestes a despencar desatentamente em um abismo (será?). Sua força, porém, é exatamente sua disposição para se arriscar à queda; para correr o risco de voltar à base. Somente uma pessoa disposta a ser um tolo iniciante é capaz de aprender. É por esse motivo, entre outros, que Carl Jung considerava o Tolo o precursor arquetípico da figura igualmente arquetípica do Redentor, o indivíduo aperfeiçoado.

O iniciante, o tolo, precisa ser continuamente paciente e tolerante — com ele mesmo e, na mesma medida, com os outros. Suas demonstrações de ignorância, inexperiência e falta de habilidades ainda podem, às vezes, ser corretamente atribuídas à irresponsabilidade e justamente condenadas pelos outros. Mas a insuficiência do tolo é, muitas vezes, mais bem considerada como uma consequência inevitável da vulnerabilidade essencial de cada indivíduo, em vez de uma verdadeira falha moral. Muito do que é ótimo começa pequeno, ignorante e inútil. Essa lição permeia tanto a cultura popular quanto a clássica ou tradicional. Considere, por exemplo, os heróis da Disney Pinóquio e Simba, bem como o fascinante Harry Potter, de J. K. Rowling. Pinóquio começa como uma marionete de madeira, um fantoche das decisões de todos, exceto as suas. O Rei Leão começa como um filhote ingênuo, o peão inconsciente no jogo de um tio traiçoeiro e malévolo. O estudante de magia é um órfão desprezado, instalado em um quarto improvisado dentro do armário debaixo da escada e que tem Voldemort — que pode muito bem ser o próprio Satanás — como arqui-inimigo. Da mesma forma, grandes heróis mitificados costumam vir ao mundo nas circunstâncias mais escassas (como o filho de um escravo israelita, por exemplo, ou recém-nascido em uma manjedoura humilde) e em grande perigo (considere a decisão do Faraó de matar todos os bebês primogênitos do sexo masculino — filhos de israelitas — e a ordem semelhante de Herodes, muito depois). Mas o iniciante de hoje é o mestre de amanhã. Assim, é necessário até mesmo para o mais realizado (que, todavia, deseja realizar ainda mais) manter a identificação com os que ainda não tiveram sucesso, valorizar a luta pela competência, subordinar-se ao jogo atual de forma cuidadosa e com humildade autêntica e desenvolver o conhecimento, o autocontrole e a disciplina necessários para dar o próximo passo.

Na mesma época em que escrevia este texto, visitei um restaurante em Toronto com minha esposa, meu filho e minha filha. Enquanto eu caminhava para a minha mesa, um jovem garçom perguntou se poderia conversar um pouco comigo. Disse que estava assistindo aos meus vídeos, ouvindo meus podcasts e lendo meu livro e que, em consequência, mudou de atitude em relação ao seu emprego de status comparativamente inferior (mas ainda útil e necessário). Ele havia parado de criticar o que estava fazendo ou a si mesmo por fazê-lo, decidindo, em vez disso, ser grato e buscar todas as oportunidades que se apresentassem diante dele. Decidiu se tornar mais diligente e confiável e ver o que aconteceria se trabalhasse com o máximo de afinco possível. Ele me disse, com um sorriso incontrolável, que havia sido promovido três vezes em seis meses.

O jovem percebeu que todo lugar tem mais potencial do que é possível enxergar a princípio (sobretudo quando sua visão estava prejudicada pelo ressentimento e cinismo que sentia por estar perto da base). Afinal, não é que um restaurante seja um lugar simples — e esse era de uma grande empresa nacional; uma grande rede de alta qualidade. Para fazer um bom trabalho em um lugar assim, os garçons devem se dar bem com os cozinheiros, que são por reconhecimento universal um grupo incrivelmente problemático e complicado. Eles *também devem*

REGRA 1

ser educados e carismáticos com os clientes. Têm que estar atentos o tempo todo. Precisam se ajustar a cargas de trabalho altamente variáveis: momentos de agitação e de marasmo que inevitavelmente acompanham a vida de um garçom. Eles têm que chegar na hora certa, sóbrios e despertos. Devem tratar seus superiores com o devido respeito e fazer o mesmo com os colegas — como os lavadores de pratos — abaixo deles na estrutura de autoridade. E, se fizerem todas essas coisas e por acaso estiverem trabalhando em uma instituição funcional, logo se tornarão difíceis de substituir. Clientes, colegas e superiores começarão a reagir a eles de maneira cada vez mais positiva. Portas que de outra forma permaneceriam fechadas — mesmo que invisíveis — serão abertas. Além disso, as habilidades adquiridas serão eminentemente portáteis, quer continuem a subir na hierarquia de *restaurateurs*, quer decidam, em vez disso, continuar sua educação ou mudar sua trajetória de carreira por completo (neste caso, levarão consigo recomendações elogiosas de seus empregadores anteriores e chances elevadas de descobrir a próxima oportunidade).

Como era de se esperar, o jovem que tinha algo a me dizer ficou emocionado com o que lhe aconteceu. Suas preocupações com o status foram satisfeitas de maneira sólida e realista pelo seu rápido avanço na carreira, e o dinheiro adicional que ganhava também não foi nada mal. Ele aceitou e, portanto, transcendeu seu papel de iniciante. Abandonou seu cinismo casual quanto ao lugar que ocupava no mundo e às pessoas que o cercavam, e aceitou a estrutura e a posição que lhe foram oferecidas. Assim, começou a ver possibilidades e oportunidades antes ofuscadas, essencialmente, por seu orgulho. Parou de criticar a instituição social da qual fazia parte e começou a desempenhar seu papel de maneira apropriada. E esse incremento na humildade foi muito recompensador.

A NECESSIDADE DE IGUAIS

É bom ser um iniciante, mas é bom de um jeito diferente ser um igual entre iguais. Dizem, com muita verdade, que a autêntica comunicação só pode ocorrer entre pares. Isso se deve ao fato de ser muito difícil transmitir informação para cima na hierarquia. Os bem posicionados (e este é um dos grandes perigos de subir na hierarquia) usam sua competência atual — suas adoradas opiniões, seu conhecimento presente, suas habilidades atuais — para fazer uma reivindicação moral em relação ao seu status. Em consequência, eles têm pouca motivação para admitir um erro, para aprender ou mudar — e muitos motivos para não fazê-lo. Se um subordinado expõe a ignorância de uma pessoa com status superior, corre o risco de humilhá-la, questionando a validade da sua alegação de influência e status e revelando-a como incompetente, obsoleta ou falsa. Por esse motivo, é muito sábio levar um problema ao conhecimento de seu chefe, por exemplo, com cuidado e em particular (e talvez seja melhor já ter uma solução — que não seja oferecida sem a devida ponderação).

Também existem barreiras ao fluxo de informações genuínas para *baixo* na hierarquia. Por exemplo, o ressentimento que as pessoas mais abaixo na cadeia de comando podem sentir sobre sua posição hipoteticamente inferior pode fazê-las relutar em agir de forma produtiva com base nas informações de cima — ou, na pior das hipóteses, pode motivá-las a trabalhar contra tudo que aprenderam, por puro rancor. Além disso, os inexperientes ou menos instruídos, ou que ocupam há pouco tempo uma posição subordinada e, portanto, não têm conhecimento do seu entorno, podem ser influenciados com mais facilidade pela posição relativa e pelo exercício do poder, e não pela qualidade da argumentação e pela constatação da competência. Os pares, em contraste, precisam ser, em geral, convencidos. Sua atenção deve ser cuidadosamente retribuída. Estar rodeado por

REGRA 1   23

pares é existir em um estado de igualdade e manifestar o dar e o receber necessários para manter essa igualdade. Portanto, é bom estar no meio de uma hierarquia.

Em parte, é por isso que as amizades são tão importantes e se formam tão cedo na vida. Normalmente, uma criança de 2 anos preocupa-se consigo mesma, embora também seja capaz de ações recíprocas simples. A mesma Scarlett de quem falei antes — minha neta — ficava feliz em me entregar um de seus brinquedos de pelúcia favoritos, preso a uma chupeta, quando eu pedia. Então eu o entregava ou jogava de volta (às vezes ela jogava para mim também — ou pelo menos relativamente perto de mim). Ela amava esse jogo. Também brincávamos com uma colher — um instrumento que ela estava começando a dominar. Ela jogava da mesma forma com a mãe e a avó — com qualquer um que estivesse ao alcance, se conhecesse a pessoa o suficiente para não ficar tímida. Esse é o início dos comportamentos que, mais tarde, se transformam em compartilhamento pleno entre crianças mais velhas.

Alguns dias antes de eu escrever este capítulo, minha filha, Mikhaila, mãe de Scarlett, levou a filha para a área recreativa na cobertura de seu condomínio no centro da cidade. Várias outras crianças brincavam ali, a maioria delas mais velhas, e havia muitos brinquedos. Scarlett passava o tempo acumulando o máximo possível de brinquedos perto de onde sua mãe se sentou e não se abalava se outras crianças aparecessem para roubar um deles. Ela até pegou uma bola diretamente das mãos de outra criança para adicionar à sua coleção. Esse é o comportamento típico de crianças de 2 anos ou menos. Sua capacidade de retribuir, embora não esteja ausente (e possa se manifestar de maneiras verdadeiramente cativantes), é limitada nessa fase de desenvolvimento.

No entanto, aos 3 anos de idade, a maioria das crianças é capaz de compartilhar. Elas são capazes de adiar a gratificação por tempo suficiente para terem sua vez ao brincar em um jogo em que não é possível todos participarem ao mesmo tempo. Começam a entender o objetivo de um jogo de múltiplos jogadores e a seguir as regras, embora possam não ser capazes de fornecer uma descrição verbal coerente de quais são essas regras. Começam a fazer amizades após uma exposição reiterada a crianças com quem negociaram com sucesso relações lúdicas recíprocas. Algumas dessas amizades se transformam nos primeiros relacionamentos intensos que as crianças têm fora da família. É no contexto de tais relacionamentos, que tendem a se formar entre iguais em idade (ou pelo menos iguais em estágio de desenvolvimento), que uma criança aprende a criar fortes vínculos com um colega e começa a aprender como tratar outra pessoa adequadamente, exigindo o mesmo em troca.

Esse vínculo mútuo é de vital importância. Uma criança sem pelo menos um amigo próximo e especial tem muito mais probabilidade de sofrer problemas psicológicos posteriores, do tipo depressivo/ansioso ou antissocial,[7] e crianças com menos amigos também têm maior probabilidade de ficar desempregadas e solteiras quando adultas.[8] Não há evidências de que a importância da amizade diminui de alguma forma com a idade.[IV] Todas as causas de mortalidade parecem ser reduzidas entre adultos com redes sociais de alta qualidade, mesmo quando o estado geral de saúde é levado em consideração. Isso permanece verdadeiro entre os idosos, no caso de doenças como hipertensão, diabetes, enfisema e artrite, e para adultos mais jovens e mais velhos, no caso de ataques cardíacos. Curiosamente, há algumas evidências de que é o ato de fornecer o apoio social, tanto ou mais do que seu recebimento, que gera esses benefícios de proteção (e não é de surpreender que aqueles que doam mais

---

IV Se for verdade, isso torna especialmente nefastos os dados da enquete de 30 de julho de 2019 do YouGov, "Millennials are the Loneliest Generation" (http://bit.ly/2TVVMLn), que indica que 25% dos millennials não têm colegas e 22% não têm amigos.

REGRA 1

tendem a receber mais).[9] Assim, realmente parece que é melhor dar do que receber.

Os pares dividem os fardos e as alegrias da vida. Recentemente, minha esposa, Tammy, e eu sofremos de graves problemas de saúde — primeiro ela e depois eu —, mas tivemos a sorte de ter parentes (meus sogros, meu cunhado, minha cunhada, minha mãe e irmã, nossos filhos) e amigos próximos que ficaram conosco e nos ajudaram por períodos substanciais. Eles estavam dispostos a colocar suas próprias vidas de lado para nos ajudar enquanto estávamos em crise. Antes disso, quando meu livro *12 Regras para a Vida* se tornou um sucesso e durante a extensa turnê de palestras que se seguiu, Tammy e eu convivemos intimamente com quem podíamos compartilhar nossa boa sorte. Eram amigos e parentes genuinamente satisfeitos com o que estava acontecendo, que acompanhavam avidamente os acontecimentos de nossas vidas e estavam dispostos a conversar sobre a reação do público, que podia ser avassaladora. Isso aumentou muito a importância e o significado de tudo o que estávamos fazendo e reduziu o isolamento que uma mudança tão drástica nas circunstâncias da vida, para melhor ou para pior, provavelmente acarretaria.

Além da amizade, as relações estabelecidas com colegas de status semelhante no trabalho constituem outra fonte importante de regulação pelos pares. Manter um bom relacionamento com seus colegas significa, entre outras coisas, dar crédito a quem o merece; aceitar sua parte justa dos trabalhos que ninguém quer, mas ainda assim precisam ser feitos; entregar no prazo e com alta qualidade ao trabalhar em equipe; estar presente quando é esperado; e, em geral, ser confiável para fazer um pouco mais do que seu trabalho exige formalmente. A aprovação ou desaprovação de seus colegas recompensa e reforça essa reciprocidade contínua, e isso — assim como a reciprocidade, que é necessariamente parte da amizade — ajuda a manter a função psicológica estável. É muito melhor ser alguém em quem se pode confiar, até mesmo para que, em tempos de problemas pessoais, aqueles com quem trabalhou estejam dispostos e sejam capazes de intervir e ajudar.

Por meio da amizade e dos relacionamentos de colégio, modificamos nossas tendências egoístas, aprendendo a nem sempre nos colocar em primeiro lugar. De forma menos óbvia, mas tão importante quanto, também podemos aprender a superar nossas inclinações ingênuas e muito empáticas (nossa tendência a nos sacrificar de maneira inadequada e injusta por pessoas predatórias) quando nossos colegas nos aconselham e nos encorajam a nos defender. Em consequência, se tivermos sorte, começamos a praticar a verdadeira reciprocidade e obtemos pelo menos algumas das vantagens de que fala o poeta Robert Burns:[10]

Oh, se algum Poder nos concedesse

Vermo-nos a nós como nos veem!

Nos livraríamos de tantos vexames,

E tão falsas impressões:

Sem mais nos exibir com gestos e roupagens,

Até nas devoções![V]

O TOPO DA HIERARQUIA

É bom ser uma autoridade. Pessoas são frágeis. Por isso, a vida é difícil e o sofrimento, comum. Para amenizar esse sofrimento

---

[V] Burns, R. 1994. *50 poemas*. RJ, Relume Dumará. Poema: *A um piolho*, tradução de Luiza Lobo de "To a Louse: On Seeing One on a Lady's Bonnet at Church" — originalmente publicado em 1786. (N. da T.)

REGRA 1

— garantindo, para começar, que todos tenham comida, água potável, instalações sanitárias e um lugar para se abrigar —, é preciso iniciativa, esforço e habilidade. Se há um problema a ser resolvido, e muitas pessoas se envolvem na solução, então uma hierarquia deve e vai surgir, pois os que *podem* agem e os que *não podem* seguem os primeiros da melhor forma possível e muitas vezes, no processo, aprendem uma nova competência. Se o problema for real, as pessoas que melhor o resolvem sobem ao topo. Isso não é poder. É a autoridade que adequadamente acompanha a habilidade.

No entanto, é evidente que é apropriado outorgar poderes às autoridades competentes, se elas estiverem resolvendo os problemas necessários; e é igualmente apropriado ser uma dessas autoridades competentes, se possível, quando há um problema complicado em questão. Isso pode ser considerado uma filosofia de responsabilidade. Uma pessoa responsável assume o problema e, depois, trabalha de forma diligente — eu diria até ambiciosa — para sua solução, junto com outras pessoas, da maneira mais eficiente possível (eficiente porque há outros problemas para resolver, e a eficiência permite a conservação de recursos que poderão ser dedicados em outro lugar importante).

A ambição é, com frequência, identificada erroneamente — e muitas vezes de forma proposital — como o desejo de poder e enaltecida com falsos elogios, denegrida e punida. E, às vezes, a ambição é exatamente esse desejo de influência indevida sobre os outros. Mas há uma diferença crucial entre *às vezes* e *sempre*. Autoridade não é mero poder, e é extremamente inútil, até mesmo perigoso, confundir os dois. Quando as pessoas exercem poder sobre outras, elas as constrangem, de modo convincente. Usam da ameaça de privação ou punição para que seus subordinados não tenham outra escolha a não ser agir contrariando as próprias necessidades, desejos e valores pessoais. Em contrapartida, quando as pessoas exercem autoridade, o fazem por causa de sua competência — que é espontaneamente reconhecida e apreciada por outros e costuma ser respeitada com boa vontade, um certo alívio e a sensação de que a justiça está sendo feita.

Aqueles que têm gana de poder — tirânica, cruel e até mesmo psicopática — desejam controlar os outros para que todos os caprichos egoístas do hedonismo possam ser imediatamente satisfeitos; para que a inveja possa destruir seu alvo; para que o ressentimento possa ser expressado. Mas as pessoas boas são ambiciosas (e também diligentes, honestas e concentradas), pois são tomadas pelo desejo de resolver problemas sérios e genuínos. Essa variante da ambição precisa ser encorajada de todas as maneiras possíveis. É por essa razão, entre muitas outras, que a identificação cada vez mais reflexiva do empenho de meninos e homens em vencer como a "tirania patriarcal" — que hipoteticamente caracteriza nossas sociedades modernas, produtivas e relativamente livres — é tão contraproducente (e, deve ser dito, cruel: não há quase nada pior do que tratar alguém que luta pela competência como um tirano em treinamento). A "vitória", em um de seus aspectos primários e socialmente importantes, é a superação de obstáculos para o bem público mais amplo. Um vencedor sofisticado vence de um modo que melhora o jogo em si para todos os jogadores. Adotar uma atitude de cinismo ingênuo ou intencionalmente cego sobre isso, ou negar abertamente que seja verdade, é se posicionar — talvez de propósito, já que as pessoas têm muitos motivos sombrios — como um inimigo da melhoria prática do próprio sofrimento. Poucas atitudes são mais sádicas.

O poder pode acompanhar a autoridade, e talvez deva ser assim. No entanto, e mais importante, *a autoridade genuína restringe o exercício arbitrário de poder*. Essa restrição se manifesta quando quem exerce a autoridade se preocupa e assume a responsabilidade por aqueles sobre os quais é possível exercer seu poder. O filho mais velho pode assumir a responsabilidade pelos irmãos mais novos, em vez de dominá-los, provocá-los e torturá--los, e dessa maneira pode aprender a exercer autoridade e limitar o uso indevido do poder. Até o caçula pode exercer autoridade apropriada sobre o cão da família. Adotar autoridade é aprender que o poder requer preocupação e competência — e que tem um custo genuíno. Alguém recém-promovido a um cargo de gerência logo aprende que os gerentes são frequentemente mais estressados por seus vários subordinados do que os subordinados por seu único gerente. Essa experiência modera o que, de outra forma, poderia se tornar fantasias românticas, mas perigosas, sobre a atratividade do poder, e ajuda a suprimir o desejo de sua extensão infinita. E, no mundo real, aqueles que ocupam posições de autoridade nas hierarquias funcionais em geral ficam profundamente impressionados com a responsabilidade que têm pelas pessoas que supervisionam, empregam e orientam.

Nem todo mundo sente esse fardo, é claro. Uma pessoa que se estabeleceu como autoridade pode esquecer suas origens e vir a desenvolver um desprezo contraproducente pela pessoa que está começando. Isso é um erro, até porque significa que a pessoa estabelecida não pode se arriscar a fazer algo novo (pois isso significaria assumir o papel de tolo desprezado). Além do mais, a arrogância impede o caminho do aprendizado. Certamente existem tiranos tacanhos, obstinados e egoístas, mas de forma alguma são a maioria, pelo menos em sociedades funcionais. Caso contrário, nada funcionaria.

Em contrapartida, a autoridade que recorda sua fase de iniciante voluntário consegue se identificar com o recém-chegado e a promessa de potencial, e usar essa memória como a fonte de informações pessoais necessárias para conter a gana de poder. Algo que sempre me surpreendeu é o prazer que pessoas decentes sentem na capacidade de oferecer oportunidades para aqueles sobre os quais exercem autoridade. Já vivenciei isso várias vezes: pessoalmente, como professor universitário e pesquisador (e observei muitas outras pessoas na minha situação fazendo o mesmo), e nos negócios e outros ambientes profissionais com os quais me familiarizei. Há um grande prazer intrínseco em ajudar jovens já competentes e admiráveis a se tornarem profissionais altamente qualificados, socialmente valiosos, autônomos e responsáveis. Não é diferente do prazer de criar os filhos e é um dos principais motivadores de uma ambição válida. Assim, o topo da hierarquia, quando ocupado de maneira adequada, tem como um de seus atrativos fundamentais a oportunidade de identificar indivíduos merecedores, no início ou perto do início da vida profissional, e proporcionar-lhes meios de ascensão produtiva.

AS INSTITUIÇÕES SOCIAIS SÃO NECESSÁRIAS — MAS INSUFICIENTES

Sanidade é conhecer as regras do jogo social, internalizá-las e segui-las. As diferenças de status são, portanto, inevitáveis, já que todos os empreendimentos que valem a pena têm um objetivo, e aqueles que os buscam têm habilidades diferentes em relação a esse objetivo. Aceitar o fato de que existe esse desequilíbrio e, mesmo assim, seguir em frente — quando se está na base, no meio ou no topo — é um elemento importante da saúde mental. Mas um paradoxo permanece. As soluções de ontem e de hoje, das quais dependem nossas hierarquias atuais, não servirão necessariamente de solução amanhã. A repetição irrefletida do que bastava no passado — ou, pior, a insistência autoritária de que todos os problemas foram resolvidos em definitivo — significa, portanto, a introdução de grande perigo quando as mudanças no mundo mais amplo tornam a mudança local necessária. O respeito pela transformação criativa deve, assim, acompanhar a consideração apropriada pelas estruturas hierárquicas de resolução de problemas que nos foram legadas pelo passado. Essa não é uma opinião moral arbitrária nem uma afirmação moralmente relativa. É algo mais parecido com o reconhecimento de leis naturais análogas, embutidas na estrutura de nossa realidade. Criaturas altamente sociais, como nós, devem obedecer às regras para permanecer sãs e minimizar incertezas, sofrimentos e conflitos desnecessários. No entanto, devemos também transformar essas regras com cuidado, conforme as circunstâncias ao nosso redor mudam.

Isso implica, também, que a personalidade ideal não pode permanecer um reflexo incondicional do estado social presente. Todavia, em condições normais, pode-se dizer que a *capacidade* de se adaptar de maneira incondicional supera a *incapacidade* de se adaptar. No entanto, a *recusa* em se adaptar quando o ambiente social se tornou patológico — incompleto, arcaico, propositalmente cego ou corrupto — é algo de valor ainda maior, assim como a capacidade de oferecer alternativas criativas e válidas. Isso nos deixa com um eterno dilema moral: quando devemos seguir a convenção, fazendo o que os outros solicitam ou exigem; e quando devemos confiar em nosso próprio julgamento individual, com todas as suas limitações e seus vieses, e rejeitar as exigências do coletivo? Em outras palavras: como podemos estabelecer um equilíbrio entre conservadorismo razoável e criatividade revitalizante?

Em primeiro lugar, na seara psicológica, está a questão do temperamento. Algumas pessoas são, por temperamento, predispostas ao conservadorismo, e outras, a ações e percepções criativas mais liberais.[11] Isso não significa que a socialização não tenha capacidade de alterar essa predisposição; os seres humanos são organismos muito plásticos, com um longo período de desenvolvimento antes da fase adulta, e as circunstâncias podem nos mudar drasticamente. Contudo, isso não altera o fato de que existem nichos relativamente permanentes no ambiente humano aos quais diferentes modos de temperamento se adaptaram para preencher.

Aqueles que tendem para a direita no espectro político são defensores ferrenhos de tudo o que funcionou no passado. E, na maioria das vezes, têm razão em ser assim, por causa do número limitado de caminhos que acarretam sucesso pessoal, harmonia social e estabilidade em longo prazo. Mas, às vezes, eles estão errados: primeiro, porque o presente e o futuro diferem do passado; segundo, porque mesmo as hierarquias outrora funcionais geralmente (inevitavelmente?) são vítimas de maquinações internas de um modo que provoca sua queda. Aqueles que chegam ao topo podem fazê-lo por meio da manipulação e do exercício de um poder injusto, agindo de uma forma que só funciona para eles, pelo menos no curto prazo; porém, esse tipo de supremacia mina a função apropriada da hierarquia da qual nominalmente fazem parte. Essas pessoas costumam não compreender ou não se importar com a função para a qual a organização a que se filiaram foi projetada. Elas extraem o que podem das riquezas que estão diante delas e deixam um rastro de destruição.

É essa corrupção do poder que é fortemente contestada pelos adeptos do espectro político liberal/de esquerda, e com razão. Mas é extremamente importante distinguir uma hierarquia funcional e produtiva (e as pessoas que a tornam assim) da mera fachada degenerada de uma instituição outrora grandiosa. Fazer essa distinção requer a capacidade e a vontade de observar e diferenciar, em vez de uma confiança estúpida na tendência ideológica. Requer saber que há um lado bom nas hierarquias sociais que necessariamente habitamos, bem como um lado sombrio (e a compreensão de que se concentrar em um e excluir o outro é perigosamente tendencioso). Também requer o conhecimento de que, no lado mais radical e criativo — a fonte necessária de revitalização para o que se tornou imoral e obsoleto —, também existe um grande perigo. Parte desse perigo está na tendência, daqueles que pensam no espectro mais liberal, de ver apenas o lado negativo das instituições bem estabelecidas. O perigo adicional deriva da contraparte dos processos corruptos, mas conservadores, que desestabilizam e destroem as hierarquias funcionais: existem radicais antiéticos, assim como existem administradores, gerentes e executivos corruptos. Esses indivíduos tendem a ser profundamente ignorantes das complexas realidades do status quo, inconscientes de sua própria ignorância e ingratos pelo que o passado lhes legou. Tal ignorância e ingratidão são, com frequência, associadas a uma predisposição para usar clichês batidos de cinismo a fim de justificar a recusa de se envolver nos rigores monótonos, mas necessários, da convenção social ou nos riscos e nas dificuldades de um esforço verdadeiramente generativo. É essa corrupção da transformação criativa que torna o conservador — e não apenas ele — apropriadamente cauteloso em relação à mudança.

Alguns anos antes de escrever este texto, conversei com uma jovem de 20 e poucos anos — a sobrinha de uma pessoa que me enviou um e-mail após assistir a uma de minhas palestras online. Ela parecia profundamente infeliz e disse que passara grande parte dos seis meses anteriores deitada na cama. Ela me procurou porque estava ficando desesperada. A única coisa que a impedia de se matar, em sua avaliação, era a responsabilidade que ainda mantinha por um animal de estimação exótico, um serval. Essa foi a última manifestação remanescente de um interesse pela biologia que um dia a dominou, mas o qual abandonou, para seu arrependimento, quando largou os estudos no ensino médio. Ela não recebeu atenção adequada dos pais, que permitiram que a filha simplesmente fosse levada pela corrente de uma forma que se tornou desastrosa ao longo de vários anos.

Apesar de seu declínio, ela formulou um plano. Considerou que poderia se matricular em um curso supletivo que a possibilitaria concluir o ensino médio, pré-requisito para cursar a faculdade de veterinária. Mas ela não fez as investigações necessárias sobre o que seria necessário para realizar essa ambição. Não tinha um mentor. Não tinha bons amigos. Era muito fácil para ela permanecer inerte e afundar no próprio isolamento. Tivemos uma conversa agradável, por cerca de 45 minutos. Ela era uma boa garota. Eu me ofereci para discutirmos seu futuro com mais detalhes se ela concluísse um programa de planejamento online elaborado por mim em conjunto com colegas professores.[VI]

Tudo estava indo bem até que a conversa se desviou para a política. Após discutir sua situação pessoal, ela começou a expressar seu descontentamento com o estado do mundo em geral — com a catástrofe iminente, em sua opinião, dos efeitos da atividade humana no meio ambiente. Em princípio, não há nada de errado em expressar preocupação por questões que envolvem todo o planeta. Meu ponto não é esse. O problema é superestimar seu conhecimento desses assuntos — ou talvez até mesmo considerá-los — quando você tem 20 e poucos anos, sem nada de positivo acontecendo em sua vida, e está tendo grande dificuldade até mesmo em sair da cama. Nessas condições, você precisa definir bem suas prioridades, e estabelecer a humildade necessária para lidar e resolver seus próprios problemas é parte crucial de fazer exatamente isso.

À medida que a discussão continuou, me vi não mais em uma conversa genuína com uma jovem perdida que veio me procurar. Em vez disso, tornei-me um parceiro hipoteticamente igual em um debate com uma ideóloga que sabia o que estava errado, globalmente falando; que sabia quem era o culpado por esses problemas globais; que sabia que participar da destruição contínua, manifestando qualquer desejo pessoal, era imoral; e que, por fim, acreditava sermos todos culpados e fadados à ruína. Continuar a conversa naquele ponto significava que eu estava (a) falando não com aquela jovem, mas com o que ou quem tomou posse dela quando ela se embrenhou em ideias genéricas,

---

VI Esse planejamento é parte do Self Authoring Suite, um conjunto de programas individuais elaborados para ajudar as pessoas a escrever sobre os problemas de seu passado (Past Authoring), as falhas e virtudes de sua atual personalidade (Present Authoring, em duas partes) e seus desejos e anseios para o futuro (Future Authoring). Eu lhe recomendei especificamente este último.

impessoais e cínicas, e (b) indicando que a discussão de tais tópicos sob as atuais circunstâncias era aceitável e produtivo.

Não havia sentido em nenhum desses resultados. Então, parei (isso não significa que toda a conversa fora um desperdício). Era impossível para mim não concluir que parte do que a havia reduzido a seu estado de paralisia moral, que já durava meses, não era tanto a culpa por contribuir potencialmente para os efeitos negativos da ação humana no mundo mais amplo, mas, sim, a sensação de superioridade moral que a preocupação com essas coisas lhe trouxe (apesar do perigo psicológico excepcional de abraçar essa visão sombria da possibilidade humana). Desculpe-me pelo clichê — mas é necessário andar antes de correr. Você pode até ter que engatinhar antes de andar. Isso faz parte de aceitar sua posição de iniciante, na base da hierarquia, condição que você despreza de forma tão negligente, arrogante e egoísta. Além disso, a atitude profundamente anti-humana que muitas vezes acompanha as lágrimas derramadas pela degradação ambiental e pela desumanidade do Homem para com o Homem não pode deixar de ter um efeito marcante na atitude psicológica que define o relacionamento de uma pessoa consigo mesma.

Demoramos desde tempos imemoriais para nos organizar, biológica e socialmente, nas hierarquias funcionais que especificam nossas percepções e ações e que definem nossas interações com o mundo natural e social. A profunda gratidão por esse presente é a única reação adequada. A estrutura que nos envolve tem seu lado sombrio — assim como a natureza, assim como cada indivíduo —, mas isso não significa que uma crítica descuidada, genérica e egoísta do status quo seja apropriada (não mais do que uma objeção automática ao que pode ser uma mudança necessária).

A NECESSIDADE DE EQUILÍBRIO

Atitudes e ações conservadoras e criativas tendem a se propagar constantemente, pois fazer o que os outros fazem e sempre fizeram costuma funcionar, e, às vezes, a ação radical pode acarretar um sucesso estrondoso. Uma instituição social funcional — uma hierarquia dedicada a produzir algo de valor, além da mera garantia da própria sobrevivência — pode se aproveitar dos tipos conservadores para implementar cuidadosamente processos de valor testado e comprovado; e dos tipos criativos e liberais para determinar como o que é antigo e obsoleto pode ser substituído por algo novo e mais valioso. O equilíbrio entre conservadorismo e originalidade pode, portanto, ser atingido de maneira socialmente adequada ao aproximar os dois tipos de pessoas. Mas alguém deve determinar a melhor forma de fazer isso, o que requer uma sabedoria que transcende a mera predisposição temperamental. Tendo em vista que os traços associados à criatividade, de um lado, e o conforto com o status quo, de outro, tendem a ser mutuamente exclusivos, é difícil encontrar uma única pessoa que tenha equilibrado ambos de forma adequada, que se sinta confortável trabalhando com os dois tipos de pessoas e que possa atender, com imparcialidade, à necessidade de aproveitar as respectivas formas de talento e inclinações.

No entanto, o desenvolvimento dessa capacidade pode pelo menos começar com uma expansão da sabedoria consciente: a compreensão articulada de que o conservadorismo é bom (com um conjunto de perigos associados) e de que a transformação criativa — mesmo a radical — também é boa (com um conjunto de perigos associados). Descobrir isso, em termos profundos — apreciar a necessidade de ambos os pontos de vista —, significa pelo menos a possibilidade de valorizar o que pessoas verdadeiramente diversas têm a oferecer e de ser capaz de reconhecer quando o equilíbrio pendeu demais para um lado. O mesmo se aplica ao conhecimento do lado sombrio de ambos os pontos de

REGRA 1

vista. Para lidar com assuntos complexos de maneira apropriada, é necessário analisar com muita frieza e, assim, separar os pseudodefensores do status quo, que são egoístas e sedentos de poder, dos conservadores genuínos; e os rebeldes sem causa, enganosos e irresponsáveis, dos verdadeiramente criativos. E administrar isso significa separar esses fatores dentro dos limites da própria alma, bem como entre outras pessoas.

E como fazer isso? Em primeiro lugar, podemos compreender, de maneira consciente, que esses dois modos de ser são totalmente interdependentes. Um não pode existir verdadeiramente sem o outro, embora coexistam em tensão genuína. Isso significa, primeiro, por exemplo, que a disciplina — a subordinação ao status quo, de uma forma ou de outra — precisa ser entendida como uma precursora necessária para a transformação criativa, e não como sua inimiga. Assim, tal como a hierarquia das presunções que compõem a estrutura organizadora da sociedade e das percepções individuais é moldada por restrições, e totalmente dependente delas, o mesmo ocorre com a transformação criativa. Ela precisa pressionar os limites, visto que não será útil e não poderá ser invocada a menos que esteja lutando contra algo. É por essa razão que o grande gênio, o concessor de desejos — Deus, em um microcosmo —, está arquetipicamente preso nos confins diminutos de uma lâmpada, e sujeito também à vontade do atual portador da lâmpada. O gênio — o talento — é a combinação de possibilidade, potencial e restrição extrema.

Portanto, as limitações, as restrições, os limites arbitrários — as regras, as tão odiadas regras — não apenas garantem a harmonia social e a estabilidade psicológica, mas tornam a criatividade que renova a ordem possível. Assim, o que se esconde sob o desejo explicitamente declarado de liberdade plena — conforme expresso, digamos, pelo anarquista ou niilista — não é um desejo positivo, que busca uma expressão criativa aprimorada, como a caricatura romantizada do artista. Em vez disso, é um desejo negativo — um desejo pela completa ausência de responsabilidade, que simplesmente não é compatível com a liberdade genuína. Essa é a mentira por trás das objeções às regras. Mas "Abaixo a Responsabilidade" não é um slogan atraente — pois requer um narcisismo suficiente para refutar a si mesmo de forma ostensiva —, e seu correspondente, "Abaixo as Regras", é a ilusão do heroísmo.

Ao lado da sabedoria do autêntico conservadorismo está o perigo de que o status quo se corrompa e sua corrupção seja explorada em benefício próprio. Ao lado da genialidade do esforço criativo está o falso heroísmo do ideólogo ressentido, que se veste de rebelde original ao mesmo tempo em que proclama indevidamente uma supremacia moral e rejeita toda responsabilidade genuína. O conservadorismo inteligente e cauteloso e as mudanças cuidadosas e incisivas são o que mantêm o mundo em ordem. Mas cada um tem seu aspecto sombrio, e é crucial, uma vez que isso tenha sido percebido, perguntar-se: será que sou autêntico ou o oposto? E a resposta, inevitavelmente, é que você é um pouco de ambos — e talvez tenha muito mais da parte sombria do que gostaria. Tudo isso integra a compreensão da complexidade que cada um carrega dentro de si.

A PERSONALIDADE COMO HIERARQUIA — E A CAPACIDADE PARA A TRANSFORMAÇÃO

Assim, como devem ser entendidas a personalidade que equilibra o respeito pelas instituições sociais e, na mesma medida, a transformação criativa? Dada a complexidade do problema, isso não é tão fácil de determinar. Por isso, recorremos a histórias. Elas nos fornecem um modelo amplo. Delineiam um padrão específico o suficiente para ser incrivelmente valioso, se conse-

REGRA 1

guirmos imitá-lo, mas geral o suficiente (ao contrário de uma regra particular ou um conjunto de regras) para ser aplicado até mesmo em situações novas. Nas narrativas, captamos observações da personalidade ideal. Contamos histórias sobre sucesso e fracasso em aventuras e romances. Em nossos universos narrativos, o sucesso nos move em direção ao que é melhor, à terra prometida; o fracasso nos condena, e também aqueles que se enredam conosco, ao abismo. O bem nos move para frente e para cima, e o mal nos arrasta para trás e para baixo. Grandes histórias envolvem personagens em ação e, portanto, elas refletem as estruturas e os processos inconscientes que nos ajudam a traduzir o mundo intransigente dos fatos em um mundo social sustentável, funcional e recíproco dos valores.[VII]

A hierarquia de valores incorporada de maneira adequada — incluindo o valor do conservadorismo e de sua análoga, a transformação criativa — encontra na narrativa sua expressão como uma personalidade — uma personalidade ideal. Toda hierarquia tem algo em seu ápice. É por isso que uma história, que é uma descrição da ação de uma personalidade, tem um herói (e, mesmo que seja um anti-herói, não importa: a função do anti-herói é distinguir o herói por comparação, visto que este é tudo que o outro decididamente não é). O herói é o indivíduo no ápice, o vencedor, o campeão, o perspicaz, o oprimido que, no devido tempo, se torna bem-sucedido e merecedor, aquele que diz a verdade em circunstâncias perigosas e muito mais. As histórias que criamos, assistimos, ouvimos e lembramos são centradas em ações e atitudes que consideramos interessantes,

---

VII Podemos perceber esse aspecto, por exemplo, na tendência dos protestantes evangélicos norte-americanos de se perguntar, quando confrontados com um novo problema existencial: "O que Jesus faria?" Isso é um terreno fértil para a paródia, mas indica os valores das histórias com precisão: uma vez que uma narrativa foi internalizada, ela pode ser usada como um modelo para gerar novas percepções e comportamentos. Pode parecer ingênuo ou presunçoso imaginar quais ações o próprio Salvador arquetípico poderia realizar caso estivesse encerrado nos limites de uma vida normal, mas o propósito fundamental das narrativas religiosas é, na verdade, motivar a imitação.

atraentes e dignas de serem transmitidas como consequência de nossa experiência com pessoas admiráveis e detestáveis (ou fragmentos de suas atitudes e ações específicas) ou por causa de nossa propensão para compartilhar o que nos chama a atenção com aqueles que nos cercam. Às vezes, extraímos narrativas atraentes diretamente de nossa experiência pessoal com indivíduos; outras, criamos amálgamas de múltiplas personalidades, muitas vezes em conformidade com as pessoas que compõem nossos grupos sociais.

Anteriormente, contei parte da história de um cliente, empregando, assim, sua vida como um exemplo útil da necessidade de engajamento social. Essa história, entretanto, não esgota o significado de suas atitudes e ações transformadas. Enquanto reconstruía sua vida social, tornando-se um participante ativo em uma série de atividades coletivas, ele desenvolveu uma certa habilidade criativa igualmente inesperada. Ele não obteve qualquer educação formal além do ensino médio e não tinha uma personalidade que impressionasse de imediato um observador externo como marcadamente criativa. No entanto, as atividades sociais, pessoalmente novas, que o atraíram eram em grande parte orientadas para a aplicação estética.

Ele primeiro desenvolveu um olhar para a forma, simetria, originalidade e beleza como fotógrafo. As vantagens sociais dessa atividade eram múltiplas: ele se juntou a um clube cujos membros participavam de passeios fotográficos quinzenais, nos quais se deslocavam em grupos de cerca de vinte pessoas para partes da cidade visualmente interessantes, pela beleza natural ou singularidade ou pela atração que despertavam como paisagens industriais. Muito de seu aprendizado técnico sobre equipamento fotográfico foi adquirido nessas excursões. Os membros do grupo também criticavam os trabalhos uns dos outros — de forma construtiva, o que significava que todos apontavam os eventuais erros cometidos, mas exaltavam o que tinham de valor.

Tudo isso ajudou meu cliente a aprender a se comunicar de maneira produtiva sobre tópicos potencialmente difíceis do ponto de vista psicológico (por se tratarem de críticas que, devido à sua associação com a visão criativa, poderiam gerar, de maneira contraprodutiva, reações sensíveis e exageradas) e também a distinguir cada vez mais as imagens visuais banais, tediosas ou conformistas das de qualidade genuína. Após alguns meses, sua percepção se desenvolveu tanto que ele passou a vencer concursos locais e a fazer pequenos trabalhos profissionais. Desde o início, acreditei que sua participação no clube de fotografia seria uma ótima ideia, do ponto de vista do desenvolvimento da personalidade, mas fiquei genuinamente impressionado com o rápido desenvolvimento de sua capacidade visual e técnica, e gostei muito dos momentos que passamos analisando seu trabalho durante as sessões.

Depois de alguns meses envolvido com a fotografia, meu cliente começou a produzir e a me mostrar outras criações visuais — desenhos de linha abstratos feitos a caneta, sem dúvida ainda amadorísticos e incipientes. Consistiam basicamente em espirais de vários tamanhos, em um contínuo, na mesma página: rabiscos, na verdade, embora mais controlados e nitidamente mais objetivos do que meros rabiscos. Assim como as fotografias (e o clube de fotografia), considerei-os úteis do ponto de vista psicológico — como uma extensão da capacidade criativa, mas não como empreendimento artístico valioso por si só. No entanto, ele continuou produzindo vários desenhos por semana, levando-os às nossas sessões. Suas criações ganhavam sofisticação e beleza com uma rapidez impressionante. Logo ele estava produzindo desenhos em preto e branco complexos, simétricos e bastante expressivos com caneta e nanquim, de beleza intrínseca suficiente para servirem como designs de camisetas comercialmente viáveis.

Eu presenciara esse tipo de desenvolvimento com muita clareza no caso de dois outros clientes, ambos caracterizados por um temperamento intrinsecamente criativo (muito bem escondido em um dos casos; mais desenvolvido, cultivado e óbvio no outro). Além disso, eu lera relatos de casos clínicos e de desenvolvimento pessoal do Dr. Carl Jung, que notou que a produção de figuras geométricas cada vez mais ordenadas e complexas — muitas vezes círculos dentro de quadrados ou o inverso — regularmente acompanhava um aumento na organização da personalidade. Isso certamente parecia verdadeiro não só para meu cliente, como evidenciado por sua crescente expertise na fotografia e pelo desenvolvimento de sua habilidade como artista gráfico, mas também para os outros dois que tive o prazer de atender como terapeuta clínico. Assim, o que observei, repetidas vezes, foi não só a reconstrução da psique como consequência de mais socialização (e da valorização das instituições sociais), mas a transformação paralela de processos principalmente interiores, demonstrada por um aumento acentuado na capacidade de perceber e criar algo elegante, bonito e socialmente valorizado. Meus clientes aprenderam não só a se submeter de maneira adequada às exigências por vezes arbitrárias (mas ainda assim necessárias) do mundo social, como também a oferecer a esse mundo algo a que não teria acesso se não fosse por seu trabalho criativo.

Além da socialização como agente do socialmente valorizado ato de apontar, minha neta, Elizabeth Scarlett, também passou a exibir comportamentos indicativos, se não da própria capacidade criativa, ao menos de um apreço pela capacidade criativa. Quando as pessoas discutem uma narrativa — apresentada como um filme, uma peça ou um livro —, elas costumam tentar chegar a um consenso sofisticado sobre o propósito da história (sofisticado porque um grupo de pessoas geralmente pode oferecer mais pontos de vista do que um único indivíduo; consenso porque a discussão geralmente continua até que um amplo acordo seja alcançado quanto ao tópico em questão). A ideia de que

REGRA 1

uma história é uma forma de comunicação — e entretenimento — é um daqueles fatos que parecem evidentes à primeira vista, mas que se tornam mais enigmáticos quanto mais refletimos. Se é verdade que uma história tem um propósito, então é claro que ela aponta para algo. Mas para o quê? E como? O apontar é óbvio quando é uma ação que especifica uma coisa em particular, ou alguém que aponta para uma determinada pessoa, mas é menos óbvio quando é algo que tipifica o comportamento cumulativo, digamos, de um personagem em uma história.

Mais uma vez, as ações e atitudes dos heróis e heroínas de J. K. Rowling fornecem exemplos populares desse processo. Harry Potter, Ron Weasley e Hermione Granger representam, em grande parte, a disposição e a capacidade de seguir regras (o que indica sua expertise como aprendizes) e, simultaneamente, de quebrá-las. De forma semelhante, aqueles que os supervisionam são propensos a recompensar ambas as formas de comportamento, aparentemente paradoxais. Até as tecnologias usadas pelos jovens bruxos durante seu aprendizado são caracterizadas por essa dualidade. Por exemplo, o Mapa do Maroto (que fornece a seu portador uma representação precisa do território explorado de Hogwarts, a escola de bruxaria, e a localização de todos os seus habitantes vivos) só pode ser ativado como ferramenta funcional quando pronunciado um conjunto de palavras que parecem indicar exatamente o oposto do comportamento moral: "Eu juro solenemente não fazer nada de bom." E desativado, de modo que sua função permaneça secreta, com a frase: "Malfeito feito."

Não é fácil entender como um artefato que requer esse tipo de declaração para torná-lo utilizável poderia ser algo além de "nada bom" — aparentemente é uma ferramenta de propósito maligno. Porém, assim como o fato de Harry e seus amigos regularmente, mas com todo cuidado, quebrarem as regras e serem recompensados por isso em igual medida, o Mapa do

Maroto varia em sua desejabilidade ética de acordo com a intenção de seus usuários. Ao longo da saga, há uma forte sugestão de que o que é bom não pode ser simplesmente encapsulado pelo cumprimento rígido ou impensado das regras, não importa o quanto esse cumprimento seja disciplinado nem o quanto as regras sejam vitais. Tudo isso significa que a saga Harry Potter não aponta a subserviência cega à ordem social como a maior das virtudes morais. O que afasta essa obediência não é tão óbvio que possa ser prontamente articulado, mas é algo como: "Siga as regras, exceto quando isso compromete o propósito dessas mesmas regras — neste caso, corra o risco de agir de maneira contrária ao que foi acordado como moral." Essa é uma lição que parece aprendida com mais facilidade por meio de representações de comportamentos que a incorporam do que transmitida por, digamos, aprendizado mecânico ou por uma regra variável. Metarregras (mais bem definidas como regras sobre regras) não são necessariamente transmitidas da mesma forma que as regras simples.

Elizabeth Scarlett, com sua ênfase em apontar, logo depois de dominar o ato físico relativamente simples, aprendeu a captar o propósito mais complexo das narrativas. Aos 18 meses de idade, era capaz de atribuir significado a algo com seu dedo indicador. No entanto, com 2 anos e meio, conseguia entender e imitar o sentido muito mais intrincado de uma história. Nessa idade, por um período de aproximadamente seis meses, ela insistia, quando questionada, que era Pocahontas, em vez de Ellie (o nome preferido por seu pai) ou Scarlett (preferido por sua mãe). Esse foi um ato surpreendente de pensamento sofisticado, na minha opinião. Ela ganhara uma boneca Pocahontas, que se tornou um de seus brinquedos favoritos, e uma boneca bebê (também muito querida), à qual ela deu o nome da avó, minha esposa, Tammy. Quando brincava com a boneca bebê, Tammy, Ellie era a mãe. Mas com a Pocahontas a situação era diferente. Essa boneca não era um bebê e Ellie não era sua mãe. Em vez disso, minha neta

REGRA 1

se considerava uma versão da Pocahontas — e imitava a boneca, que era representada como uma jovem, assim como a protagonista no filme da Disney de mesmo nome, ao qual ela assistiu extasiada em duas ocasiões distintas.

A Pocahontas da Disney tem semelhanças marcantes com os protagonistas da saga Harry Potter. Ela foi prometida por seu pai a Kocoum, um bravo guerreiro que incorpora, de verdade, as virtudes de sua tribo, mas cujo comportamento e atitudes são condicionados demais às regras para a personalidade mais expansiva de sua noiva. Pocahontas, então, se apaixona por John Smith, capitão de um navio europeu, que representa o que está além do território conhecido, mas é (potencialmente) de grande valor. Paradoxalmente, Pocahontas busca uma ordem moral superior ao trocar Kocoum por Smith — quebrando uma regra de profunda importância (valorize o que é mais valorizado na hierarquia de regras da cultura em que vive) —, quase da mesma forma que os personagens principais de Harry Potter. Esta é a moral de ambas as narrativas: siga as regras até que seja capaz de ser um exemplo notável do que elas representam, mas quebre-as quando essas mesmas regras constituírem o mais terrível impedimento para a personificação de suas virtudes centrais. E Elizabeth Scarlett, ainda com menos de 3 anos de idade, teve a sabedoria intrínseca de ver isso como o propósito da história a que estava assistindo (o filme da Disney) e usá-lo como auxiliar de interpretação (a boneca Pocahontas). Sua perspicácia a esse respeito beirava o inimaginável.

O mesmo conjunto de ideias — respeito pelas regras, exceto quando segui-las signifique desconsiderar, ignorar ou permanecer cego a um princípio moral ainda mais elevado — é representado com impressionante poder em duas narrativas evangélicas diferentes (que servem, independentemente de sua opinião sobre elas, como histórias tradicionais ou clássicas centrais que retratam uma personalidade com o propósito de evocar a imitação). Na primeira, Cristo é apresentado, mesmo ainda criança, como um mestre da tradição judaica. Isso o torna totalmente consciente do valor do passado e o retrata como detentor do respeito típico, digamos, do conservador genuíno. De acordo com o relato em Lucas 2:42-52,[VIII] todos os anos, a família de Jesus viajava para Jerusalém no feriado da Páscoa judaica, o Pessach:

E quando ele tinha doze anos, eles subiram para Jerusalém segundo o costume da festa.

E quando haviam cumprido os dias, enquanto eles retornavam, o menino Jesus ficou para trás em Jerusalém, e José e sua mãe não souberam.

Mas, supondo que ele estivesse na companhia, andaram uma jornada de um dia, e procuravam-no entre os seus parentes e conhecidos.

E não tendo-o encontrado, eles retornaram para Jerusalém em busca dele.

E aconteceu que, após três dias, eles o acharam no templo, assentado no meio dos doutores, ouvindo-os, e dirigindo-lhes perguntas.

E todos os que o ouviam admiravam-se com o seu entendimento e com as suas respostas.

E quando eles o viram, ficaram perplexos; e disse-lhe sua mãe: Filho, por que tu fizeste assim para conosco? Eis que teu pai e eu te procuramos angustiados.

E ele lhes disse: Por que procurastes por mim? Não sabeis que eu devo estar sobre os negócios de meu Pai?

E eles não entenderam as palavras que lhes dissera.

VIII Todas as citações bíblicas são da versão King James, a menos que indicado de outra forma.

REGRA 1

E desceu com eles, e foi para Nazaré, e era-lhes sujeito; mas sua mãe guardava todos esses dizeres no seu coração.

E Jesus crescia em sabedoria e estatura, e no favor para com Deus e os homens.

Entretanto, quando todos os relatos do Evangelho são considerados em conjunto, surge um paradoxo; algo intimamente associado à tensão entre o respeito pela tradição e a necessidade da transformação criativa. Apesar das evidências de sua compreensão e apreciação total, e até precoce, das regras, Cristo adulto viola de forma reiterada e chocante as tradições do shabat — pelo menos do ponto de vista dos tradicionalistas em sua comunidade — e o faz por sua própria conta e risco. Ele conduz seus discípulos por um campo de milho, por exemplo, colhendo e debulhando as espigas e comendo os grãos (Lucas 6:1). Ele justifica sua atitude aos fariseus que o contestam referindo-se a um relato do Rei Davi agindo de maneira semelhante, alimentando seu povo, quando a necessidade o exigia, com pão que estava reservado para os sacerdotes (Lucas 6:4). Notavelmente, Cristo diz a seus interlocutores que "o Filho do homem é o Senhor também do shabat" (Lucas 6:5).

Um documento antigo conhecido como Codex Bezae,[IX] ou Códice de Beza, uma variante não canônica de parte do Novo Testamento, traz uma interpolação logo após a seção do Evangelho de Lucas apresentada anteriormente, ajudando a esclarecer esse mesmo assunto. Ele oferece uma visão mais profunda da relação complexa e paradoxal entre o respeito pelas regras e a ação moral criativa necessária e desejável, apesar de

---

IX Um códice é um livro composto de folhas de pergaminho, papiro ou, mais comumente, papel. O termo agora é, em geral, reservado para manuscritos originalmente escritos à mão, como no caso do Códice de Beza. Ele contém versões gregas e latinas dos Atos e da maioria dos quatro Evangelhos. Essas versões são únicas naquilo que acrescentam, no que omitem e, com frequência, no estilo em que foram escritas.

se manifestar em aparente oposição a essas regras. O documento contém um relato de Cristo se dirigindo a alguém que, assim como Ele, quebrou uma regra sagrada: "Naquele mesmo dia, observando alguém que trabalhava no shabat, [Jesus] disse-lhe: Ó Homem, se de fato sabes o que fazes, és abençoado; mas, se não sabes, és maldito e transgressor da Lei."[12]

O que significa essa afirmação? Ela resume com perfeição o significado da Regra 1. Se você entende as regras — sua necessidade, sua sacralidade, o caos que elas evitam, como unem as comunidades que as seguem, o preço pago por seu estabelecimento e o perigo de quebrá-las —, mas está disposto a arcar com toda a responsabilidade de fazer uma exceção, pois considera que isso sirva a um bem maior (e se é uma pessoa com caráter suficiente para fazer essa distinção), então você serviu ao espírito, e não à mera lei, e isso é um ato moral elevado. Mas, se você se recusar a perceber a importância das regras que está violando e agir por conveniência egocêntrica, então estará, de maneira adequada e inevitável, condenado. A indiferença que demonstra em relação à sua própria tradição irá destruí-lo, e talvez aqueles ao seu redor, de forma completa e dolorosa ao longo do tempo.

Isso está de acordo com outros sentimentos e atos de Cristo descritos nos Evangelhos. Mateus 12:11 afirma: "E ele lhes disse: Qual homem haverá dentre vós que, tendo uma ovelha, e ela caindo em uma cova no dia do shabat, não lançará mão dela, e a levantará?" Lucas descreve como Ele curou um homem com a mão atrofiada em outro shabat, dizendo: "É lícito no dia do shabat fazer bem, ou fazer mal? De salvar a vida ou de destruí-la?" (Lucas 6:9). Essa justaposição psicológica e conceitualmente dolorosa de duas posturas morais (a guarda do shabat versus o comando de fazer o bem) é algo que constantemente enfurece os fariseus e faz parte da série de eventos que acabam levando à prisão e à crucificação de Cristo. Essas histórias retratam o

REGRA 1

dilema existencial que eternamente caracteriza a vida humana: é preciso se conformar, ser disciplinado e seguir as regras — fazer, com humildade, o que os outros fazem; mas também é preciso usar o julgamento, a visão e a verdade que orienta a consciência para perceber o que é certo quando as regras sugerem o contrário. É a capacidade de gerenciar essa combinação que caracteriza de fato a personalidade totalmente desenvolvida: o verdadeiro herói.

Uma certa dose de desobediência arbitrária às regras deve ser tolerada — ou bem-vinda, dependendo do seu ponto de vista — para manter o mundo e seus habitantes unidos. Uma certa dose de criatividade e rebelião deve ser tolerada — ou bem-vinda, dependendo do seu ponto de vista — para manter o processo de regeneração. Toda regra já foi um ato criativo, que quebrou outras regras. Todo ato criativo, genuíno em sua criatividade, tende a se transformar, com o tempo, em uma regra útil. É a interação viva entre as instituições sociais e as realizações criativas que mantém o mundo equilibrado na linha tênue entre o excesso de ordem e o excesso de caos. Esse é um dilema terrível; um verdadeiro fardo existencial. Devemos apoiar e valorizar o passado, e precisamos fazer isso com uma atitude de gratidão e respeito. Ao mesmo tempo, porém, devemos manter nossos olhos abertos — nós, os seres visionários — e reparar os antigos mecanismos que nos estabilizam e nos sustentam quando eles vacilam. Assim, para que nossas instituições permaneçam vivas e saudáveis, precisamos tolerar o paradoxo que envolve, simultaneamente, o respeito às paredes que nos mantêm seguros e a permissão de doses suficientes do novo e mutável. O próprio mundo depende, para sua estabilidade e seu dinamismo, da submissão de todos os nossos esforços à perfeição — à sacralidade — da capacidade de manter essa dualidade.

Não denigra as instituições sociais ou as realizações criativas de forma negligente.

REGRA 2

IMAGINE QUEM VOCÊ PODERIA SER E MIRE ESSE ALVO COM DETERMINAÇÃO

QUEM VOCÊ É — E QUEM PODERIA SER?

Você sabe quem é? Afinal, você é dotado de uma complexidade que vai além de sua própria compreensão; é mais complexo do que tudo mais que existe, exceto outros seres humanos; uma complexidade inacreditável. E sua ignorância é ainda mais intrincada pela mistura de quem você é com quem poderia ser. Você não apenas é. Você está se tornando — e a potencial extensão desse vir a ser também transcende a sua compreensão. Todos têm a sensação, creio eu, de que há mais em si mesmo do que se permitiu realizar. Esse potencial é frequentemente obscurecido por problemas de saúde, infortúnios, tragédias e contratempos da vida, mas também pode estar oculto em uma relutância em aproveitar ao máximo as oportunidades que a vida oferece — estimulada por erros lamentáveis de todos os tipos, incluindo falta de disciplina, de fé, de imaginação e de comprometimento. Quem é você? E o mais importante, quem você poderia ser, se fosse tudo o que pudesse conceber?

Essas perguntas são impossíveis de responder ou será que há fontes das quais podemos obter alguma orientação? Afinal, temos observado como nos comportamos — em nossos sucessos e fracassos — por dezenas (talvez centenas) de milhares de anos. Durante esse tempo, nossos xamãs, profetas, místicos, artistas, poetas e bardos extraíram algo vital dessas observações — a essência do que nos torna humanos, no campo da realidade e da possibilidade. Ao fazê-lo, nos forneceram representações dessa essência vital, que se apresenta para nós como algo que não pode ser ignorado nem esquecido. Essas pessoas criativas escrevem e encenam os dramas e nos contam as histórias que captam nossa imaginação, preenchendo nossos sonhos com visões do que poderia ser. As mais intensas e profundas representações são lembradas, discutidas e, de outras formas, aprimoradas coletivamente, e se tornaram foco de rituais que nos unem ao longo dos séculos, formando a própria base de nossas culturas. Essas são as histórias sobre as quais são construídos os edifícios ritualísticos, religiosos e filosóficos que caracterizam sociedades sofisticadas, populosas e bem-sucedidas.

As histórias que não podemos ignorar nem esquecer são memoráveis pelo seguinte motivo (entre outros): elas falam de algo que conhecemos, mas não sabemos que conhecemos. O antigo filósofo grego Sócrates acreditava que todo aprendizado era uma forma de lembrar. Ele postulou que a alma, imortal em sua essência, sabe tudo antes de renascer como criança. No entanto, no momento do nascimento, todo o conhecimento anterior é esquecido e tem que ser lembrado por meio das experiências da vida. Há muito a ser dito sobre essa hipótese, por mais estranha que possa parecer agora. Muito do que *podemos* fazer — muito do que nossos corpos e mentes são capazes de fazer — permanece adormecido, no nível genético. A exposição a novas experiências ativa esse potencial adormecido, liberando habilidades gravadas em nós ao longo do vasto período de nossa história evolutiva.[1] Essa talvez seja a maneira mais básica pela

REGRA 2

qual nosso corpo guarda a sabedoria passada e a utiliza quando necessário. É dessa forma, embora não seja a única, que existe a possibilidade humana. Portanto, há algo profundo a se considerar sobre o conceito do aprendizado como lembrança.

Obviamente, além de "lembrar" (no sentido de ativar possibilidades inatas, mas ocultas), podemos aprender muitas coisas novas. Esse é um dos principais fatores que nos diferenciam dos animais. Mesmo os mamíferos complexos e inteligentes, como chimpanzés e golfinhos, tendem a repetir os comportamentos típicos de suas espécies geração após geração, com pouquíssima modificação. Os humanos, ao contrário, são capazes e de fato buscam ativa e continuamente o novo, investigam e se adaptam a ele e o tornam parte de si mesmos. Podemos, também, traduzir algo que já conhecemos em um nível de representação para conhecimento em outro nível. Somos capazes de observar as ações de uma criatura viva, animal ou humana, e depois imitá-las, traduzindo nossas percepções de seus movimentos para novos movimentos próprios. Podemos até generalizar tais atos imitativos, captando o "espírito" do que ou de quem estamos observando e produzindo novas formas de ver e agir que são de algum modo semelhantes a esse espírito.[1] Isso integra a base do conhecimento implícito profundamente arraigado que alicerça o nosso verdadeiro entendimento. Também podemos observar um acontecimento ou uma ação e escrever o que vemos, traduzindo a ação em uma linguagem que perdure além de seu enunciado — e então transmiti-la mais tarde, na ausência do que ou de quem está sendo descrito. Por fim, e de maneira ainda mais misteriosa, podemos imaginar e então representar algo que jamais foi visto, algo verdadeiramente original. E conseguimos codificar e representar toda essa capacidade — a ação adapta-

---

[1] Pense em um imitador profissional. Ele não imita necessariamente comportamentos exatos, movimento por movimento, das pessoas que está personificando, mas, sim, o espírito — o que é comum a todos os comportamentos da celebridade-alvo. O mesmo acontece quando as crianças brincam de ser adultos. É o espírito que buscam, não os comportamentos individuais.

tiva e sua transformação — nas histórias que contamos tanto sobre as pessoas que admiramos quanto as que odiamos. E é assim que determinamos quem somos e quem talvez possamos nos tornar.

As histórias se tornam inesquecíveis quando transmitem modos sofisticados de ser — problemas e soluções igualmente complexos — que percebemos, de maneira consciente, em fragmentos, mas que não conseguimos articular por inteiro. Por exemplo, foi por essa razão que a história bíblica de Moisés e o êxodo dos israelitas do Egito se tornou um parâmetro tão poderoso para os escravos negros que buscavam a emancipação nos Estados Unidos:

> Go down, Moses, way down in Egypt land
>
> Tell old Pharaoh
>
> To let my people go.[II,2]

A história bíblica do Êxodo é apropriadamente considerada arquetípica (ou paradigmática ou fundacional) por pensadores psicanalíticos e religiosos, pois apresenta um exemplo de transformação psicológica e social que não pode ser aprimorada. Surgiu como um produto da imaginação e foi transformada pelo constante relato e reelaboração em uma forma essencialmente significativa que pode ser aplicada a contextos políticos, econômicos, históricos, pessoais e espirituais, todos ao mesmo tempo. Esta é a exata definição de profundidade literária — algo que atinge seu apogeu em determinadas formas de histórias antigas e tradicionais. Essa profundidade significa que tais relatos podem ser usados de diversas maneiras como uma estrutura de significado para qualquer processo de mudança profunda experimentado

---

II Trecho de um spiritual que descreve eventos do Velho Testamento. Em tradução livre: "Vá, Moisés, aos confins das terras do Egito/Diga ao velho faraó/Para libertar meu povo." (N. da T.)

por qualquer indivíduo ou sociedade (estado estável, declínio no caos e restabelecimento da estabilidade), e podem emprestar a esse processo realidade multidimensional, contexto, significado poderoso e motivação.

A EMERGÊNCIA DO INESQUECÍVEL

Como surge uma história inesquecível? O que precede sua revelação? No mínimo, ela é consequência de um longo período de observação. Imagine um cientista monitorando o comportamento de uma alcateia ou de um bando de chimpanzés — na verdade, qualquer grupo de animais sociais complexos. Ele tenta identificar regularidades no comportamento dos indivíduos e do grupo (em suma, padrões) e articulá-las — encapsulá-las — em linguagem. O cientista pode, primeiro, relatar uma série de particularidades emblemáticas do comportamento geral da espécie nas ações dos animais. Ele, então, pode abstrair ainda mais, tentando generalizar essas particularidades, descrevendo-as de maneira semelhante a regras. Digo "semelhante a regras" porque os animais não seguem regras, pois estas requerem linguagem. Os animais apenas expressam regularidades. Eles não são capazes de formular, compreender ou seguir *regras*.

Mas e os seres humanos? Somo capazes de observar nossas ações como um cientista faria — mais precisamente, como um contador de histórias faria. E, depois, podemos contar as histórias uns para os outros. Essas histórias já são condensações do comportamento observado (caso contrário, não serão interessantes; meros relatos de uma sequência de ações cotidianas não constituem uma boa história). Uma vez estabelecida, podemos analisar a história, procurando regularidades e padrões mais profundos. Se essa análise for bem-sucedida, generalizamos as particularidades por meio da formulação de regras e, então, podemos aprender, conscientemente, a segui-las. Eis como isso pode acontecer. Todos nós reagimos de forma crítica quando uma criança ou um adulto — ou, na verdade, uma sociedade — age de maneira inadequada, injusta ou má. A falha nos afeta emocionalmente. Intuímos que um padrão do qual depende a adaptação individual e social foi rompido e violado. Ficamos irritados, frustrados, magoados ou tristes com essa traição. Isso não significa que cada um de nós, reagindo de maneira emocional, tenha tido sucesso em articular uma filosofia abrangente do bem e do mal. Podemos nunca identificar o que deu errado. No entanto, assim como crianças não familiarizadas com um novo jogo, mas ainda capazes de jogá-lo, sabemos que as regras estão sendo quebradas.

A história bíblica do Êxodo, o antigo relato da fuga dos escravos hebreus de seus senhores egípcios, retrata isso com exatidão. Moisés, líder do povo em fuga, é constantemente requisitado por seus seguidores para oferecer conselhos e traçar distinções morais tênues sempre que há um conflito. Em razão disso, passa muito tempo observando e contemplando o comportamento deles. É como se o profeta do deserto tivesse que descobrir quais regras ele e seus seguidores israelitas já tinham dificuldades em seguir, antes de receber os mandamentos explícitos de Deus. Lembre-se: toda sociedade é caracterizada por um comportamento padronizado; caso contrário, seria puro conflito, e não uma "sociedade". Mas o mero fato de a ordem social reinar em algum grau não significa que dada sociedade chegou a compreender explicitamente seu próprio comportamento, seu próprio código moral. Portanto, não é por acaso que, nessa história, Moisés serve como juiz de seus seguidores — com uma intensidade e durante um tempo que acabam por exauri-lo — antes de receber os Dez Mandamentos:

> E aconteceu que ao amanhecer, Moisés sentou-se para julgar o povo. E o povo estava em pé diante de Moisés desde a manhã até a tarde.

REGRA 2

> E quando o sogro de Moisés viu tudo que ele fazia ao povo, disse: O que é isto que fazes ao povo? Por que te assentas sozinho, e todo o povo fica em pé diante de ti desde a manhã até a tarde?
>
> E disse Moisés a seu sogro: Porque o povo vem a mim para perguntar a Deus.
>
> Quando eles têm uma questão, vêm a mim, e eu julgo entre um e outro, e os faço saber os estatutos de Deus, e suas leis.
>
> E o sogro de Moisés lhe disse: O que estás fazendo não é bom.
>
> Certamente desfalecerás, tu e este povo que está contigo, porque isto é muito pesado para ti; não és capaz de realizar isto sozinho. (Êxodo 18:13–18)

Esse difícil exercício de discernimento e julgamento, observação e ponderação é parte integrante do que preparou o patriarca bíblico para receber a revelação divina. Se não houvesse base comportamental para essas regras — nem precedente histórico codificado na ética tradicional, nem convenções, nem horas intermináveis de observação dos padrões morais —, os mandamentos simplesmente não poderiam ser compreendidos e transmitidos, muito menos obedecidos.

Uma história inesquecível capta a essência da humanidade e a condensa, transmite e esclarece, enfocando o que somos e o que devemos ser. Ela nos comove, instigando o interesse que nos inspira a imitar. Aprendemos a ver e a agir à maneira dos heróis das histórias que nos cativam. Histórias que invocam capacidades que repousam nas profundezas de nossa natureza, mas que talvez nunca se desenvolvam sem esse chamado. Somos aventureiros, amantes, líderes, artistas e rebeldes adormecidos, mas precisamos descobrir que somos todas essas coisas ao contemplar o reflexo desses padrões na dramaturgia e na literatura. É consequência de ser uma criatura que é parte natureza e parte cultura. Uma história inesquecível estende nossa capacidade de entender nosso comportamento, além do hábito e da expectativa, em direção a uma compreensão imaginada e depois verbalizada. Essa história nos apresenta, da maneira mais convincente, a aventura definitiva, o romance divino e a eterna batalha entre o bem e o mal. Tudo isso nos ajuda a esclarecer nossa compreensão da atitude e da ação moral e imoral, pessoal e social. E pode ser visto sempre e em todos os lugares.

Pergunta: quem você é — ou, pelo menos, quem poderia ser? Resposta: parte da força eterna que confronta constante e voluntariamente o terrível desconhecido; parte da força eterna que transcende a ingenuidade e torna perigoso o suficiente, ainda que de maneira controlada, entender e enfrentar o mal; e parte da força eterna que enfrenta o caos e o transforma em ordem produtiva, ou que pega uma ordem que se tornou muito restritiva, a reduz ao caos e a torna produtiva novamente.

E tudo isso — que é muito difícil de compreender de maneira consciente, mas é vital para nossa sobrevivência — é transmitido na forma de histórias que não conseguimos ignorar. E é assim que apreendemos o que tem valor, o que devemos almejar e o que poderíamos ser.

MATERIA PRIMA: QUEM VOCÊ PODERIA SER (I)

Gostaria de tentar explicar o significado da ilustração da abertura deste capítulo, que é baseada em uma antiga xilogravura alquímica. A descrição de seu significado revela quanta informação pode estar contida em uma imagem sem que o observador tenha uma compreensão explícita de seu conteúdo (a imagem pode, na verdade, ser considerada um estágio inicial no

REGRA 2

processo pelo qual tal compreensão explícita se desenvolve). O antigo alquimista[III] estava sonhando, em um sentido muito real, ao criar a gravura — devaneando sobre o que uma pessoa poderia ser e como isso aconteceria.

Na base da imagem há uma esfera alada. Sobre ela, vemos um dragão. Em pé sobre o dragão, temos uma figura humana de duas cabeças — uma masculina, outra feminina. A masculina está associada à imagem do Sol; a feminina, à imagem da Lua. Acima e entre as duas cabeças, está o símbolo de Mercúrio: o deus, o planeta e o metal, simultaneamente. Uma variedade de outros símbolos completa a gravura. Tudo o que é retratado está envolto em uma moldura oval. Esse arranjo indica que a imagem representa muitas coisas dentro de uma — a multiplicidade na unidade —, assim como um pintinho em formação está encapsulado em um único receptáculo, mas tem muitas partes biológicas cada vez mais diferenciadas e complexas, particularmente em seus estágios mais avançados de desenvolvimento. Em sua totalidade, a imagem é rotulada *materia prima* — latim para "elemento primordial".

Os alquimistas consideravam a *materia prima* a substância fundamental da qual tudo o mais — incluindo matéria e espírito, de modo equânime — emerge ou é derivado. É vantajoso pensar nesse elemento primordial como o potencial que enfrentamos ao confrontar o futuro, incluindo nosso "eu" futuro — ou o potencial que não conseguimos deixar de repreender, a nós mes-

---

III Por milhares de anos, a alquimia — a busca pela pedra filosofal, um artefato que transformaria metais básicos em ouro, além de recompensar seu portador com saúde e imortalidade — foi praticada por excêntricos, místicos, mágicos e praticantes pré-científicos que adotaram os primeiros passos extraordinários para estabelecer o que acabou se tornando ciência genuína. Conforme a alquimia se desenvolveu, no entanto, a "pedra" acabou sendo conceituada como algo mais parecido com uma personalidade do que um objeto material, à medida que os alquimistas percebiam, cada vez mais, que o desenvolvimento da psique era uma busca mais importante do que o mero ouro em si. Escrevi sobre isso em *Mapas do Significado: A Arquitetura da Crença*, que contém as referências relevantes ao trabalho sobre alquimia conduzido por Jung e seus alunos.

mos e aos outros, por desperdiçar. Também é útil conceituá-lo como a informação a partir da qual construímos nós mesmos e o mundo, em vez da matéria que compõe a realidade, como costumamos considerar. Cada interpretação — a de potencial e a de informação — tem suas vantagens.

O que significa afirmar que o mundo pode ser considerado potencial ou informação? Pense no que acontece, por exemplo, quando você passa pela caixa de correio e pega sua correspondência. Considere, também, do que essa correspondência é "feita". Do ponto de vista material, é apenas papel e tinta. Mas esse substrato material é essencialmente irrelevante. Não importa se a mensagem é entregue por e-mail ou voz — ou até em código Morse. O relevante é o conteúdo. E isso significa que toda correspondência é um recipiente de conteúdo — de potencial ou informação, positivo, neutro ou negativo. Pode ser, por exemplo, uma notificação de investigação da receita federal de seu país. Isso significa que, apesar da presença aparentemente inofensiva em suas mãos, a carta está firme e inextricavelmente conectada a uma estrutura gigantesca, complexa e, com frequência, arbitrária que pode muito bem não ter seus melhores interesses em mente. Por outro lado, talvez seja algo alegre, como uma carta inesperada de um ente querido ou a notícia de um dinheiro muito aguardado. De tal perspectiva, um envelope é um recipiente — um recipiente misterioso, pelo menos em potencial — do qual pode emergir todo um novo mundo.

Todos entendem essa ideia, mesmo que não se deem conta disso. Se você está tendo problemas com as autoridades tributárias, por exemplo, e recebe uma correspondência oficial do órgão competente, sua pressão arterial aumentará (ou cairá vertiginosamente), seu coração baterá forte, as palmas das mãos ficarão suadas e um sentimento de medo intenso, até mesmo de ruína, pode inundá-lo. Essa é a resposta instintiva, associada à preparação para a ação, que acompanha a exposição ao perigo.

REGRA 2

E agora você terá que decidir: abrirá a carta e enfrentará o que está "dentro"? E, após fazer isso, pensará em como resolver o problema, por mais terrível que seja, e começará a resolvê-lo? Ou ignorará o que sabe agora, fingirá que está tudo bem (mesmo que saiba, em um nível emocional — como consequência de sua ansiedade —, que não está) e pagará o preço psicológico e físico inevitável? A primeira opção exigirá que você enfrente voluntariamente aquilo de que tem medo — o monstro terrível e abstrato — e, como resultado, hipoteticamente, se torne mais forte e integrado. A segunda opção permitirá que o problema assuma sua forma monstruosa e o forçará a sofrer como um animal assustado, confrontado pelos olhos ferozes de um predador no breu da noite.

Uma esfera alada, com um quadrado, um triângulo e os algarismos 3 e 4 gravados, ocupa o terço inferior da imagem em análise.[IV] Essa entidade, ou objeto, singular era conhecida pelos alquimistas como a "esfera do caos".[3] É um recipiente — o receptáculo inicial do elemento primordial — de tudo que compõe o mundo e a psique antes de se diferenciarem. É o potencial ou a informação. É o que atrai inconscientemente sua atenção e o obriga a se interessar por algo antes de saber por que ele o atraiu. É quando e onde o novo passa a ser previsível e certo (para o bem ou para o mal); é algo que volita na sua direção, com pouco controle voluntário — como se fosse alado —, enquanto sua imaginação e sua atenção se movem de forma imprevisível, mas cheia de significado, de associação em associação; e é o que você enxerga quando não tem ideia do que está enfrentando. Por fim, é algo de que não consegue desviar o olhar quando é toma-

---

IV Vamos abordar a imagem de baixo para cima, como se cada elemento emergisse da parte inferior. Geralmente, imagens desse tipo (e são um tipo) representam um processo de desenvolvimento ou crescimento psicológico ou espiritual e parecem empregar o simbolismo básico de uma planta ou árvore que cresce à medida que amadurece. Algo semelhante pode ser observado nas imagens orientais do Buda, emergindo de uma flor de lótus que flutua na superfície da água plácida, com seu caule estendendo-se para o fundo escuro e suas raízes bem enterradas na lama que compõe o nível mais baixo das profundidades.

do pelo horror, ainda que esse potencial para o horror também acrescente um interesse vital à vida.

Estranhamente, a esfera do caos pode ser familiar para o público moderno (de novo, mesmo que não se dê conta), por causa de livros e filmes da saga Harry Potter. A autora, J. K. Rowling, se esforça para descrever o Quadribol, um evento esportivo que ajuda a definir e unificar Hogwarts. O objetivo do esporte é lançar uma bola (Goles) através de um dos três aros defendidos pelo time adversário, enquanto se voa em vassouras encantadas. O sucesso nesse ataque dá dez pontos à equipe do marcador. Simultaneamente, dois outros jogadores (um de cada equipe) estão envolvidos em outro jogo — dentro da partida principal. Escolhidos por sua excepcional habilidade de atenção e de voo, esses dois competidores — conhecidos como Apanhadores — tentam localizar, perseguir e capturar uma bola alada, o Pomo, de aparência idêntica à esfera do caos na parte inferior da figura do alquimista. O Pomo é dourado — sinal de seu valor e sua pureza[V] excepcionais — e voa de forma caótica, em alta velocidade, dardejando, costurando, flutuando e disparando diante dos Apanhadores enquanto eles o perseguem montados em suas vassouras. Se um Apanhador capturar o Pomo, seu time ganha 150 pontos (o que costuma ser suficiente para garantir a vitória) e o jogo termina. Isso significa que perseguir e capturar o que o Pomo — e, por alusão, a esfera do caos — representa é uma meta cuja importância supera qualquer outra.[VI] Por que o jogo,

---

V Pois o ouro é raro e reluta, por assim dizer, em se combinar promiscuamente com outros elementos ou compostos.

VI É interessante notar — particularmente em relação à discussão dos perigos da criatividade apresentada na Regra 1 — que os Apanhadores perseguem o Pomo dentro e fora do campo de jogo que funciona como um limite para todos os outros jogadores. Enquanto estão do lado de fora, eles podem atravessar a fundação de madeira do estádio de Quadribol. Isso não seria um problema se não estivessem sendo perseguidos por um Balaço, uma bola voadora maciça e sólida capaz não só de derrubá-los de suas vassouras, mas também de atravessar e danificar seriamente a estrutura do estádio. Se conseguirem pegar o Pomo, como mencionado, geralmente obtêm a vitória. Mas eles correm o risco de danificar os próprios

criado para nós na fértil imaginação de Rowling, é estruturado dessa maneira? O que significa sua ideia narrativa? Existem duas maneiras de responder a essas perguntas (embora ambas as respostas se relacionem de maneira importante):

Primeiro: na Regra 1, discutimos a noção de que o verdadeiro vencedor de qualquer jogo é a pessoa que joga limpo. Isso ocorre porque um jogo justo, apesar das particularidades de qualquer jogo, é uma realização de ordem superior à mera vitória. Esforçar-se para jogar limpo é, em último sentido — atendendo ao espírito, bem como ao enunciado, das regras —, uma indicação do verdadeiro desenvolvimento da personalidade, baseado na preocupação com a verdadeira reciprocidade. Os Apanhadores devem ignorar os pormenores do jogo de Quadribol, do qual ainda fazem parte, enquanto tentam encontrar e capturar o Pomo, assim como o jogador do mundo real deve ignorar as particularidades do jogo enquanto se atenta para o que constitui um jogo ético de verdade, independentemente do que está acontecendo em campo. Assim, o jogador ético, tal como o Apanhador, é indomável na persecução da mais valiosa dentre as obrigações complexas e concorrentes.

Segundo: entre os alquimistas, a esfera do caos era associada ao deus alado Mercúrio, que servia como mensageiro do reino do divino, o guia das almas para o mundo inferior e o portador da boa sorte. É por essa razão que o antigo símbolo de Mercúrio está localizado no pináculo (o local mais importante) da imagem em questão. É uma tentativa de indicar o que norteia o processo que a imagem representa. Séculos atrás, antes do alvorecer da química moderna, o deus Mercúrio representava algo que inspira ou atrai interesse involuntariamente. Ele era o espírito que toma posse de alguém quando sua atenção era irresistivelmente atraída para uma pessoa, situação ou evento. Imagine que

---

alicerces do jogo ao fazer isso — assim como as pessoas criativas fazem quando buscam suas visões inovadoras, mas disruptivas.

existem processos muito complexos ocorrendo em sua mente no nível inconsciente, que destacam os eventos de potencial valor e os distinguem de tudo o mais que se desenrola o tempo todo ao seu redor. Imagine que esses processos que distinguem valor estão vivos, o que não deixa de ser verdade, e que são complexos e integrados o suficiente para serem conceituados como uma personalidade. Isso é Mercúrio. A atração que ele exerce sobre nosso interesse se revela no sentido de significância — no sentido de que algo que acontece ao seu redor merece atenção ou contém algum valor.

O Apanhador — na vida real, bem como na saga Harry Potter, de J. K. Rowling, e seu jogo de Quadribol — é aquele que leva esse senso de significado mais a sério do que qualquer outra coisa. O Apanhador é, portanto, a pessoa que joga o que todos os outros estão jogando (e que é disciplinada e especialista nisso), mas que também participa de um outro jogo de ordem superior: a busca do que é de importância primária. Assim, o Pomo (tal como a esfera do caos) pode ser considerado o "recipiente" dessa importância primária — desse significado — e, por conseguinte, algo revelador quando perseguido e capturado. Podemos, nesse contexto, lembrar o que veio a ser conhecido como a Regra de Ouro: "E assim como quereis que os homens vos façam, fazei--lhes igualmente." (Lucas 6:31). Não há nada mais importante do que aprender a se esforçar para jogar limpo em circunstâncias difíceis e frustrantes. Esse deve ser o objetivo perseguido, por assim dizer, durante qualquer jogo (embora também seja importante tentar vencer).[VII]

VII Também é de grande interesse observar, a esse respeito, que o metal mercúrio pode ser utilizado na mineração e purificação do ouro. O ouro se dissolve no mercúrio, que, assim, pode ser usado para extrair as pequenas quantidades do metal precioso tipicamente encontrado nos minérios. O mercúrio é, então, removido por fervura (pois tem um ponto de ebulição baixo) para que apenas o ouro permaneça. A atração do mercúrio pelo ouro deu origem à ideia simbólica de que o metal líquido tem uma "afinidade" com o que é mais precioso: que o mercúrio busca o que é nobre, puro e incorruptível — como o próprio ouro, falando simbolicamente mais uma vez — e o concentra até que forme quantidades utilizáveis. Assim, a

REGRA 2

Cada um de nós, se tiver sorte, é compelido a seguir em frente por algo que domina nossa atenção — amor por uma pessoa; um esporte; um problema político, sociológico ou econômico, ou uma pergunta científica; uma paixão pela arte, literatura ou drama — algo que nos atrai por motivos que não conseguimos controlar nem compreender (tente se interessar por algo com que não se importa e fracasse miseravelmente). Os fenômenos que nos atraem (*fenômenos*: da palavra grega *phainesthai*, que significa "aparecer, ou ser trazido à luz") são como lamparinas ao longo de um caminho escuro: fazem parte dos processos inconscientes dedicados a integrar e promover o desenvolvimento de nossos espíritos, o progresso de nosso desenvolvimento psicológico. Você não escolhe o que lhe interessa. Ele escolhe você. Algo se manifesta na escuridão como atraente, algo pelo qual vale a pena viver; depois surge algo mais, que nos move um pouco além na estrada, até a próxima manifestação significativa — e assim por diante, à medida que continuamos a buscar, desenvolver, crescer e prosperar. É uma jornada perigosa, mas também é a aventura de nossas vidas. Pense em como é tentar conquistar alguém que ama: conseguindo ou não, você muda no processo. Pense, também, nas viagens que fez ou em um trabalho que empreendeu, seja por prazer, seja por necessidade. Em todos esses casos, você experimenta o que é novo. Às vezes, é doloroso; outras, o melhor que já lhe aconteceu. De qualquer forma, é profundamente informativo. Tudo é parte do potencial do mundo, convocando você para o Ser, mudando-o para sempre — para melhor ou para pior — em consequência de sua busca.

Um dragão se empoleira na esfera do caos, pois o que é interessante e significativo (e novo e inesperado, já que andam juntos) se manifesta de uma forma que é tanto perigosa quanto promis-

---

ideia fundamental é que a busca do significado, guiada por Mercúrio, mensageiro dos deuses (o inconsciente, na concepção moderna), permitirá ao Apanhador coletar o que é, como ouro, de maior valor. Para os alquimistas que criaram desenhos como o que estamos analisando, esse valor mais alto passou a ser o desenvolvimento final da psique, ou espírito, ou personalidade.

sora, especialmente quando a atração é intensa e irresistível. O perigo, é claro, é representado pela presença do réptil predador e imortal; a promessa é sugerida pela concepção arquetípica do dragão como guardião de um grande tesouro. Assim, o desenho apresenta uma progressão psicológica. Primeiro, você se interessa por algo. Esse algo (a esfera do caos) contém ou é composto de potencial ou informação. Se for perseguido e capturado, libera essa informação. A partir dela, construímos o mundo que percebemos e nós mesmos como perceptores. Portanto, a esfera do caos é o recipiente do qual emergem a matéria (o mundo) e o espírito (nossa psique). Há certa indicação numerológica disso em seu corpo esférico: o número 3, acompanhado por um triângulo, que é tradicionalmente associado ao espírito (por causa da Santíssima Trindade), e o número 4, associado ao mundo da matéria (por causa dos quatro elementos tradicionais: terra, água, fogo e ar). O dragão, por sua vez, empoleirado na esfera do caos, representa o perigo e a possibilidade da informação dentro dela.

Em cima do dragão está uma figura conhecida como Rebis, um único corpo com duas cabeças, uma masculina e uma feminina. O Rebis é um símbolo da personalidade plenamente desenvolvida que pode emergir da busca direta e corajosa do que é significativo (a esfera do caos), além de perigoso e promissor (o dragão). Tem um aspecto simbolicamente masculino (indicado pelo Sol, à esquerda do homem), que em geral representa exploração, ordem e racionalidade, e um aspecto simbolicamente feminino (indicado pela Lua, à direita da mulher), que significa caos, promessa, cuidado, renovação e emoção. No curso da socialização normal, é típico que um desses aspectos se torne mais desenvolvido do que o outro (já que os homens são socializados à maneira masculina, à qual também estão biologicamente inclinados, e as mulheres, à maneira feminina). No entanto, é possível — com exploração e exposição suficientes à esfera do caos e ao dragão — desenvolver ambos os elementos. Esse seria o ideal — ou assim diz a intuição alquímica.

Do desconhecido — o potencial que constitui o mundo — surge a terrível, mas promissora, forma do dragão, a união do perigo e da promessa. É uma eterna dicotomia ecoada pela presença dos dois outros símbolos à direita e acima da cauda do dragão: Júpiter, representando o positivo, e Saturno, o negativo. Do confronto com o perigo e a promessa emergem os aspectos masculino e feminino da psique, trabalhando em harmonia. O espírito Mercúrio orienta o processo, manifestando-se como sentido no mundo, atuando por meios inconscientes para atrair a exploração ao que unirá os diversos elementos discordantes e beligerantes da personalidade. Tudo isso pode ser interpretado, corretamente, como uma história do desenvolvimento da personalidade ideal — uma tentativa de descrever em uma imagem o que cada um de nós poderia ser.

DO POLITEÍSMO AO MONOTEÍSMO, E O SURGIMENTO DO HERÓI VIRTUOSO: QUEM VOCÊ PODERIA SER (II)

Agora vamos tentar descrever "quem você poderia ser" de outra perspectiva, tirada de uma das primeiras histórias que tivemos a sorte de redescobrir. A narrativa mesopotâmica *Enuma Elish* (que significa "quando do alto") é o mais antigo e completo mito do herói já conhecido, estimado em 4 mil anos de idade em sua forma escrita e, sem dúvida, muito mais antigo pela tradição oral. A história começa quando a deusa primordial Tiamat, personificação da água salgada (bem como de um monstruoso dragão marinho), copula com seu consorte igualmente primordial, Apsu, a personificação da água doce. Essa união dá origem ao primeiro reino da existência, habitado pelos deuses mais antigos, os primeiros filhos de Tiamat e Apsu.

Para entender o início dessa história, precisamos saber algumas coisas que os antigos consideravam verdades fundamentais. Elas são marcadamente diferentes das verdades da ciência moderna. Antes do nascimento da cosmovisão científica, apenas seiscentos anos atrás, *realidade* era tudo o que os seres humanos experienciavam. O que vivenciamos pode ser distinguido, conceitualmente, da *realidade como mundo objetivo* — o puro ser físico — por seus conteúdos mais abrangentes, que incluem experiências subjetivas como emoções, sonhos, visões e estados motivacionais como fome, sede e dor. O que experienciamos é mais parecido com um romance ou filme — que se concentra em comunicar e compartilhar estados subjetivos e objetivos — do que com a realidade do mundo objetivo — que pode ser comparada a uma descrição científica da realidade física. É a morte real, específica e única de alguém que você ama, por exemplo, em comparação com a listagem dessa morte nos registros do hospital. É o drama da experiência vivida. Somos tão atraídos pelas representações ficcionais porque nossas experiências são, de fato, literárias, narrativas, personificadas e em forma de história. Filmes, peças de teatro, óperas, dramas de TV — até mesmo letras de canções — nos ajudam a lidar com as experiências vividas, que são diferentes e mais amplas do que o mero material do qual hipoteticamente se originam.

A assimilação da primeira parte do *Enuma Elish* requer compreender uma segunda percepção fundamental de nossos ancestrais: a natureza essencialmente social de nossas categorias cognitivas. É por isso que nos livros infantis tudo é personificado: o Sol, a Lua, os brinquedos, os animais — até mesmo as máquinas. Não vemos nada de estranho nisso, pois esse aspecto reflete nossas tendências perceptivas de maneira profunda. Esperamos que as crianças vejam e entendam o mundo dessa maneira, e nós, adultos, podemos facilmente retomar essa perspectiva. Mas devo esclarecer que não é adequado afirmar que a realidade retratada na ficção infantil é personificada. Na

REGRA 2

verdade, nós percebemos a realidade de maneira direta e natural como personificada (e isso é uma autêntica inversão da presunção em questão), e então devemos trabalhar de maneira bastante diligente para despir essa personificação, de modo a detectar a "realidade objetiva".[VIII] Portanto, entendemos a realidade como se fosse construída de personalidades. Isso porque muito do que encontramos em nossa realidade hipersocial, nossas sociedades complexas, é de fato personalidade — e uma personalidade de gênero, que reflete os bilhões de anos ou mais desde o surgimento da reprodução sexual (tempo suficiente para sua existência ter estruturado profundamente nossas percepções). Entendemos o masculino e dele derivamos o masculino. Compreendemos o feminino e dele derivamos o feminino. Por fim, entendemos a criança e dela derivamos, mais comumente, o filho. Essas divisões básicas são claramente refletidas no mito da criação do *Enuma Elish*, da mesma forma que refletem — ou, mais precisamente, sustentam — nossa compreensão das histórias que todos conhecemos.

Tiamat, a deusa primordial, é o caos, um monstro feminino, um dragão. Ela é o terror da natureza, criativa e destrutiva, a mãe e a assassina de todos nós. Apsu, seu marido, é o pai eterno. Ele é a ordem da qual dependemos para nossa segurança e pela qual somos simultaneamente tiranizados.[IX] Essas duas di-

---

VIII Esta é parte da razão com base na qual a ciência se desenvolveu tanto depois da religião e do ritual — de maneira tão incrível recentemente, e de modo algum em todos os lugares ao mesmo tempo.

IX Além disso, no mundo mitológico, ao contrário do mundo objetivo e lógico, as coisas podem ser algo e seu oposto ao mesmo tempo. E essa representação no mundo mitológico é mais precisa do que no objetivo, da maneira experiencial descrita anteriormente: a Natureza, por exemplo, é Criadora e Destruidora, assim como a Cultura é Protetora e Tirana. Pode-se objetar: Natureza e Cultura não são aspectos distintos. Elas podem ser diferenciadas, para que possamos separar, compreender e lidar com seus componentes paradoxais. Tudo isso é verdade, mas os componentes paradoxais costumam ser experienciados ao mesmo tempo e, assim, unificados. Isso ocorre, por exemplo, quando alguém é traído em um caso de amor. A besta e o homem, a Medusa e a mulher amada estão, com frequência, unidos experiencialmente na mesma figura hipoteticamente unitária. Esta pode ser uma terrível descoberta quando feita na vida real.

vindades mais primitivas se unem em comunhão sexual fecunda, "misturando suas águas", nas palavras ancestrais. Dessa forma, geram sua primeira progênie, os deuses mais antigos da Mesopotâmia. Esses deuses representam elementos do mundo mais diferenciados do que a mãe e o pai primordiais — como o céu e a terra, a lama e o lodo, a guerra e o fogo.[X] No entanto, eles também são descuidados, barulhentos e impulsivos, como crianças de 2 anos (que são, afinal de contas, forças primordiais por si mesmas). Suas ações persistentes, incansáveis e irrefletidas, aliadas à falta de consciência geral, culminam em uma catástrofe: a decisão mútua de travar uma guerra e matar Apsu, e a consequente tentativa de construir uma morada estável em seu cadáver.

Tiamat — o próprio caos —, já irritada com a confusão estúpida de seus filhos, fica enfurecida com a matança imprudente de seu marido. A Deusa Terrível cria um exército de onze monstros para lidar com sua prole rebelde, colocando como líder uma figura demoníaca chamada Kingu, a quem escolhe como segundo marido, e lhe entregando a Tábua dos Destinos (que sinaliza sua autoridade como governante supremo do universo). A relação entre essa brilhante representação dramática e o modo como usamos, ou abusamos, as dádivas de nossa cultura é óbvia: a negligente destruição da tradição é o convite ao (res) surgimento do caos. Quando a ignorância destruir a cultura, surgirão monstros.

Enquanto Tiamat organiza ativamente seu exército, os deuses mais antigos continuam em ação, formando casais, gerando filhos e netos por conta própria. Um dos netos de Tiamat, Marduk, parece especialmente talentoso, poderoso e promissor. Ele nasce com olhos circundando sua cabeça. Pode ver em to-

---

X A mesma ideia é expressa na cosmogonia taoista, quando o yin e o yang se diferenciam nos cinco elementos: madeira, fogo, terra, metal e água. Os antigos gregos acreditavam, da mesma forma, que a Terra e o Céu (Gaia e Urano) deram à luz os Titãs, divindades elementais de grande força e poder.

REGRA 2

das as direções. É capaz de falar palavras mágicas. Ele é algo inteiramente novo — e isso é percebido desde cedo por seus progenitores. Enquanto Marduk amadurece, os deuses mais velhos são compelidos a enfrentar Tiamat, com quem agora estão em guerra. Um a um, eles tentam derrotá-la. Todos retornam em fracasso abjeto. Por fim, alguém sugere que Marduk, embora ainda jovem, seja enviado para enfrentar sua terrível avó. Ao tomar conhecimento do plano, ele concorda, mas apenas com a condição de que doravante receba o direito — caso vença — de deter a Tábua dos Destinos e ocupar o topo da hierarquia de domínio dos deuses.

É assim que essa história antiga descreve a emergência do monoteísmo a partir do politeísmo. O *Enuma Elish* parece ser um relato dramatizado dos processos psicológicos ou espirituais que envolvem essa transformação. A antiga civilização mesopotâmica enfrentou a necessidade de incorporar e unificar muitas tribos e povos diversos, cada um com seus próprios deuses. O deus proveniente do conflito de todos aqueles deuses ("Qual deus é supremo?") era, portanto, um metadeus, composto dos aspectos mais importantes de todos os outros. Foi por esse motivo, por exemplo, que Marduk foi representado por cinquenta nomes diferentes.

Esse surgimento de um entre muitos é um processo bastante comum, descrito por Mircea Eliade, estudioso do mito, como a guerra dos deuses no céu, uma motivação mitológica típica, tal como aludido anteriormente.[XI] É a contrapartida psicológica, no mundo da imaginação, da luta genuína de conceitos de divindade e valor na terra. Tribos se unem. Cada uma com seus deuses. As pessoas que compõem esses grupos numerosos vão para a guerra, concreta e conceitualmente, pelo que acreditam — às vezes por gerações. É como se os deuses que idolatram lutassem pelo domínio durante períodos que excedem a vida de um único

---

XI *E pluribus unum.*

humano, e usassem seus seguidores como representantes. Isso se reflete nas histórias antigas. Se e quando os deuses chegarem a um acordo sobre suas posições relativas — em especial, se eles se organizarem em uma hierarquia —, significará que a paz foi genuinamente estabelecida, pois a paz é o estabelecimento de uma hierarquia compartilhada de divindade, de valor. Assim, surge o eterno questionamento sempre que pessoas de origens diferentes são solicitadas a lidar umas com as outras de forma relativamente permanente: qual a característica comum compartilhada por todos os deuses e que os torna deuses? O que é Deus, em essência?

Essa é uma questão muito complexa. Por um lado, é uma questão de valor: o que é mais importante? Por outro, de soberania: que princípio deve prevalecer? Essas são as perguntas feitas por aqueles que refletem sobre a fonte suprema do significado divino em si. Sua dificuldade sugeria que essas perguntas, e por extensão a pergunta sobre Deus, tinham que ser respondidas ao longo dos séculos, ao longo dos milênios. A resposta surgiu primeiro em forma de história. Os mesopotâmicos intuíram, de forma brilhante, que o deus supremo — o bem supremo — envolvia atenção cuidadosa (os múltiplos olhos circulando a cabeça de Marduk) e linguagem eficaz (as palavras mágicas de Marduk, capazes de gerar um cosmos), além de coragem e força para enfrentar e superar voluntariamente o caos, o desconhecido. Pode-se argumentar que essas são as características definidoras do grande espírito central da humanidade, pelo menos na medida em que esse espírito é nobre e admirável.

Os antigos egípcios formularam uma ideia semelhante em muitos aspectos pertinentes — que discutiremos mais adiante em detalhes — ao associar seu deus-salvador Hórus, filho de Osíris, com o falcão de olhos perspicazes, identificado com a visão disposta a buscar, detectar, compreender e derrotar o mal (simbolizado pela famosa imagem egípcia do único olho).

REGRA 2 73

Representar essa realidade — *preste atenção, acima de tudo, até ao que é monstruoso e maléfico, e fale com sabedoria e verdade* — pode ser a proeza mais importante de nossa espécie.[4] Ela nos possibilita aprender na forma dramatizada a necessidade fundamental de lidar com o que os nossos sentidos nos mostram, por mais aterradora que seja a realidade revelada. Possibilita alinhar nosso entendimento explícito com nosso ser mais profundo, permitindo uma união mais verdadeira do corpo e do espírito por meio da compreensão parcial e da imitação da história. E, talvez, o mais importante, é que nos permite perceber a imensa relevância das palavras na transformação do potencial em realidade e nos ajuda a compreender que o papel que cada um de nós desempenha nessa transformação é, em algum sentido vital, semelhante ao divino.

Após sua eleição para o posto supremo, Marduk desafia Tiamat diretamente; ele a envolve, derrotada, em uma rede gigante e a corta em pedaços, formando os céus e a terra a partir de seus restos mortais. Um dos muitos nomes de Marduk é, na verdade, "aquele que faz coisas engenhosas como consequência do conflito com Tiamat".[5] É importante notar que, há dezenas de milhares de anos, os homens literalmente criaram o mundo habitável a partir de fragmentos de monstros, construindo suas primeiras moradas com os ossos gigantes dos animais que caçaram com tanta coragem.[6] Marduk também derrota o exército de monstros da avó, incluindo o líder, Kingu, de quem toma a Tábua dos Destinos, confirmando seu lugar como líder supremo do cosmos. Então ele volta para casa, com os inimigos a reboque. Seus compatriotas comemoram a sua vitória, e a adesão à sua liderança é ainda mais forte, antes que ele determine seus deveres. Então, após consultar Ea, o deus da sabedoria, Marduk ordena a criação do homem, para ajudar os deuses na tarefa eterna de manter o equilíbrio adequado entre ordem e caos — livrando, assim, os próprios deuses da tarefa e transferindo o fardo para os ombros humanos.[XII]

A história subjacente é a seguinte: quando a ordem (Apsu) é ameaçada ou negligentemente destruída, as terríveis forças do caos, das quais o mundo se originou, reemergem em sua forma mais destrutiva, monstruosa e predatória. Então, um herói, que representa o mais elevado dos valores, precisa surgir ou ser escolhido para enfrentar essa força caótica. Ao alcançar o triunfo, ele adquire ou produz algo de grande valor. O herói representa a mais importante das poderosas forças que compõem a psique humana. Em outras palavras: o herói é a encarnação do princípio da ação e da percepção que deve governar todos os elementos psicológicos primordiais de luxúria, raiva, fome, sede, terror e alegria. Para que o caos seja efetivamente rechaçado (ou, melhor ainda, domesticado e, portanto, controlado), esse princípio heroico deve ser considerado o mais importante dentre aqueles que podem organizar e motivar a humanidade. Isso indica, para dizer o mínimo, que ele deve ser continuamente encenado, pois é esse o verdadeiro significado de "ser considerado importante". É assim que o espírito de Marduk ainda se apodera de todo indivíduo que se empenha com coragem nos processos de confronto e comparação que criam e renovam eternamente a sociedade. É isso que acontece quando cada criança aprende a regular e unificar suas emoções e motivações em uma personalidade coerente, e, em seguida, sai para desbravar o mundo desconhecido.

De uma forma ligeiramente diferente, esta é a história de São Jorge: os habitantes de uma cidade antiga devem obter água de um poço que fica ao lado do ninho de um dragão. Para fazer isso, porém, eles têm que oferecer algo em sacrifício ao dragão —

XII Ea faz o homem com o sangue de Kingu, o mais terrível dos monstros de Tiamat. Certa vez, um brilhante estudante de pós-graduação e, mais tarde, colega meu sugeriu que isso aconteceu porque, de todas as criaturas de Deus, apenas o homem poderia enganar; somente o homem poderia trazer voluntariamente o mal e a discórdia ao mundo.

REGRA 2

uma ovelha na maioria das vezes, mas, caso não haja mais ovelhas, uma donzela. Quando o suprimento de ovinos se esgota, as moças da cidade participam de um sorteio. Um dia, a filha do rei é sorteada. Mas São Jorge aparece, confronta o dragão com o sinal da cruz — símbolo do eterno Redentor, o herói arquetípico — e liberta a princesa de seu terrível destino. Os habitantes da cidade, então, se convertem ao cristianismo. A vitória sobre o dragão — o predador e, como tal, o governante de um território inexplorado — é o triunfo sobre todas as forças que ameaçam o indivíduo e a sociedade, ao longo de períodos evolutivos e históricos, bem como sobre o mal mais abstrato que todos nós ainda enfrentamos, interna e externamente. A cruz, por sua vez, é o fardo da vida. Um lugar de traição, tortura e morte. Portanto, é um símbolo fundamental de vulnerabilidade mortal. No drama cristão, é também onde a vulnerabilidade é transcendida, como consequência de sua aceitação. Essa aceitação voluntária também equivale à vitória sobre o dragão, que representa o caos, a morte e o desconhecido. Assim, ao aceitarmos o sofrimento da vida, o mal pode ser vencido. A alternativa é o inferno, pelo menos em sua forma psicológica: raiva, ressentimento e desejo de vingança e destruição.

A mesma história ecoa nos contos de São Patrício, que expulsa as cobras da Irlanda, e de São Miguel, que derrota o equivalente cristão de Kingu — "aquela antiga serpente, chamada de Diabo" (Apocalipse 12:9). É a mesma história contada por J. R. R. Tolkien em *O Hobbit*, que, por sua vez, foi derivado do antigo poema *Beowulf*, a história de um herói derrotando dois monstros perspicazes — o filho e, o mais terrível, a mãe.[7] Em *O Hobbit*, o herói desenvolve caráter e sabedoria (como ladrão, por mais estranho que seja) durante sua jornada para ajudar a encontrar o antigo tesouro acumulado pelo dragão. A história de Perseu e Medusa, cujo rosto era tão terrível que transformava em pedra quem ousava encará-lo, é outra variante, assim como Pinóquio, que resgata o pai das entranhas de um monstro subaquático e morre e renasce no processo. Algo semelhante é retratado no primeiro dos recentes filmes da saga Vingadores, em que o Homem de Ferro — o homem que se transformou em um super-herói de armadura parcialmente dourada — derrota os dragões serpentes dos Chitauris, seres alienígenas (aliados do diabólico Loki). Ele então morre, renasce e fica com a donzela (em sua versão nada frágil da Srta. Pepper Potts). É preciso entender que essas histórias não seriam nem mesmo compreensíveis (em especial para crianças, mas também para adultos) se a nossa história evolutiva tivesse divergido de maneira significativa, e se toda a nossa cultura não tivesse sido moldada, implícita e explicitamente, por esses padrões arcaicos.

Todos esses heróis representam o que talvez tenha sido a maior descoberta já feita pelos ancestrais primordiais da humanidade: se você tiver visão e coragem (e uma boa lança, quando necessário), poderá afugentar a pior das serpentes. Sem dúvida, quando ainda vivíamos em árvores, os mais destemidos dentre nossos ancestrais já enfrentavam serpentes munidos apenas com pedaços de pau. Certamente, foram esses caçadores de serpentes voluntários que colheram os benefícios de sua bravura na forma de donzelas agradecidas (ou seus equivalentes arborícolas ancestrais) — e talvez seja por esse mesmo motivo que os dragões colecionem virgens, além de ouro. Entretanto, o que constitui a serpente mais terrível e a lança mais poderosa são as questões religiosas centrais da humanidade. É interessante notar que, em *O Hobbit*, a pior serpente é "apenas" um dragão, mas, em *O Senhor dos Anéis*, ela é, por assim dizer, o mal muito mais abstrato, representado pelo mago Sauron. À medida que a humanidade se tornou mais sofisticada em sua capacidade de abstração, passamos a perceber cada vez mais o fato de os monstros predadores se apresentarem sob muitos disfarces, sendo que apenas alguns assumem a forma de um animal. De maneira muito mais sofisticada, a literatura ecoa essa percepção pela eternidade.

HERÓI, DRAGÃO, MORTE E RENASCIMENTO: QUEM VOCÊ PODERIA SER (III)

No segundo volume da saga de fantasia de J. K. Rowling, *Harry Potter e a Câmara Secreta*, o castelo de Hogwarts é ameaçado por forças estranhas e caóticas, em decorrência do mau comportamento prévio e atual de vários poderosos feiticeiros adultos (conforme estabelecido no primeiro volume). Agora, o fato de Harry ser órfão ganha significado: faz parte do padrão heroico. Seus pais terrenos, os obtusos e tradicionais Dursleys, são pessoas tacanhas, deliberadamente cegas e superprotetoras com o filho natural (o que as torna um trágico perigo). Assim, não é surpresa que o desajustado Duda seja tão egocêntrico e agressivo. Mas Harry também tem pais celestiais, os pais biológicos — simbolicamente, a Natureza e a Cultura (variantes do caos e da ordem). Eles existem como parte de seu potencial intrinsecamente mágico — na verdade, do potencial mágico de todos nós, pois somos filhos da Natureza e da Cultura, com o incrível potencial que isso implica, bem como a progênie mais mundana de nossos pais individuais.[8]

Quando retorna a Hogwarts após as férias de verão, Harry percebe ruídos estranhos e sinistros que se originam em algum lugar do castelo. Ao mesmo tempo, vários alunos e residentes de Hogwarts são encontrados paralisados — transformados em pedra — em diversos corredores. Petrificados: o que isso poderia significar? Certamente significa ser incapaz de se mover — mas também quer dizer algo mais profundo: ser *caçado*; tornar-se um coelho diante de um lobo; tornar-se o objeto horrorizado e pasmo visto pelo predador. Ao enfrentar a morte iminente e brutal, muitos herbívoros, indefesos, congelam no lugar, paralisados pelo medo, confiando na camuflagem e na imobilidade para torná-los invisíveis às terríveis intenções dos carnívoros que os cercam com seus dentes afiados e garras de navalha. As formas reptilianas predatórias ainda produzem esse efeito, especialmente nos seres humanos (daí nossa mescla de temor e fascínio, por exemplo, pelos dinossauros). Mas ser tão corajoso quanto um coelho definitivamente não é tudo o que você poderia ser.

Harry, enfim, descobre que a força que transformou seus amigos em pedra é uma gigantesca serpente, um basilisco, cujo olhar exerce um poder paralisante. Então, ele descobre que a serpente se esgueira nos subterrâneos de Hogwarts, no imenso reservatório de água que abastece o grande castelo. Esse basilisco é um análogo do enorme dragão enfrentado por Beowulf, herói da história milenar que serviu de base para as aventuras de Tolkien, talvez os primos mais próximos da exuberante fantasia de J. K. Rowling no século XX. É também o grande animal sanguinário do filme *Tubarão*, à espreita na escuridão do mar, pronto para arrastar os indefesos e incautos para as profundezas; é a fragilidade de nossas casas e instituições, que podem desabar e nos despojar de suas paredes protetoras em um único e terrível instante; e é, de forma mais abrangente, o submundo dos povos antigos, cujas portas se abrem quando tudo o que é previsível desmorona. No mais profundo dos níveis, é o caos e o potencial que continuamente se escondem sob a ordem de nossos mundos familiares, psicológicos e sociais.

Depois de muito procurar, Harry consegue entrar no labirinto subterrâneo de canos e túneis e encontra a câmara central. O acesso é por meio do esgoto, o que guarda um significado — representa o antigo ditado alquímico *in sterquilinis invenitur*: na sujeira será encontrado.[XIII] O que isso quer dizer? Aquilo que

---

XIII Há décadas, é sabido, explicitamente (e desde sempre, implicitamente), que o confronto autoiniciado com o que é assustador ou desconhecido costuma ser curativo. O tratamento-padrão para fobias e ansiedade é, portanto, a exposição ao que é temido. Esse tratamento é eficaz, mas a exposição deve ser voluntária. É como se os sistemas de ansiedade do cérebro presumissem que nem sempre o que se enfrenta deve ser um predador (ou, se for um predador, é do tipo que pode ser facilmente ignorado e derrotado). Agora sabemos que até a resposta emocional

REGRA 2

você mais precisa encontrar será encontrado onde menos deseja procurar.[XIV] Lá no subsolo, Gina, a irmã de seu melhor amigo e futuro interesse romântico sério de Harry, está inconsciente. Ela é a donzela — ou a *anima*, a alma — encarcerada para sempre pelo dragão, assim como na fábula de São Jorge. Cabe a Harry, o herói órfão, acordá-la e resgatá-la (tal como o Bilbo, de Tolkien, ajuda a recuperar o ouro do terrível Smaug; assim como o príncipe Felipe, da Disney, resgata a Bela Adormecida — ambos recuperam o que há de mais valioso das garras de um terrível dragão).[XV]

---

e corporal ao estresse difere completamente quando esse estresse é enfrentado voluntariamente, e não por acaso. No segundo caso, o indivíduo ameaçado fica tenso e se prepara defensivamente (veja M. D. Seery, "Challenge or Threat? Cardiovascular Indexes of Resilience and Vulnerability to Potential Stress in Humans", *Neuroscience & Biobehavioral Reviews 35* [2011]: 1603–4). Essa pode se tornar a postura cronicamente nociva de alguém transformado em pedra. No primeiro caso, o indivíduo assume o papel de provável vencedor e enfrenta a ameaça de forma franca. Essas ações são, de fato, o que sempre salvou a humanidade dos terrores da noite (e do mal que está à espreita no coração humano). Nossa observação contínua desse fato, ao longo de milênios, é o que nos permitiu representá-lo, abstratamente, em nossas grandes histórias religiosas, e então imitá-lo, dentro dos limites de nossa vida particular e única.

XIV Isso ocorre, pelo menos em parte, porque é muito improvável que você já tenha procurado onde menos deseja, embora fosse útil fazê-lo.

XV Preciso esclarecer algo em mais detalhes. Na Introdução e na Regra 1 de *12 Regras para a Vida*, assim como em *Mapas do Significado*, defendi que o caos tende a encontrar sua representação simbólica no feminino — mas aqui estou falando sobre caos em forma de serpente. Posso explicar isso elaborando minha explicação sobre a imagem alquímica que discutimos anteriormente —, porém, desta vez, lendo-a de cima para baixo. Quanto mais profunda a ameaça — quanto mais profundo o caos —, maior a probabilidade de ela se apresentar como o mais antigo inimigo da humanidade, a serpente. Talvez possamos pensar da seguinte forma: os desconhecidos desconhecidos — aqueles elementos do ser que são incrivelmente estranhos e perigosos, e cuja manifestação pode matar ou destruir psicologicamente — são os mais prováveis de serem representados na forma de serpente. Desse domínio, que, em certo sentido relevante, é ainda mais fundamental do que o próprio sexo, emergem o feminino e o masculino primordiais, embora pareça que o feminino, não obstante, retenha uma conexão mais primária com o próprio incognoscível fundamental. Acho que isso tem a ver principalmente com o mistério absoluto do nascimento: com a relação entre a emergência de novas formas a partir do feminino e a emergência de novas formas a partir do absolutamente desconhecido. Talvez seja algo desse tipo que explica a primazia do relacionamento entre Eva e a serpente no Jardim do Éden, em vez de entre Adão e a serpente. Talvez (e estou especulando aqui, tentando ir além da minha ignorância, tentando explicar a relação simbólica clara e onipresente) seja o caso

80

ALÉM DA ORDEM

E, é claro, o desconhecido é um terrível predador — o basilisco enfrentado por Harry — e, obviamente, esse predador guarda um grande tesouro, quantidades inimagináveis de ouro ou a virgem adormecida, porque o indivíduo corajoso o suficiente para enfrentar voluntariamente a serpente em seu covil tem mais probabilidade de acessar as incalculáveis riquezas que habitam o potencial, que nos aguardam na aventura da nossa vida, longe da segurança e do que é atualmente conhecido. *Quem ousa vence*[XVI] — se não perecer. E quem vence também se torna desejável e atraente de forma irresistível, até mesmo em decorrência do desenvolvimento de caráter que a aventura inevitavelmente acarreta. E é isso que nos faz ser sempre mais do que coelhos.

E Harry, tal como Bilbo, só é capaz disso — de perceber a serpente, que é invisível para todos os outros — porque ele tem um lado sombrio. O Bilbo, de Tolkien, precisa se tornar um ladrão antes de virar um herói. Ele precisa se imbuir de sua monstruosidade para poder vencer sua inofensividade ingênua, antes de ser forte o suficiente para enfrentar os terrores que o confrontam. Harry é tocado pelo mal de outra maneira, já que parte da inigualável obscuridade da alma do bruxo Voldemort está incorporada nele (embora nenhum dos dois saiba disso no início). É por essa razão que o jovem bruxo consegue falar e ouvir (ou seja, entender) as serpentes. É por isso que ele é disciplinado e

---

de que as fêmeas atraiam as serpentes (assim como outros predadores perigosos), em especial quando estão cuidando de seus filhotes, e que a alta periculosidade que elas enfrentam, portanto, grave o perigo do feminino relacionado à serpente para sempre em nossa imaginação. Isso implicaria que a decisão de se relacionar com uma mulher — assim como o fato de ser mulher — traz consigo maior exposição ao terrível desconhecido (algo que parece claramente verdadeiro no caso de todas as ameaças enfrentadas pelas crianças). Agora, a fêmea também é uma força de rejeição (particularmente entre os humanos, um ambiente no qual as fêmeas são matrizes muito exigentes [veja, por exemplo, Y. Bokek-Cohen, Y. Peres e S. Kanazawa, "Rational Choice and Evolutionary Psychology as Explanations for Mate Selectivity", *Journal of Social, Evolutionary, and Cultural Psychology 2* (2008): 42–55]). Essa detenção do poder da rejeição final constitui a Natureza em toda sua crueldade (e, deve-se dizer, sabedoria). Talvez isso também seja um fator não trivial para a relação mulher-serpente.

XVI O lema do Serviço Aéreo Especial Britânico.

corajoso, mas também disposto e pronto para quebrar as regras quando necessário.

Nas entranhas de Hogwarts, Harry é atacado pelo basilisco, que está sob o controle de Voldemort. A relação entre Voldemort e o basilisco é, de maneira estranha e incompreensível, igual à que se dá entre Satanás e a serpente do Gênesis, que oferece o despertar no Jardim do Éden. Por que é assim? Podemos considerar — com acerto — que o caos e o perigo na forma de serpente constituem a ameaça do próprio predador reptiliano. Mas de outra forma, mais abstrata — mais psicológica, mais espiritual —, é o mal humano: o perigo que representamos um para o outro. Em algum ponto de nossa história evolutiva e cultural, começamos a entender que o mal humano pode ser considerado, com razão, a maior de todas as serpentes. Assim, a progressão simbólica pode ser (1) serpente como predador maligno; (2) a serpente/o mal/o predador como um inimigo humano externo; (3) a serpente/o mal/o predador como a vingança/o ardil/a escuridão subjetiva, pessoal ou psicológica. Cada uma dessas representações, que levaram incontáveis séculos, talvez milênios, para serem conceituadas, constitui um aumento tangível na sofisticação da imagem do mal.[9]

Aparentemente, todas essas manifestações do caos e do perigo em forma de serpente ainda são detectadas, processadas e simbolicamente interassociadas primeiro pelos sistemas cerebrais ancestrais que evoluíram para nos proteger de répteis predadores.[10] E a paralisia — estimulada por esses sistemas — talvez resolva o problema imediato, ocultando a presa acuada, mas deixa o predador vivo para atacar amanhã. O ideal é que o perigo seja caçado e destruído — e mesmo isso é específico demais para constituir uma solução permanente para o problema do mal em si (em vez de uma solução para um determinado exemplar do mal). De modo mais profundo e abstrato (em analogia com a ideia de que o maior predador, a maior serpente, é o mal que se esconde internamente), a destruição do mal se manifesta como a vida virtuosa que reprime a maleficência em sua forma mais abstrata e abrangente. É por esse motivo, por exemplo, que o príncipe Felipe, de *A Bela Adormecida* da Disney, recebe a Espada da Verdade e o Escudo da Virtude da benevolente Natureza (personificada pelas fadas que o acompanham e ajudam a escapar de Malévola, a Rainha Má) antes de seu confronto com o grande Dragão do Caos.

Harry enfrenta o basilisco na Câmara Secreta, entranhada nos subterrâneos do castelo bruxo, mas é dominado e corre grande perigo. Naquele momento propício, a fênix do diretor de Hogwarts surge, atacando e cegando a serpente gigante. O grande pássaro também lança um chapéu mágico do qual surge uma poderosa espada. Harry pega a arma e mata o basilisco, mas é fatalmente mordido no processo. Este é outro forte eco mitológico: na história do Gênesis, por exemplo, o encontro com a serpente se mostra fatal tanto para o homem quanto para a mulher, que se dão conta de sua fragilidade e morte inevitável logo após acordar e ter consciência de sua condição humana. Também é uma verdade cruel: predadores devoram, dragões devastam, caos destrói. A ameaça é real. Nem mesmo a verdade, a virtude e a coragem são necessariamente suficientes, mas são nossa melhor aposta. E, às vezes, morrer um pouco é o remédio necessário para evitar a morte propriamente dita. Felizmente, a fênix derrama suas lágrimas mágicas e revivificantes sobre as feridas de Harry. Assim, o jovem bruxo revive, derrota Voldemort (uma tarefa muito mais desafiadora do que simplesmente vencer a voraz serpente), resgata Gina e salva a escola.

Com a introdução da fênix na história de São Jorge, Rowling revela outro elemento de seu gênio intuitivo. A fênix é uma ave capaz de morrer e renascer para sempre. Tem sido, portanto, ao longo dos tempos, um símbolo de Cristo, com quem o pássaro mágico compartilha muitas características. Da mesma forma, é também o elemento da personalidade humana individual que deve morrer e se regenerar, à medida que aprende, dolorosamente, por meio da quase sempre trágica experiência que destrói a certeza anterior, substituindo-a primeiro pela dúvida e depois — quando confrontada de maneira adequada — por um conhecimento novo e mais completo. Uma transformação voluntária de morte e renascimento — a mudança necessária para se adaptar quando surge algo terrível — é, portanto, uma solução para a rigidez potencialmente fatal da certeza errônea, do excesso de ordem e da estultificação.

COMO AGIR

De várias maneiras, as pessoas trocam informações sobre como agir. Elas observam umas às outras e imitam o que veem. Quando imitam, usam seus corpos para representar os corpos de outras pessoas. Mas essa imitação não é um mimetismo automático e irracional. É a capacidade de identificar regularidades ou padrões no comportamento alheio e, em seguida, imitá-los. Quando uma menina brinca de ser mãe, por exemplo, ela não replica, gesto por gesto, o que observou anteriormente nas ações de sua mãe. Em vez disso, ela age "como se" fosse mãe. Se você perguntar à criança o que está fazendo, ela dirá que está fingindo ser mãe, mas, se você pedir para que descreva o que isso significa, especialmente se for muito jovem, sua descrição será bem menos completa do que suas ações indicariam. Isso quer dizer que sua capacidade de representar supera a de se expressar — assim como a de todos nós. Se você observar várias meninas "brincando de mãe", poderá ter uma ideia muito boa do que significa ser "mãe", em sua forma mais pura, mesmo que nunca tenha visto uma mãe de verdade. Se for hábil com as palavras, talvez consiga descrever os elementos essenciais do comportamento materno e transmiti-los. E terá mais sucesso se o fizer em forma de uma história.

É mais fácil e direto representar um padrão de comportamento com ações do que com palavras. O mimetismo absoluto faz isso de modo direto, ação por ação. A imitação, que pode produzir novos comportamentos semelhantes aos que motivaram o mimetismo, vai um passo além. O drama — a imitação formalizada, encenada em um palco — é, em sentido estrito, um comportamento que retrata um comportamento, porém refinado à sua essência. A literatura acrescenta um passo mais complexo nessa transmissão, encenando a ação na imaginação do escritor e do leitor, na completa ausência de atores reais e de um palco material. Somente contadores de histórias extraordinários conseguem realizar essa transformação, representar os atos mais vitais e necessários por meio das palavras mais interessantes, profundas e memoráveis. Gerações de magníficos contadores de histórias, ao recontar, modificar e editar grandes histórias, acabam criando, em conjunto, a mais fascinante das histórias. Depois que as culturas se alfabetizaram (algo que só aconteceu recentemente, da perspectiva histórica), essas histórias puderam ser escritas. É aproximadamente nesse ponto que se pode dizer que o mito e o ritual se transformaram em religião.

A imitação e a comunicação dos atos mais importantes e memoráveis requerem a extração e a comunicação dos padrões da sabedoria mais profunda da humanidade. Se uma ação extraordinária e memorável é aquela realizada por um indivíduo especialmente admirável, um herói local, então as ações mais extraordinárias e memoráveis possíveis são as realizadas pelo espírito (corporificado, em parte, por indivíduos específicos) que exemplifica o que todos os heróis locais, de todos os lugares, têm em comum. Pela lógica, esse herói dos heróis — o meta-herói — teria que existir, por sua vez, *no lugar comum a todos os lugares que requerem heroísmo*. Esse lugar pode ser considerado um metamundo — mesmo que seja real, até hiper-real (isto é, mais real em sua abstração entre lugares do que nossas percepções diretas de um determinado tempo ou lugar singular). É precisamente esse metamundo hiper-real que consiste nas interações contínuas entre o caos e a ordem, que se presta eternamente como campo de batalha entre o bem e o mal, característicos do herói. Por sua vez, o padrão imortal encarnado pelos heróis — de cujas ações o indivíduo e a sociedade dependem — é o mais elevado de todos os Deuses. Ele é filho e mediador entre essas forças equivalentes, transformando o caos em ordem habitável (bem como remodelando a ordem em caos, para que possa ser renovada, quando se tornar anacrônica e corrupta) e lutando com unhas e dentes para que o bem possa prevalecer.

Todo mundo precisa de uma história para estruturar suas percepções e ações no que, de outra forma, seria o caos opressor do ser. Cada história requer um ponto de partida que não seja bom o suficiente e um ponto de chegada que seja melhor. Nada pode ser mensurado na ausência desse ponto de chegada, desse valor mais elevado. Sem ele, tudo afunda em falta de sentido e tédio ou degenera e mergulha em terror, ansiedade e dor. Mas, tendo em vista que o tempo transforma tudo de modo inexorável, toda história específica e baseada em valores pode falhar, em sua personificação e palco específicos, e precisará ser substituída por algo mais novo, mais completo, porém diferente. Em consequência, o ator de uma dada história (e, portanto, alguém profundamente infundido à trama e à caracterização) ainda deve se curvar ao espírito de transformação criativa que originalmente criou essa história e, talvez, destruí-la e recriá--la. É por essa razão que o espírito transcende eternamente o dogma; a verdade transcende a pressuposição; Marduk transcende os deuses mais antigos; a criatividade atualiza a sociedade; e Cristo transcende a lei (assim como Harry Potter, ao lado de seus amigos corajosos, mas que constantemente violam as regras). No entanto, é importante lembrar, como discutimos na Regra 1: as pessoas que quebram as regras eticamente são aquelas que, primeiro, as dominaram e, depois, se disciplinaram para entender sua necessidade, violando-as com respeito ao espírito, e não à letra da lei.

O segundo volume da saga de J. K. Rowling propõe que o mal predatório pode ser vencido pela alma que deseja morrer e renascer. A saga termina com a repetição da mesma mensagem modificada de forma criativa. A analogia com o cristianismo é óbvia, e a mensagem, em essência, a mesma: a alma disposta a se transformar tão profundamente quanto necessário é o inimigo mais eficaz das serpentes demoníacas da ideologia e do totalitarismo, em suas formas pessoais e sociais. A personalidade saudável, dinâmica e, sobretudo, verdadeira admite o erro. Ela voluntariamente despreza — deixa morrer — percepções, pensamentos e hábitos obsoletos, por considerá-los obstáculos para seu sucesso e crescimento futuros. É a alma que deixa suas velhas crenças se destruírem, muitas vezes de maneira dolorosa, para que ela possa reviver e seguir em frente renovada. É também a alma que transmite o que aprendeu durante o processo de morte e renascimento, para que outras pessoas possam renascer junto com ela.

Mire em algo. Escolha o melhor alvo que puder imaginar hoje. Caminhe, ainda que hesitante, em direção a ele. Observe seus erros e equívocos ao longo do caminho, enfrente-os e corrija-os. Conserte sua história. Passado, presente, futuro — tudo é importante. Você precisa mapear seu caminho. Precisa saber onde estava, para não repetir os erros do passado. Precisa saber onde está, ou não será capaz de traçar uma linha do ponto de partida ao destino. Precisa saber para onde está indo, ou se afogará na incerteza, na imprevisibilidade e no caos, e definhará por falta de esperança e inspiração. Para o bem ou para o mal, você está em uma jornada. Está em uma aventura — e é melhor que seu mapa seja preciso. Enfrente voluntariamente o que surgir em seu caminho. O caminho — quero dizer a estrada da vida, a que fornece significado — é o caminho reto que representa a própria fronteira entre a ordem e o caos, cuja travessia é o que os mantém em equilíbrio.

Mire em algo profundo, nobre e elevado. E, se encontrar um caminho melhor ao longo da jornada, mude o curso. Porém, tenha cuidado; não é fácil distinguir a mudança de trajeto da mera desistência. (Uma dica: se o novo caminho que se abrir, depois que você aprendeu o que precisava ao longo do atual, parecer mais desafiador, então pode estar razoavelmente certo de que não está se iludindo ou se traindo ao mudar de ideia.) Você estará ziguezagueando para frente. Não é a maneira mais eficiente de viajar, mas não há alternativa real, visto que seus objetivos inevitavelmente mudam durante o trajeto, à medida que você aprende o que precisa enquanto se disciplina.

Ao longo do tempo, você acabará mudando de direção, de forma gradativa e graciosa, para mirar com cada vez mais precisão naquele minúsculo ponto, o X no mapa, o meio do alvo, o centro da cruz; para visar o valor mais elevado que puder conceber. Perseguirá um alvo que se move e se afasta; se move, pois você não tem a sabedoria para mirar na direção correta quando o faz pela primeira vez; e se afasta, pois não importa o quão perto você chegue de aperfeiçoar o que está praticando atualmente, novas perspectivas da perfeição possível se abrirão diante de você. Disciplina e transformação o levarão inexoravelmente para a frente. Com vontade e sorte, você encontrará uma história significativa e produtiva, que se aprimora com o tempo e talvez até lhe proporcione mais do que alguns momentos de satisfação e alegria. Com vontade e sorte, você será o herói dessa história, o peregrino disciplinado, o transformador criativo e o benfeitor de sua família e da sociedade em geral.

Imagine quem você poderia ser e mire esse alvo com determinação.

REGRA 3

NÃO ESCONDA NA NÉVOA O QUE É INDESEJÁVEL

AQUELES MALDITOS PRATOS

Eu amo meu sogro. E também o respeito. Ele é dotado de extrema estabilidade emocional — uma daquelas pessoas duronas ou sortudas (talvez um pouco dos dois) que enfrentam as provações e tribulações da vida e simplesmente seguem em frente com pouca reclamação e muita competência. Hoje, Dell Roberts tem 88 anos, já substituiu um dos joelhos e está planejando a cirurgia do outro. Teve que colocar stents em suas artérias coronárias e trocou uma válvula cardíaca. Sofre de pé pendente e às vezes escorrega e cai por causa disso. Mas ainda praticava curling até um ano atrás, empurrando a pesada pedra de granito pelo gelo com um bastão projetado especificamente para pessoas que não conseguem mais se agachar com a mesma facilidade de antes.

Quando sua esposa, Beth, já falecida, desenvolveu demência ainda relativamente jovem, ele cuidou dela da maneira mais devotada e serena que se poderia imaginar. Era impressionante. Tenho impressão de que eu não teria conseguido lidar tão bem com a situação. Dell cuidou dela até o ponto em que se tornou impossível para ele levantá-la de qualquer cadeira em que fosse acomodada. Isso foi muito depois de ela ter perdido a capacidade de falar. Mas, pela forma como seus olhos se iluminavam quando ele entrava no recinto, era óbvio que ela ainda o amava — e o sentimento era mútuo. Eu não o descreveria como alguém propenso a fugir quando as coisas ficam difíceis. Pelo contrário.

Quando era muito mais jovem, durante várias décadas, Dell foi corretor de imóveis em Fairview, Alberta — a pequena cidade onde eu cresci (nós morávamos do outro lado da rua da família Roberts, na verdade). Nessa época, ele tinha o hábito de almoçar em casa, seguindo o costume geral. Beth costumava preparar sopa para ele (provavelmente Campbell's em lata, muito popular na época) e um sanduíche. Um dia, de maneira inesperada, ele surtou: "Por que diabos nós sempre comemos nesses pratinhos? Detesto comer nesses pratos minúsculos!"

Ela servia os sanduíches em pratos de sobremesa, que têm em média cerca de 15 a 18 centímetros de diâmetro, em vez de pratos grandes de 25 a 30 centímetros. Logo depois, Beth contou essa história às filhas, em leve estado de choque. E, desde então, com muitas risadas, a história foi recontada várias vezes em reuniões de família. Afinal, ela servia o almoço nesses pratos havia pelo menos vinte anos quando ele finalmente disse alguma coisa. Beth não tinha ideia de que o marido ficava irritado com seu modo de arrumar a mesa. Ele nunca disse nada. E isso faz com que o episódio nunca perca a graça.

É possível que Dell tenha se irritado com outra coisa naquele dia e de fato não se importasse com os pratos. À primeira vista parece uma questão banal. Porém, considerada de outra forma, não é nada trivial, por duas razões. Primeira, se algo acontece diariamente, *é importante*, e o almoço acontecia todos os dias. Em consequência, se algum aspecto desse evento fosse cronicamente incômodo, mesmo em menor escala, era preciso lidar com ele. Segunda razão, é muito comum permitir que as chamadas irritações menores (que, como eu disse, não podem ser consideradas insignificantes se acontecem o tempo todo) continuem por anos sem comentários ou resolução.

Eis o problema: junte cem, ou mil, dessas pequenas irritações e sua vida será miserável e seu casamento, arruinado. Não finja que está feliz com uma situação se não estiver e se, em princípio, uma solução razoável pode ser negociada. Enfrente logo a maldita batalha. Por mais desagradável que seja no momento, é uma gota de água a menos no copo. E isso é especialmente verdadeiro para os acontecimentos diários que todos tendem a considerar triviais — até mesmo os pratos em que você almoça. A vida é o que se repete, e vale a pena corrigir tudo que se repete.

NÃO VALE A PENA BRIGAR

Esta é uma história do mesmo tipo, porém mais séria. Eu tive uma cliente que me contou seus planos de montar um escritório particular após muitos anos como contadora em uma grande empresa. Ela era muito respeitada em sua profissão e uma pessoa competente, gentil e cuidadosa. Mas também estava muito infeliz. Inicialmente, presumi que sua infelicidade resultava da ansiedade em relação à transição de carreira. No entanto, ela administrou essa mudança sem problemas durante o tempo em que fizemos nossas sessões, enquanto outras questões ganharam importância.

Seu problema não era a mudança de carreira. Era seu casamento. Ela descreveu o marido como egocêntrico ao extremo e, ao mesmo tempo, excessivamente preocupado com a maneira com que os outros o viam. Era uma combinação contraditória, de certa forma, embora seja bastante comum ver esses traços opostos em uma personalidade: se você se inclina demais em uma direção, algo em você se inclina igualmente em outra. Portanto, apesar do narcisismo do marido (pelo menos do ponto de vista de sua esposa), ele era escravo das opiniões de todos que conhecia — exceto dos membros de sua própria família. Ele também bebia demais — um hábito que exacerbava seus defeitos de temperamento.

Minha cliente não se sentia confortável no próprio lar. Não achava que havia algo realmente dela no apartamento que dividia com o marido (o casal não tinha filhos). Sua situação era um bom exemplo de como o exterior pode refletir profundamente o interior (é por isso que sugiro às pessoas que estão com problemas psicológicos que comecem sua recuperação limpando — e depois embelezando, se possível — seus quartos). Toda a mobília da casa, que ela descreveu como ostentosa, ornamentada e desconfortável, fora escolhida pelo marido. Além disso, ele era um ávido colecionador de arte pop dos anos 1960 e 1970, e as paredes da casa estavam repletas desses itens, que ele passara um bom tempo garimpando em galerias e em outros lugares ao longo de vários anos, muitas vezes enquanto ela esperava no carro.

Minha cliente me disse que não se importava com a mobília e o excesso de objetos decorativos, mas isso não era verdade. Na realidade, ela os detestava. Nem a ostentação, nem os móveis, nem a abundância de obras de arte que compunham a coleção do marido eram de seu agrado. Ela apreciava uma estética minimalista (ou talvez essa tendência fosse consequência dos excessos decorativos dele). Nunca ficou muito claro o que ela prefeririria, e talvez isso fosse parte do problema: por não saber do que gostava (e ser igualmente vaga sobre suas aversões), ela não estava na melhor posição para apresentar suas próprias opiniões. É difícil ganhar uma discussão, ou mesmo começar uma, se você não articulou cuidadosamente o que quer (ou não) e precisa (ou não).

No entanto, ela certamente não gostava de se sentir uma estranha em sua própria casa. Por essa razão, nunca recebia amigos, o que também não é um problema trivial, e isso contribuía para sua sensação de isolamento. Mas os móveis e quadros continuaram a aumentar, resultado de reiteradas viagens de compras pelo Canadá e pelo exterior; e a cada aquisição havia menos dela na casa e no casamento, e mais do marido. No entanto, minha cliente nunca enfrentou a batalha. Nunca teve um acesso de raiva. Nunca deu um soco em uma tela especialmente desagradável pendurada na parede da sala. Em todas as décadas de sua vida de casada, ela nunca teve uma explosão de raiva genuína; nunca confrontou de maneira direta e definitiva o fato de que odiava sua casa e sua subordinação ao gosto do marido. Em vez disso, ela o deixou fazer o que queria, reiteradamente, item por item, pois afirmava que não valia a pena brigar por essas trivialidades. E, com cada derrota, o conflito se tornava mais necessário — embora menos provável, pois minha cliente sabia que uma discussão séria, uma vez iniciada, corria o risco de abarcar tudo que havia de problemático em seu casamento, e, portanto, ela acabaria se envolvendo em uma guerra real e sem limites. Então, tudo que havia de errado poderia vir à tona e teria de ser enfrentado e resolvido, de um modo ou de outro. Por isso ela permanecia em silêncio. Mas estava cronicamente reprimida e ressentida, e achava que havia desperdiçado a maioria das oportunidades de sua vida.

É um erro considerar os móveis e as obras de arte pop simples objetos materiais. Eles eram, na realidade, importantes recipientes de informação, por assim dizer, sobre o estado do casamento, e certamente foram experienciados como tal por minha cliente. Cada objeto de arte era a realização concreta de uma vitória (embora pírrica) e uma derrota (ou, pelo menos, uma negociação que não ocorreu e, portanto, uma batalha que acabou antes de começar). E havia dezenas ou talvez centenas deles: cada um era uma arma em uma guerra não verbalizada, destrutiva e que durava décadas. Dadas as circunstâncias, a separação do casal — após trinta anos de casamento — não foi uma surpresa. Acredito que o marido tenha ficado com todos os móveis e objetos de arte.

Eis um pensamento, apavorante e desanimador, para motivá-lo a aprimorar seu casamento — para assustá-lo e obrigá-lo a enfrentar as terríveis dificuldades da verdadeira negociação. Cada pequeno problema que você tem todas as manhãs, tardes ou noites com seu cônjuge se repetirá a cada um dos 15 mil dias que constituirão um casamento de quarenta anos. Cada desacordo trivial, mas crônico, sobre a comida, os pratos, a limpeza da casa, a responsabilidade pelas finanças ou a frequência de contato íntimo será repetido, indefinidamente, a menos que você o resolva em definitivo. Talvez você pense (naquele momento, pelo menos) que é melhor evitar o confronto e se deixar levar em uma paz aparente, mas falsa. Não se engane: seja nadando contra a corrente, seja flutuando à deriva, você envelhece com a mesma rapidez. Porém, não há direção quando se está à deriva, e a probabilidade de alcançar o que se precisa e deseja é muito baixa nessa situação. As coisas desmoronam por si mesmas, mas os pecados dos homens aceleram essa deterioração: isso é sabedoria de séculos. Pode ser que o medo consciente de reviver para sempre uma pequena amostra do inferno seja exatamente o que você precisa para ser obrigado a enfrentar os problemas em seu casamento e negociar sua solução com boa-fé e uma dose de urgência. No entanto, o mais fácil, principalmente no curto prazo, é ignorar o sentimento de culpa e negligenciar as pequenas derrotas, dia após dia. Essa não é uma boa estratégia. Somente a mira cuidadosa, o esforço e o comprometimento vigilantes podem eliminar a calamidade frequentemente crescente da cegueira intencional, conter a maré entrópica e evitar a catástrofe — tanto familiar quanto social.

CORRUPÇÃO: COMISSÃO E OMISSÃO

A corrupção da forma que estamos discutindo está, em minha opinião, interligada à ilusão — à mentira, de forma mais direta — e, mais importante, ao autoengano. Os adeptos da lógica estrita consideram o autoengano uma impossibilidade. Eles não conseguem entender como é possível que uma pessoa acredite, simultaneamente, em condições opostas. Porém, os lógicos não são psicólogos — e obviamente não percebem, ou desconsideram, o fato de que eles próprios têm familiares, por exemplo, pelos quais, pelo menos ocasionalmente, sentem amor e ódio ao mesmo tempo. Além disso, não é óbvio o que "acreditar" significa quando se discute a crença humana, nem o que se entende por "simultaneamente". Posso acreditar em uma coisa hoje e em outra amanhã, e muitas vezes não tenho problemas com isso, pelo menos no curto prazo. E, em muitas ocasiões, experimentei o que era uma crença quase simultânea em algo e em seu oposto, enquanto lia trabalhos de graduação na universidade, nos quais o autor fazia uma afirmação em um parágrafo e outra completamente contraditória no seguinte. (Às vezes, isso acontecia no espaço de uma única frase.)

Existem muitas condições ou circunstâncias em que o autoengano pode ocorrer em teoria. Os psicanalistas exploraram muitas delas, e Freud foi o pioneiro. Ele acreditava que grande parte da doença mental decorria da repressão, que é considerada uma forma de autoengano. Para ele, as memórias de eventos traumáticos perturbadores são banidas de maneira involuntária para as profundezas do inconsciente, onde assombram e causam problemas, como poltergeists em uma masmorra. Freud entendia que a personalidade humana não é unitária. Em vez disso, ela consiste em uma cacofonia imprecisa e fragmentada de espíritos, que nem sempre concordam ou sequer se comunicam. A verdade dessa alegação é óbvia, pelo menos de um ponto de vista simples: podemos cogitar diferentes situações — simular ações ou eventos potenciais ou alternativos — sem ter de imediatamente colocá-los em prática. A dissociação de pensamento e ação é essencial para o pensamento abstrato. Assim, podemos claramente pensar ou dizer uma coisa e fazer outra. Isso é bom quando é apenas um pensamento, antes da ação, mas talvez não tão bom quando prometemos ou afirmamos acreditar em algo e então agimos de maneira que indica que realmente nossa crença é outra. Essa é uma forma de ilusão, uma disjunção no caráter, uma contradição entre modos de ser. Há até um nome para isso: alegar uma crença e, em seguida, agir (ou falar) de uma forma diferente ou mesmo oposta constitui uma *contradição performativa*, de acordo com alguns filósofos modernos[1] — ao meu ver, trata-se de uma mentira implícita. A sustentação de crenças contraditórias também se torna um problema quando o detentor tenta colocar ambas em prática ao mesmo tempo e descobre, muitas vezes para seu grande pesar, o paradoxo que torna isso impossível.

Freud catalogou uma extensa lista de fenômenos similares à repressão — a eliminação ativa, do nível da consciência, de um material psicológico que deveria ser consciente —, que chamou de "mecanismos de defesa". Eles incluem negação ("a verdade não é tão ruim"), formação reativa ("eu amo mesmo minha mãe, de verdade"), deslocamento ("o chefe grita comigo, eu grito com minha esposa, minha esposa grita com o bebê, o bebê morde o gato"), identificação ("eu sofro bullying, então estou motivado a ser um agressor"), racionalização (uma explicação egoísta para uma ação de baixa qualidade), intelectualização (a favorita do irreverente e neurótico Woody Allen quando jovem), sublimação ("sempre há a opção de *pintar* mulheres nuas") e projeção ("não sou sensível; você que é irritante"). Freud foi um notável filósofo da ilusão. Ele não teve medo de apontar a relação entre desonestidade e psicopatologia. No entanto, suas ideias de autoengano padecem, em minha opinião, de dois erros principais.

REGRA 3

Primeiro erro: Freud não percebia que os pecados por omissão contribuíam para a doença mental tanto quanto, ou mais, que os por comissão, listados anteriormente, responsáveis pela repressão. Essa falta de percepção se deu por conta do pensamento típico. As pessoas geralmente acreditam que praticar algo ruim de forma ativa (o pecado por comissão) é, em geral, pior do que não fazer algo bom de forma passiva (o pecado por omissão). Talvez seja porque sempre há coisas boas que não estamos fazendo; alguns pecados por omissão são, portanto, inevitáveis. De qualquer modo, ainda há momentos em que a cegueira intencional provoca catástrofes mais graves — que são justificadas com mais facilidade — do que a repressão ativa ou inconsciente de algo terrível, mas compreendido (sendo esta última um pecado por comissão, pois é um aspecto conhecido). O primeiro problema — a cegueira intencional — ocorre quando você *poderia* vir a saber alguma coisa, mas para de explorar, a fim de não descobrir algo que possa lhe causar um desconforto substancial. Os assessores de imprensa chamam essa ignorância autoimposta de "negação plausível", uma expressão que indica a racionalização intelectualizada da ordem mais patológica. Deve-se notar que essa cegueira é frequentemente considerada um crime consumado. Se você é um CEO, por exemplo, e suspeita que seu tesoureiro está praticando fraude contábil, mas não investiga por não querer saber, poderá ser responsabilizado por sua inação — como apropriado. Deixar de olhar embaixo da cama quando você tem fortes suspeitas de que há um monstro à espreita não é uma estratégia aconselhável.

Segundo erro: Freud presumiu que coisas experienciadas são coisas compreendidas. De acordo com essa suposição, ele acreditava que existia um traço de memória, em algum lugar da mente, que representava o passado com precisão, como uma gravação em vídeo. Essas seriam suposições razoáveis, se nossa experiência fosse apenas uma série de eventos objetivamente reais e óbvios, transmitidos por meio de nossos sentidos, processados e avaliados para depois agirmos de acordo. Se tudo isso fosse verdade, a experiência traumática seria representada com exatidão na memória, mesmo quando é afastada da consciência por mecanismos inconscientes (ou conscientes — mas Freud presumiu o primeiro) devido à sua natureza, que, embora seja compreendida, é considerada terrível demais. No entanto, nem a realidade nem o nosso processamento da realidade são tão objetivos ou articulados como Freud pressupôs.

Imagine, por exemplo, que você foi romanticamente desprezado — além do limite tolerável — durante vários meses por seu cônjuge. Então, você o vê inclinado sobre a cerca, falando de maneira amigável (e talvez não mais do que isso) com uma vizinha ou um vizinho atraente. O modo como processamos essa experiência anômala, nova, problemática ou mesmo traumática é raramente uma questão de percepção, seguida de compreensão e pensamento conscientes, depois emoção ou motivação derivada desse pensamento e, então, ação. Em vez disso, o que acontece é semelhante ao que discutimos longamente na Regra 1 e na Regra 2: processamos o mundo desconhecido de baixo para cima. Nós lidamos com recipientes de informação, por assim dizer, cuja importância total não é nada evidente. Portanto, ao testemunhar seu cônjuge conversando com o(a) vizinho(a), você não pensa, de uma forma filosófica totalmente articulada e desenvolvida: "Estou me sentindo solitário e privado de contato físico há meses por meu cônjuge. Embora eu não tenha expressado esse sentimento, isso me causa constante frustração e dor. Agora ele está fazendo tudo isso vir à tona, ao ser tão extrovertido com um estranho enquanto tenho recebido tão pouca atenção." O mais provável é que a raiva, a tristeza e a solidão tenham se acumulado dentro de você a cada rejeição, pouco a pouco, até você chegar ao limite — e, agora, transbordar.

Esse surgimento abrupto de emoção negativa não significa obrigatoriamente que você, mesmo agora, esteja totalmente consciente desse acúmulo. É possível que (como no caso do meu sogro ou da minha cliente) você experiencie um aumento gradativo da frustração, ao ponto de perceber que está mais irritado e infeliz, mas isso não significa necessariamente que percebeu a causa. E *qual é* a causa? A gama de possibilidades é muito ampla. Talvez você não esteja sendo ignorado. Pode estar enfrentando problemas no trabalho, o que reduziu sua confiança geral. Em consequência, tornou-se sensível a quaisquer sinais de rejeição, mesmo imaginários, no seu casamento. Portanto, o que deve ser determinado não é bem o motivo da desatenção do seu cônjuge, mas por que seu chefe, sua equipe ou sua carreira está desestabilizando você. Assim, a verdadeira causa do seu desconforto é algo bem distante dos sintomas (os sentimentos de rejeição) que fizeram com que se sentisse irritadiço, sensível e magoado. Nesses casos, a relação de causa e efeito não é nada óbvia. Talvez você realmente esteja sendo desprezado, e a suspeita tenha fundamento. Talvez isso signifique um caso iminente e o início de uma trajetória que levará ao divórcio. Ambos, caso sejam reais, são problemas sérios. Não é de admirar que esteja chateado. Porém, você pode permanecer relutante em aceitar que sua carreira ou seu casamento está com problemas. E isso não é surpresa. Mas também não ajuda.

Além de tudo isso, temos a complexidade geral da vida, que complica a busca pela clareza. Considere a pergunta "O que realmente aconteceu?", digamos, em um casamento fracassado que descambou para o divórcio e resultou em uma batalha pela custódia dos filhos. A resposta a essa pergunta é tão complexa que a resolução das divergências costuma exigir um processo judicial e o envolvimento de muitos profissionais. Mesmo assim, é improvável que um ou ambos os protagonistas acreditem que a verdade veio à tona. Isso ocorre em parte porque os eventos em geral, e em especial os interpessoais, não existem como fatos simples e objetivos, independentes uns dos outros. Seu significado — a informação que de fato representa — depende do contexto no qual está inserido, que não pode ser percebido ou considerado, em sua totalidade, quando o evento em questão ocorre. O significado do que um cônjuge diz ao outro em determinado momento depende de tudo o que ambos disseram um ao outro, de tudo que fizeram juntos e do conteúdo de suas mútuas imaginações — e isso não esgota a complexidade. Esse significado pode depender consideravelmente da maneira como, por exemplo, a mãe da esposa tratava o pai dela (ou a avó tratava o avô), bem como do relacionamento entre homens e mulheres na cultura mais ampla. É por isso que, com frequência, as discussões domésticas fogem do controle, especialmente quando um padrão de comunicação contínua e eficaz nunca foi estabelecido. Uma coisa leva a outra mais profunda, e esta, por sua vez, vai ainda mais fundo, até que uma discussão que começou sobre o melhor tamanho de pratos para o almoço se transforma em uma guerra generalizada sobre a possibilidade de acabar com o casamento. E certamente há o medo de cair em um abismo infinito (repito, sobretudo quando muito deixou de ser expressado) que motiva a tendência de guardar as coisas para si mesmo quando seria melhor, embora mais perigoso, que fossem ditas.

O QUE É A NÉVOA?

Imagine que você está com medo. E há razão para isso. Você tem medo de si mesmo. Tem medo de outras pessoas. Tem medo do mundo. Tem saudades da inocência do passado; do tempo em que ainda não sabia as coisas terríveis que abalaram a confiança que predominava em sua infância. O conhecimento que adquiriu de si mesmo, de outras pessoas e do mundo trouxe mais amargura do que esclarecimento. Você foi traído, ferido e decepcionado. Você desconfia até da esperança, pois suas esperanças

REGRA 3

foram reiteradamente destruídas (e essa é a própria definição de desesperança). A última coisa que deseja é saber mais. É melhor deixar *o que é* envolto em mistério. É melhor, também, evitar pensar muito sobre (ou até ignorar) *o que poderia ser.* Afinal de contas, quando a ignorância é uma bênção, é loucura ser sábio.

Imagine que você está com tanto medo que não se permitirá nem mesmo saber o que quer. Saber significa ter esperança, e suas esperanças foram frustradas. Você tem suas razões para continuar ignorante. Tem medo, talvez, de que não haja nada que valha a pena desejar; de que, se especificar exatamente o que deseja, também descobrirá (com muita clareza) o que é o fracasso; teme que o fracasso seja o resultado mais provável; e, por fim, tem medo de que, caso defina o que é o fracasso e depois falhe, saberá, sem sombra de dúvida, que foi você quem falhou e que a culpa foi sua.

Então, você não se permite saber o que deseja. Lida com o problema recusando-se a pensar melhor. Às vezes você está feliz, satisfeito e engajado; outras, infeliz, frustrado e niilista, mas não ousa investigar profundamente o porquê, caso contrário saberia, e veria, mais uma vez, sua esperança ser despedaçada e sua decepção, confirmada. Você também tem medo, mas por razões diferentes, de permitir que outras pessoas saibam o que deseja. Primeiro porque, se descobrissem exatamente o que quer, poderiam lhe contar e você acabaria sabendo, mesmo tendo lutado contra a obtenção desse conhecimento. Em segundo lugar, se elas soubessem, poderiam lhe negar aquilo que você realmente deseja, ou até necessita, e magoá-lo com muito mais eficiência do que se seus desejos mais profundos (e, portanto, suas vulnerabilidades) permanecessem secretos.

A névoa que esconde tudo isso é a recusa em perceber — em prestar atenção — as emoções e os estados motivacionais à medida que surgem, e a recusa em comunicá-los a si mesmo e às pessoas ao seu redor. Um mau humor significa algo. Um estado de ansiedade ou tristeza significa algo, e provavelmente algo desagradável de ser descoberto. O resultado mais provável de articular uma emoção que se acumulou ao longo do tempo, represada, são lágrimas — uma admissão de vulnerabilidade e dor (sentimentos que as pessoas também não gostam de se permitir vivenciar, especialmente quando estão receosas e com raiva). Quem quer mergulhar nas profundezas da dor, da tristeza e da culpa até que as lágrimas transbordem?

E a recusa voluntária em perceber nossos estados emocionais não é o único impedimento para lidar com eles. Por exemplo, se seu companheiro (ou qualquer outra pessoa com quem está se relacionando de maneira infeliz) diz algo que se aproxima muito da dolorosa verdade, um comentário mordaz e insultuoso muitas vezes o fará se calar — e é, portanto, a solução mais provável a ser adotada. Em parte, isso é um teste: a pessoa que está sendo insultada se preocupa o suficiente com você e seu sofrimento para superar alguns obstáculos e descobrir a amarga verdade? Também é, em parte, e de maneira mais óbvia, uma ação defensiva: se conseguir afugentar alguém de algo que você mesmo não quer descobrir, sua vida presente se torna mais fácil. Infelizmente, o sucesso dessa atitude defensiva é muito decepcionante e, em geral, vem acompanhado de uma sensação de abandono, solidão e autotraição.

No entanto, você ainda precisa conviver com outras pessoas, e elas com você. Ainda tem desejos, vontades e necessidades, mesmo que não declarados e obscuros. E ainda está motivado a persegui-los, até porque é impossível viver sem desejos, vontades e necessidades. E qual é a sua estratégia sob tais condições? Mostrar sua decepção sempre que alguém próximo o deixa infeliz; permitir-se o luxo e o prazer do ressentimento quando algo não é do seu agrado; certificar-se de que a pessoa que o contrariou seja neutralizada por sua desaprovação; forçá-la a

REGRA 3

descobrir, da maneira mais difícil possível, exatamente o que fez para decepcioná-lo; e, por fim, deixá-la tatear às cegas na névoa que você gerou ao seu redor, até que ela esbarre e se machuque nas pontas afiadas de suas preferências e de seus sonhos não revelados. E talvez essas reações também sejam testes arraigados à falta de coragem para confiar: "Se você realmente me amasse, enfrentaria o terrível cenário que criei ao meu redor para descobrir o meu verdadeiro eu." E talvez haja algo mais por trás dessas alegações, por mais implícito que seja. Um teste de comprometimento pode ter sua utilidade. Nem tudo precisa ser oferecido de graça. E até um pouco de mistério desnecessário pode trazer bons resultados.

Além de tudo isso, você ainda precisa conviver consigo mesmo. No curto prazo, ao se recusar a ser mais claro, talvez consiga se proteger da descoberta de sua insuficiência. Afinal, todo ideal é um juiz que o condena: "Você não está manifestando seu verdadeiro potencial." Se não tiver ideais, não há juiz. Mas o preço a ser pago é a falta de propósito. E esse é um preço alto. Se não houver propósito, não haverá emoção positiva, pois muito do que nos impulsiona a seguir em frente com a esperança inabalada é a experiência de nos aproximar de algo que necessitamos ou desejamos ardentemente. E, ainda pior, quando não temos um propósito, experienciamos uma ansiedade crônica e avassaladora, visto que o propósito focado restringe o que, de outra forma, seria o caos intolerável de possibilidades inexploradas e infinitas escolhas.

Se você deixar claro o que deseja e se comprometer com essa busca, o fracasso é uma possibilidade. Mas, se não o fizer, é uma certeza. Não é possível atingir um alvo que você se recusa a ver. Não é possível acertar um alvo se não mirar. E, em ambos os casos, você não adquirirá a experiência de mirar e errar, o que é igualmente arriscado. Não obterá os benefícios do inevitável aprendizado resultante das ocasiões em que as coisas não acontecem como desejado. Muitas vezes, o sucesso em um determinado empreendimento significa tentar, falhar, recalibrar (com o novo conhecimento gerado dolorosamente pelo fracasso) e, em seguida, tentar novamente e falhar — repetindo o processo, *ad nauseam*. Às vezes, todo esse aprendizado, que seria impossível sem o fracasso, o faz perceber que seria melhor desviar sua ambição para uma direção diferente (não porque é mais fácil; não porque você desistiu; não porque está fugindo — mas porque aprendeu, com as vicissitudes de sua experiência, que o que deseja não será encontrado onde estava procurando, ou simplesmente não é alcançável da maneira escolhida).

Então, o que você pode — e deve — fazer em vez de esconder as coisas na névoa? *Admita seus sentimentos*. Essa é uma questão muito complexa (e não significa apenas "ceder" a eles). Em primeiro lugar, é constrangedor perceber, e mais ainda expressar, sentimentos de raiva (mesquinha) ou dor provocada pela solidão, de ansiedade em relação a algo trivial ou de ciúme provavelmente injustificado. A admissão de tais sentimentos é uma revelação de ignorância, insuficiência e vulnerabilidade. Em segundo lugar, é perturbador aceitar a possibilidade de que seus sentimentos, embora devastadores e convincentes, sejam equivocados e, por causa de sua ignorância, lhe apontaram a direção errada. É possível que você tenha interpretado mal a situação toda, por razões das quais permanece inconsciente. É por isso que a confiança é vital, desde que seja uma confiança do tipo maduro e trágico. Alguém ingênuo confia porque acredita que as pessoas são essencialmente ou até universalmente confiáveis. Mas qualquer um que viveu de verdade já foi traído — ou já traiu.

Alguém experiente sabe que as pessoas são capazes e estão dispostas a enganar. Esse conhecimento traz consigo um pessimismo até certo ponto justificado em relação à natureza humana, individual ou não, mas também abre a porta para outro tipo de fé na humanidade: uma baseada na coragem, e não na ingenuidade. Confiarei em você — lhe estenderei minha mão — apesar do risco de traição, pois é possível, por meio da confiança, fazer aflorar o que há de melhor em você, e talvez em mim. Portanto, aceitarei um risco substancial ao abrir a porta à cooperação e à negociação. E ainda que você de fato me traia, de maneira que não seja tão imperdoável (se houver, digamos, certa dose de desculpas genuínas e de arrependimento), continuarei a lhe estender minha mão. E parte desse processo envolve lhe contar o que estou sentindo.

Essas dolorosas revelações devem vir acompanhadas de certa humildade. Eu não deveria — ao menos não seria ideal — dizer: "Você tem me ignorado ultimamente", mas, sim: "Sinto-me isolado, sozinho e magoado, e não posso evitar o sentimento de que, nos últimos meses, você não tem sido tão atencioso como eu gostaria ou de uma forma que seria melhor para nós como casal. Mas não tenho certeza se estou apenas imaginando tudo isso por estar chateado ou se estou enxergando de fato o que está acontecendo." A segunda frase transmite a mensagem, mas evita a postura acusatória que tantas vezes serve como primeira defesa contra uma conversa séria e definitiva. E é muito possível que você esteja errado a respeito da causa de seus sentimentos. Se estiver, precisa saber, pois não adianta propagar erros que causam dor a você e aos outros e interferem em seu futuro. Melhor descobrir a verdade — dispersar a névoa — e constatar se os objetos cortantes que temia que estivessem à espreita são reais ou imaginários. E sempre há o perigo de que alguns sejam reais. Mas é melhor enxergá-los do que mantê-los ocultos pela névoa, porque, ao menos às vezes, é possível evitar o perigo que você está disposto a ver.

EVENTOS E MEMÓRIAS

Quando um evento acontece, ele não nos informa o porquê. Ademais, nós não nos lembramos do passado de modo a registrar objetivamente eventos e situações delimitados, o que, aliás, seria impossível. A informação em nossa experiência é latente, assim como o ouro no minério — caso que tratamos na Regra 2. Antes que possa ser empregada para melhorar o presente e o futuro, deve ser extraída e refinada com grande esforço, e muitas vezes com a colaboração de outras pessoas. Usamos nosso passado de forma eficaz quando ele nos ajuda a repetir experiências desejáveis — e a evitar as indesejáveis. Queremos saber o que aconteceu, porém, mais importante, queremos saber o *porquê*. O *"porquê"* é sabedoria. Ele nos impede de cometer o mesmo erro reiteradas vezes e, se tivermos sorte, nos ajuda a repetir nossos sucessos.

Extrair informações úteis da experiência é difícil. É um ato que exige a mais pura das motivações ("as coisas deveriam ser melhoradas, não pioradas") para ser executado de forma adequada. Requer a disposição de enfrentar o erro, sem rodeios, e determinar em que ponto e por que ocorreu o desvio do caminho correto. Exige a disposição para mudar, o que quase sempre envolve a decisão de deixar algo (ou alguém, ou alguma ideia) para trás. Portanto, a reação mais fácil é desviar o olhar, se recusar a pensar e, ao mesmo tempo, erguer obstáculos intransponíveis à comunicação genuína.

Infelizmente, em longo prazo, essa cegueira deliberada deixa a vida sombria e nebulosa — vazia, despercebida, sem forma, confusa — e o deixa desnorteado e atônito.[2] Tudo isso é uma estranha concatenação do psicológico e do real, do subjetivo e do objetivo. Isso é assustador ou estou com medo? Isso é belo ou estou impondo essa ideia de beleza? Quando fico com raiva de alguém, é por algo que ele fez ou por minha falta de controle?

REGRA 3

Essas perguntas definem o estado de confusão para o qual você é levado constantemente quando seu mundo perde o chão. Esse estado pode ter um elemento objetivo, pois essa queda muitas vezes é causada por algo real, como uma morte, uma doença grave ou o desemprego; mas também é subjetivo, associado a um estado de dor, dúvida, confusão e à incapacidade de escolher — ou mesmo perceber — um caminho a seguir.

Antes que a percepção esteja clara, antes que o mundo esteja articulado, o território do Ser é simultaneamente sujeito e objeto — é, ao mesmo tempo, motivação, emoção e matéria. O companheiro permanece incompreendido. O contexto de sua fala permanece inexplorado, por medo do que essa exploração possa revelar. A situação não pode ser descrita, pois a palavra é deixada vaga e sem forma. Nossas motivações pessoais começam ocultas e permanecem assim, pois não queremos saber o que estamos fazendo. O joio não é separado do trigo. O ouro permanece nas garras do dragão, assim como a virgem. A pedra filosofal permanece uma incógnita; e as fascinantes informações escondidas na esfera do caos permanecem inexploradas. Essa omissão é a rejeição voluntária à consciência expandida. Afinal, o caminho para o Santo Graal começa na parte mais escura da floresta, e o que você precisa está escondido onde menos deseja procurar.

Se você acumular lixo suficiente em seu armário, um dia, quando estiver menos preparado, a porta se abrirá, e tudo o que foi colocado lá dentro, crescendo na escuridão de maneira implacável, irá soterrá-lo — e talvez você não tenha tempo ou energia restante em sua vida para enfrentar e ordenar o conteúdo, guardando o que precisa e descartando o resto. Isso é o que significa ser esmagado pelo excesso de bagagem. Esse é o retorno de Tiamat, a grande Deusa mesopotâmica do Caos, destruidora daqueles que agem errado.

O mundo está cheio de perigos e obstáculos — bem como de oportunidades — ocultos. Deixar tudo escondido na névoa devido ao medo do perigo que pode encontrar não ajudará muito quando o destino o forçar a correr desenfreado na direção do que se recusou a ver. Após se ferir em galhos afiados, tropeçar em pedregulhos e ignorar locais de refúgio, você se recusará a admitir que poderia ter dissipado a névoa com o brilho da sua consciência, se não tivesse escondido a sua luz sob um vaso. Então você amaldiçoará o homem, a realidade e o próprio Deus por produzir um labirinto tão impenetrável de impedimentos e barreiras. A corrupção o tentará, também guiada, cada vez mais, pelas motivações não examinadas e obscuras — geradas pelo fracasso e intensificadas pela frustração —, culminando cruelmente na crença ressentida de que aqueles que o contrariaram estão recebendo de você exatamente o que merecem. Essa atitude e as ações e omissões que ela inevitavelmente acarreta empobrecerão sua vida, sua comunidade, sua nação e o mundo. Isso, por sua vez, empobrecerá o próprio Ser (e é exatamente o que suas motivações mais obscuras e não examinadas desejam).

Com uma busca cuidadosa, com atenção diligente, você pode pender a balança para as oportunidades e afastá-la dos obstáculos de modo que a vida valha a pena ser vivida, apesar de sua fragilidade e seu sofrimento. Se realmente quiser, talvez receba, caso peça. Se realmente buscar, talvez encontre o que procura. Se bater, com verdadeira disposição para entrar, talvez a porta se abra. Mas haverá momentos na vida em que precisará de tudo que tem para enfrentar o que está diante de você, em vez de se esconder de uma verdade tão terrível que a única coisa pior é a falsidade com a qual pretende substituí-la.

Não esconda na névoa o que é indesejável.

REGRA 4

PERCEBA QUE A OPORTUNIDADE SE ESCONDE ONDE A RESPONSABILIDADE FOI ABDICADA

TORNE-SE INESTIMÁVEL

Em meu duplo papel de psicólogo clínico e professor, orientei muitas pessoas no desenvolvimento de suas carreiras. Às vezes, elas vêm me consultar porque seus colegas de trabalho, subordinados ou chefes não fazem o trabalho de maneira adequada. Elas gerenciam, trabalham lado a lado ou até são supervisionadas por pessoas narcisistas, incompetentes, malévolas ou tirânicas. Situações assim acontecem e devem ser enfrentadas e interrompidas de uma forma sensata. Não encorajo as pessoas a se martirizarem. O sacrifício estoico para que outro receba o crédito é uma péssima ideia. No entanto, sob tais circunstâncias — se for sábio e atento —, você conseguirá perceber que seus colegas de trabalho improdutivos estão deixando uma infinidade de tarefas valiosas por fazer. Você pode então se perguntar: "O que aconteceria se eu assumisse a responsabilidade de fazê-las?" É uma questão intimidante. O que é deixado por fazer costuma ser arriscado, difícil e necessário. Mas isso também significa que vale a pena e é significativo — não é? E talvez você consiga enxergar um problema, apesar de sua cegueira habitual. Como saber, então, que não é problema *seu*? Por que você percebe este e não qualquer outro problema? Essa é uma questão que vale a pena analisar a fundo.

Se deseja adquirir valor inestimável no local de trabalho — em qualquer comunidade —, basta fazer as tarefas úteis que ninguém mais faz. Chegue mais cedo e saia mais tarde do que seus colegas (mas não se negue a ter uma vida).[1] Organize o que conseguir identificar como perigosamente desorganizado. Quando estiver no trabalho, trabalhe, em vez de parecer que está trabalhando. E, finalmente, aprenda mais sobre o negócio — ou sobre seus concorrentes — do que já sabe. Isso o tornará inestimável — uma pessoa imprescindível. Todos perceberão e começarão a apreciar seus méritos conquistados com tanto esforço.

Você pode argumentar: "Bem, eu não conseguiria assumir algo tão importante." Mas e se começasse a se transformar em uma pessoa capaz disso? Experimente resolver um problema pequeno — algo que está incomodando-o, que acha possível solucionar. Comece enfrentando um dragão do tamanho que provavelmente conseguirá derrotar. Uma serpente pequena pode não ter tido tempo para acumular muito ouro, mas ainda pode haver algum tesouro a ser conquistado, além de uma probabilidade razoável de sucesso nessa empreitada (e sem muito risco de uma morte flamejante ou sangrenta). Sob circunstâncias adequadas, assumir responsabilidade excedente é uma oportunidade de se tornar verdadeiramente inestimável. E então, se quiser negociar um aumento ou mais autonomia — ou até mesmo mais tempo livre —, pode ir até seu chefe e dizer: "Eis dez tarefas que precisavam ser feitas, todas vitais, e agora assumi todas elas. Se me ajudar um pouco, vou continuar. Posso até melhorar. E tudo, inclusive sua vida, melhorará também." Caso seu chefe tenha bom senso — e às vezes os chefes têm —, sua negociação será bem-sucedida. É assim que funciona. E lembre-se de que não faltam pessoas genuinamente boas que ficarão empolgadas se puderem ajudar alguém útil e confiável. É um dos prazeres verdadeiramente altruístas da vida, e sua profundidade não deve ser subestimada ou desconsiderada com o cinismo barato que se disfarça de sabedoria decorrente da desilusão.

Parece que o significado que nutre a vida de maneira mais eficaz é fruto do ato de assumir responsabilidades. Ao relembrar o que realizaram, as pessoas pensam, se tiverem sorte: "Bem, eu fiz isso e foi valioso. Não foi fácil. Mas valeu a pena!" É estranho e paradoxal que haja uma relação recíproca entre o valor de algo e a dificuldade de realizá-lo. Imagine o seguinte diálogo: "Você quer dificuldade?" "Não, eu quero facilidade." "Na sua experiência, valeu a pena fazer algo fácil?" "Bem, geralmente não." "Então, na verdade, talvez você queira algo difícil." Acho que este é o segredo da razão do próprio Ser: *o difícil é necessário.*

É por essa razão que nos dispomos, e até ficamos felizes, em nos impor limitações. Cada vez que participamos de um jogo, por exemplo, aceitamos um conjunto de restrições arbitrárias. Nós nos limitamos e nos restringimos, e exploramos as possibilidades que se revelam. Esse é o jogo. E ele só funciona com regras arbitrárias. Você as aceita voluntariamente, mesmo que sejam absurdas, como no xadrez: "Eu só posso mover este cavalo em L. Que ridículo. Mas que divertido!" Isso porque, por incrível que pareça, não é divertido se pudermos mover qualquer peça para qualquer lugar. Se todos os movimentos forem permitidos, não é mais um jogo. No entanto, quando aceitamos algumas limitações, o jogo começa. Aceite-as, de um modo mais amplo, como parte necessária do Ser e parte desejável da vida.

Presuma que pode transcendê-las ao aceitá-las. E então poderá participar apropriadamente do jogo limitado.

E tudo isso não tem apenas importância psicológica e não é, de forma alguma, só um jogo. As pessoas precisam de significado, mas os problemas também precisam de resolução. É muito salutar, do ponto de vista psicológico, encontrar algo significativo — algo pelo (ou para) qual vale a pena se sacrificar, algo que merece ser confrontado e assumido. Porém, o sofrimento e a maleficência que caracterizam a vida são reais, com as terríveis consequências do real — e nossa capacidade de resolver problemas, ao confrontá-los e assumi-los, também é real. Ao assumir a responsabilidade, podemos encontrar um caminho significativo, melhorar psicologicamente nossa sina pessoal e de fato reparar o que é intoleravelmente errado. Assim, podemos ter o melhor de dois mundos.

RESPONSABILIDADE E SIGNIFICADO

A ideia de que a vida é sofrimento é um truísmo relativamente universal do pensamento religioso. Essa é a primeira das Quatro Nobres Verdades do Budismo, bem como um conceito hindu fundamental. Segundo a tradição, a antiga palavra indiana para sofrimento — *dukkha* (do idioma pali) ou *duhka* (do sânscrito) — é derivada de *dus* (ruim) e *kha* (buraco) — em especial o orifício em uma roda de carroça, através do qual passa o eixo. O lugar adequado para esse buraco é bem no centro — o ponto exato. Caso contrário, a viagem não seria nada agradável — com os solavancos diretamente proporcionais em magnitude ao grau de deslocamento. Isso me faz lembrar do termo grego *hamartia*, que costuma ser traduzido como "pecado", no contexto do pensamento cristão.

REGRA 4

Originalmente, *hamartia* era um termo próprio da prática do arco e flecha, e significava errar o alvo. Há muitas maneiras de errar um alvo. Com frequência, em minha prática clínica — e em minha vida pessoal —, constatei que as pessoas não conseguiam o que precisavam (ou, talvez igualmente importante, o que queriam) porque nunca deixavam claro para si mesmas ou para os outros o que era. Afinal, é impossível acertar um alvo, a menos que mire nele. Assim, as pessoas costumam ficar mais chateadas com algo que nem sequer tentaram fazer do que com os erros que cometeram ao enfrentar o mundo de forma ativa.[2] Pelo menos, quando você dá um passo em falso ao fazer algo, pode aprender com seu erro. Mas permanecer passivo diante da vida, ainda que justifique sua inação como uma forma de evitar o erro, é um grande equívoco. Como insiste o grande músico de blues Tom Waits (em sua canção "A Little Rain"): "Você deve arriscar algo que importe."[I]

Esse é o erro colossal cometido pelo personagem Peter Pan. "Pan" — um nome que remete ao deus grego das selvas — significa "englobar tudo". Peter Pan, o menino mágico, é capaz de tudo. Ele é puro potencial, tal como toda criança, e isso o torna mágico, assim como toda criança é mágica. Mas o tempo diminui essa magia, transformando a fascinante potencialidade da infância na realidade, em geral, mais mundana, porém genuína, da idade adulta. O segredo, por assim dizer, é trocar essa possibilidade inicial por algo significativo, produtivo, duradouro e sustentável. Peter Pan se recusa a fazê-lo. Isso ocorre, pelo menos em parte, porque seu principal modelo é o Capitão Gancho, o arquétipo do Rei Tirânico, a patologia da ordem — um parasita e um tirano que teme a morte. Gancho tem seus motivos. A morte o espreita na forma de um crocodilo com um relógio no estômago. É o tempo: tique-taque, tique-taque. É a vida desaparecendo com o passar dos segundos. O croco-

---

I No original: "You must risk something that matters." (N. da T.)

dilo provou um pedaço do Capitão e gostou. Assim também é a vida. Não só os covardes ficam aterrorizados com o que se esconde nas profundezas do caos. É raro ver uma pessoa que, durante a infância, não tenha sofrido com a decepção, as doenças e a morte de um ente querido. Essas experiências podem deixá-la amarga, ressentida, predatória e tirânica — assim como Gancho. Com um modelo como o Capitão, não é de surpreender que Peter Pan não queira crescer. Melhor permanecer o rei dos Garotos Perdidos. Melhor continuar mergulhado na fantasia com Sininho, que oferece tudo que uma parceira pode proporcionar — exceto o fato de existir.

Wendy, o grande amor da vida de Pan, opta por crescer, apesar da admiração pelo amigo. Ela se casa, enfrentando — e até acolhendo — o seu amadurecimento e os sinais ocultos da mortalidade e da morte. Conscientemente, ela escolhe sacrificar sua infância pelas tangibilidades da vida adulta, mas, em troca, ganha a vida real. Peter continua sendo criança: mágica, certamente, mas ainda uma criança — e a vida, limitada, finita e única, passa por ele. Em *Peter Pan or The Boy Who Would Not Grow Up* ["Peter Pan, ou o Menino que Não Queria Crescer", em tradução livre], peça de J. M. Barrie, Peter é retratado como alguém que não teme a morte, a qual enfrenta em Marooners' Rock [Ilha da Caveira, no filme da Disney]. Sua atitude pode ser mal interpretada como coragem por espectadores desatentos. Afinal, Pan diz: "Morrer será uma incrível aventura."[II] Porém, o narrador invisível, dotado de perspicácia psicológica, objeta: "Viver seria uma incrível aventura" (na verdade, uma declaração sobre o que poderia ter acontecido se o Rei Menino tivesse escolhido Wendy), comentando, imediatamente depois, "mas ele nunca conseguiu entender".[III] Sua hipotética ausência do medo da morte não é coragem, mas a manifestação de sua natureza

---

II *Peter Pan*, Ato III, gutenberg.net.au/ebooks03/0300081h.html.

III *Peter Pan*, Ato V, Cena 2 (parágrafo final), gutenberg.net.au/ebooks03/0300081h. html.

basicamente suicida, a doença da vida (que ele expressa a todo momento na recusa em amadurecer).

Não é nada bom ser a pessoa mais velha em uma festa universitária. É desespero disfarçado de rebeldia descolada — e vem acompanhado de melancólico desânimo e arrogância. Isso cheira à Terra do Nunca. Da mesma forma, o potencial de atração de um jovem de 25 anos sem rumo, mas talentoso, começa a parecer desesperançado e patético aos 30, e totalmente ultrapassado aos 40.

Você deve sacrificar parte de seu múltiplo potencial em troca de algo real na vida. Mire em algo. Discipline-se. Ou sofrerá a consequência. E qual será essa consequência? Todo o sofrimento inerente da vida, mas sem nenhum significado. Existe descrição melhor do inferno?

A vida é *duhka* para os budistas — talvez o mesmo se aplique, embora de forma menos explícita, aos hindus. As Escrituras Hebraicas, por sua vez, narram a história do sofrimento do povo judeu, individualmente e como nação, sem ignorar os triunfos. Nem aqueles que são chamados pelo próprio YHWH (Yahweh) para adentrar na aventura da vida conseguem escapar da catástrofe. Talvez Abrão, o patriarca arquetípico, intuísse isso. Ele claramente tinha um quê de Peter Pan. O relato bíblico afirma que Abrão permaneceu na segurança da tenda de seu pai até os 75 anos de idade (um começo tardio, mesmo para os padrões de hoje). Então, chamado por Deus — inspirado pela voz interior, digamos, para deixar a família e o país —, ele ingressa na jornada da vida. E o que ele encontra, após atender ao chamado divino para a aventura? Primeiro, a fome. Depois, a tirania no Egito; a possibilidade de perda de sua bela esposa para homens mais poderosos; o exílio de seu país de adoção; os conflitos por território com seus parentes; a guerra e o sequestro de seu sobrinho; a persistente ausência de filhos (apesar da promessa de Deus de torná-lo o progenitor de uma grande nação); e, por fim, as terríveis desavenças entre suas esposas.

A história de Abrão teve um grande impacto em mim quando comecei a estudá-la e a entendê-la mais a fundo. Ela traz em seu cerne uma estranha combinação de pessimismo e encorajamento realístico e genuíno. O pessimismo? Mesmo que você seja chamado pelo próprio Deus para se aventurar pelo mundo, tal como Abrão, a vida será excepcionalmente difícil. Mesmo nas melhores circunstâncias concebíveis, obstáculos quase insuperáveis surgirão e obstruirão seu caminho. O encorajamento? Você terá a oportunidade de se revelar muito mais forte e capaz do que pode imaginar. Há um potencial dentro de você (parte da magia tão evidente na infância) que surgirá quando as circunstâncias exigirem e o transformará — se Deus quiser — em alguém capaz de triunfar.

Existe uma ideia muito antiga, que só recentemente passei a compreender, pelo menos em parte. É algo que vemos manifestado em muitas formas literárias, imagéticas e dramáticas, antigas e modernas. Tem a ver com responsabilidade e significado, mas seu verdadeiro sentido é oculto, exatamente da mesma forma que a sabedoria que os sonhos podem nos oferecer, em geral, é latente. Está associado ao mito labiríntico do herói: aquele que fala palavras mágicas, vê o que os outros não conseguem (ou se recusam a ver), vence o gigante, lidera seu povo, mata o dragão, encontra o tesouro inalcançável e resgata a virgem. Todas essas são variantes do mesmo padrão perceptivo e comportamental, que é um esboço do padrão universalmente adaptativo de ser. O herói também é aquele que resgata o pai do ventre da besta. O que essa ideia, tão comumente expressa em forma de narrativa, poderia significar?

REGRA 4

RESGATE SEU PAI: OSÍRIS E HÓRUS

Pense na antiga história egípcia de Osíris, Set, Ísis e Hórus.[IV] Os egípcios consideravam Osíris a divindade fundadora do Estado, da civilização. Ele pode ser visto como um amálgama das características de personalidade de todas as pessoas que criaram a surpreendente civilização no rio Nilo. Osíris era adorado como o herói que estabeleceu a cultura, cujas façanhas de criação de mundos, quando ainda era um deus jovem e vibrante, produziram uma das primeiras grandes e duradouras civilizações. Mas ele envelheceu, como tudo que existe, e tornou-se voluntariamente cego. Os egípcios insistiam que essa figura de crucial importância em sua mitologia possuía ambos os atributos — e essa insistência constituiu uma grande verdade. O magnífico deus-fundador tornou-se anacrônico, porém, o mais importante, passou a fechar os olhos quando sabia muito bem que deveria tê-los mantido abertos. Osíris parou de prestar atenção em como seu reino estava sendo governado. Foi cegueira intencional, e não há como culpar a mera idade. É uma tentação terrível, pois permite relegar para o futuro os problemas que poderíamos enfrentar hoje. Isso seria ótimo se eles não se agravassem como os juros — mas todos sabemos que se agravam.

A decisão de Osíris de fechar os olhos quando deveria tê-los mantido abertos exigiu um preço alto demais: a subjugação ao seu irmão maligno, Set. A ideia de o Estado ter um irmão maléfico era um axioma, podemos dizer, da cosmovisão egípcia — sem dúvida, a consequência de uma civilização complexa e antiga observando suas próprias falhas — e algo cuja relevância perdurou até os dias atuais. Assim que uma hierarquia adequadamente funcional é estabelecida, abre-se uma oportunidade para que suas posições de autoridade sejam usurpadas, não

---

IV Meu primeiro livro, *Mapas do Significado*, traz uma ampla análise deste tema, que também é mencionada na Regra 7 de *12 Regras para a Vida* (Busque o que é significativo, não o que é conveniente).

por pessoas que tenham a competência exigida para a tarefa em questão, mas por aqueles dispostos a usar manipulação, ardil e coação para obter status e controle. Os egípcios tentaram conceituar todas essas forças contraproducentes na figura de Set, o inimigo da elucidação, do entendimento, da visão e da consciência.[3] A maior ambição de Set era governar o Egito, tomar o lugar do legítimo Faraó. Ao fechar os olhos para as maquinações do irmão maligno — ao se recusar a ver —, Osíris permitiu que ele ganhasse força. Isso se provou fatal (ou tão fatal quanto um erro pode ser para um imortal). Set esperou sua vez, até que conseguiu surpreender Osíris em um momento de fraqueza. Então o desmembrou e espalhou suas partes pelo território egípcio. Não foi (não é) possível matar definitivamente Osíris, o eterno impulso humano para a organização social. É uma força imortal. Mas é possível dividi-lo em pedaços — para dificultar que se recomponha —, e foi exatamente o que Set fez.

Osíris, deus da ordem, desmorona. Isso acontece o tempo todo, na vida individual das pessoas e na história das famílias, cidades e Estados. As coisas entram em colapso quando as relações de amor fracassam, as carreiras se deterioram ou os sonhos acalentados morrem; quando o desespero, a ansiedade, a incerteza e a desesperança se manifestam no lugar da ordem habitável; e quando o niilismo e o abismo fazem sua terrível aparição, destruindo os valores desejáveis e estáveis da vida atual. Sob tais circunstâncias, surge o caos. E é por isso que a deusa Ísis, Rainha do Submundo e consorte de Osíris, aparece quando seu companheiro é destruído por Set. Ela percorre o campo em busca da essência vital de Osíris, a encontra na forma de seu falo desmembrado — receptáculo da ideia seminal, a palavra espermática, o princípio frutificante — e engravida. O que isso significa? A rainha do submundo, a deusa do caos, é também a força que se renova eternamente. Todo o potencial restringido pelo sistema anterior, governado por receios, categorizações e suposições — toda a limitação invisível imposta aos habitantes

REGRA 4   121

daquele Estado ordenado —, é liberado, para o bem ou para o mal, quando esse sistema se quebra. Assim, quando o centro não mais se sustentar — mesmo na hora mais sombria —, uma nova possibilidade se manifestará. É por essa razão que o Herói arquetípico nasce quando a situação atinge seu pior.

A agora grávida Ísis retorna à sua casa no submundo e, no devido tempo, dá à luz Hórus, filho legítimo do rei há muito perdido, que cresce alienado de seu reino agora corrompido (algo que todos nós experimentamos durante nosso amadurecimento). Seu atributo principal é o olho — o famoso olho único egípcio —, enquanto seu avatar é o falcão, um pássaro que mira com precisão sua presa, atinge o alvo com destreza mortal e possui uma acuidade visual sem paralelo no reino dos vivos. Mais importante, no entanto, Hórus tem a *disposição* e a habilidade de ver. Isso é a própria coragem: a recusa em se esquivar do que surgir, por mais terrível que pareça. Ele é o grande deus da atenção, e os egípcios determinaram, em sua estranha forma narrativa — um tipo de pensamento imaginativo que se estendeu por milhares de anos —, que a faculdade da atenção deveria governar todas as outras. Hórus difere de Osíris, seu pai, em sua disposição de ver. Ele vê seu tio Set, por exemplo, exatamente como é. Set é pura maleficência; o próprio mal. Ainda assim, após sua maturidade, Hórus retorna ao reino usurpado de seu pai e confronta o tio. Eles se envolvem em uma batalha épica. O jovem deus e herdeiro legítimo do trono vê a oportunidade escondida onde a responsabilidade foi abdicada e se recusa a desviar o olhar. Isso não é para os covardes — não quando se chega à conclusão lógica; não quando a corrupção e a cegueira deliberada são expostas até as entranhas. Olhar para o mal com olhos desprotegidos é incrivelmente perigoso, não importa o quanto seja necessário. Isso é representado pela derrota parcial de Hórus: durante o confronto, Set arranca um dos olhos do corajoso sobrinho.

Apesar dos ferimentos, Hórus sai vitorioso. É de vital importância reiterar, à luz dessa vitória, o fato de que ele entra na batalha voluntariamente. É uma máxima da intervenção clínica — uma consequência da observação da melhora na saúde mental em muitas escolas de pensamento psicológico prático — que o confronto voluntário com um obstáculo temido, odiado ou desprezado é curativo. Tornamo-nos mais fortes ao enfrentar voluntariamente o que impede nosso necessário progresso. Isso não significa "dar um passo maior do que a perna" (assim como "entrar na batalha voluntariamente" não significa "buscar o conflito sem cuidado"). É aconselhável enfrentar os desafios na proporção exata em que eles atraem e obrigam a vigilância, e forçam o desenvolvimento de coragem, habilidade e talento, bem como evitar o confronto temerário com o que está além de nossa compreensão atual.

Como é possível mensurar a proporção em que os desafios devem ser enfrentados? O instinto para o significado — algo muito mais profundo e mais antigo do que o mero pensamento — contém a resposta. O que você está tentando fazer o impele a seguir em frente, sem ser muito assustador? Capta o seu interesse, sem o sobrecarregar? Elimina o fardo da passagem do tempo? Serve àqueles que ama e, talvez, traz algum benefício para seus inimigos? Isso é responsabilidade. Contenha o mal. Reduza o sofrimento. Enfrente, com o desejo de melhorar as coisas, a possibilidade que se manifesta diante de você a cada segundo, independentemente do fardo que carrega, da injustiça e da crueldade da vida, que muitas vezes parecem arbitrárias. Todas as outras abordagens apenas aprofundam o abismo, aumentam a agonia e condenam aqueles que o habitam ao agravamento contínuo de seus problemas já graves. Todo mundo sabe disso. A consciência de todos proclama isso. Todo amigo leal ou ente querido se desespera ao presenciar alguém estimado deixando de fazer o que é preciso.

REGRA 4

Hórus retoma o olho e expulsa Set, derrotado, para além das fronteiras do reino. Não há como matá-lo. Ele é eterno como Osíris, eterno como Ísis e Hórus. O mal que ameaça em todos os níveis de experiência é algo — ou alguém — contra o qual todos têm de lutar sempre, psicológica e socialmente. Mas por um tempo o mal pode ser vencido, banido e derrotado. Então a paz e a harmonia podem prevalecer enquanto as pessoas não esquecerem o que as levou a ambas.

Hórus recupera seu olho. Uma pessoa sensata, em tal situação, agradeceria aos céus por sua sorte, colocaria o olho de volta na órbita vazia e continuaria com sua vida. Mas não é isso que Hórus faz. Ele retorna ao submundo, ao ventre da besta, ao reino dos mortos, onde sabe que encontrará o espírito de Osíris. Por mais que esteja desmembrado, semimorto — até mesmo morto, em certo sentido —, Osíris habita o submundo, domínio do próprio caos. Ele é o pai no ventre da besta. Hórus encontra o outrora grandioso rei e lhe concede o olho arrancado por Set. Devido ao sacrifício e à visão de seu filho, o ancião dos dias pode ver novamente. Hórus então leva seu pai, com a visão restaurada, de volta ao reino, para que possam governar juntos. Os egípcios afirmavam que era essa combinação de visão, coragem e tradição regenerada que constituía o verdadeiro soberano do reino. Era essa justaposição de sabedoria e juventude que compreendia a essência do poder do Faraó, sua alma imortal, a fonte de sua autoridade.

Ao enfrentar um desafio, você luta com o mundo e se educa. Isso o torna mais do que é. Faz de você cada vez mais quem poderia ser. Quem você poderia ser? Tudo que um homem ou mulher pode ser. Poderia ser o mais novo avatar, à sua maneira única, dos grandes heróis ancestrais. Qual é o limite? Não sabemos. Nossas estruturas religiosas nos dão uma pista. Como seria um ser humano em todo seu esplendor, por assim dizer? Como alguém que decidiu assumir total responsabilidade pela tragédia e maleficência do mundo se revelaria? A questão fundamental do homem não é quem somos, mas quem poderíamos ser.

Quando perscrutamos um abismo, vemos um monstro. Se for um abismo pequeno, assim será o monstro. Mas se for o abismo supremo, então, é o monstro supremo. Certamente é um dragão — talvez até o dragão do próprio mal. A conceituação do monstro no abismo é o eterno predador à espreita na noite, pronto e capaz de devorar sua presa desavisada. Essa é uma imagem que tem dezenas de milhões de anos, algo codificado tão profundamente nos recônditos de nossa estrutura biológica quanto qualquer coisa conceitual pode ser codificada. E não são apenas os monstros da natureza, mas os tiranos da cultura e a maleficência dos indivíduos. É tudo isso, sendo este último aspecto o dominante, por mais terrível que seja admitir. E é da natureza da humanidade não se encolher e paralisar como presas indefesas nem se tornar um traidor e servir ao próprio mal, mas confrontar a besta em seu covil. Essa é a natureza de nossos ancestrais: caçadores, guardiões, pastores, viajantes, inventores, guerreiros e fundadores de cidades e Estados incrivelmente corajosos. Esse é o pai que você poderia resgatar; o ancestral que poderia se tornar. E ele deve ser descoberto no lugar mais profundo possível, pois é para lá que você deve ir se deseja assumir total responsabilidade e se tornar quem poderia ser.

E QUEM SERIA ESSA PESSOA?

Para início de conversa, concordemos que você tem um mínimo de obrigação moral de cuidar de si mesmo. Talvez seja até egoisticamente interessado em cuidar de si mesmo. Mas então surgem as perguntas: o que você quer dizer com "cuidar"? De que "si mesmo" está falando? Em primeiro lugar, consideraremos

REGRA 4

apenas o puro egoísmo, o interesse próprio não contaminado. Isso simplifica a questão. Significa, antes de tudo, que você é livre para fazer o que quiser — porque não precisa se preocupar com mais ninguém. Mas algo em você pode muito bem retrucar: "Espere um pouco. Isso não vai funcionar." Por que não? Bem, de qual "eu" você está cuidando? Do "eu" que existe especificamente neste minuto? O que acontecerá, então, com o "eu" do instante seguinte? O futuro está chegando, e isso é tão certo, para todos os efeitos, quanto o nascer do sol todas as manhãs. E é melhor você estar preparado.

Você conhece os riscos de escolher maximizar o agora em detrimento do futuro. Imagine que está prestes a falar algo impensado e carregado de raiva. Você pensa: "Doa a quem doer" e diz o que vier à mente, não importa o quão injusto e cruel seja. Com isso, experimenta uma liberação de emoção positiva e entusiasmo, bem como a satisfatória vazão dos ressentimentos. Entretanto, logo depois, estará encrencado, e esses problemas podem durar muito tempo. É nítido que você não agiu em prol de seus melhores interesses, embora tenha feito o que egoisticamente desejava. E ninguém de bom senso diz ao amado filho: "Olha, garoto, faça exatamente o que for bom no momento e que se dane todo o resto. Não importa." Você não diz isso, pois sabe muito bem que o futuro chegará para ele com a mesma certeza que chegará para você. O simples fato de algo deixá-lo feliz no momento não significa que seja do seu interesse, considerando o cenário geral. A vida seria simples se fosse assim. Mas há o "eu" de agora, o de amanhã, o da próxima semana, o do próximo ano, o de daqui a cinco anos e o de daqui a uma década — e é obrigatório, por pura necessidade, levar todos esses "eus" em consideração. Essa é a maldição associada à descoberta humana do futuro e, com ela, à necessidade de trabalhar —, porque trabalhar significa sacrificar os hipotéticos deleites do presente pelo potencial aprimoramento do que está por vir.

No entanto, há uma certa utilidade em descartar a importância dos "eus" que existem no futuro distante, pois o futuro é incerto. Isso significa que você não deve se preocupar com os efeitos que suas ações atuais terão em vinte anos com a mesma intensidade que se preocupa com os efeitos no presente, pois existe uma probabilidade muito alta de você estar aqui hoje (já que está lendo isto) e outra um tanto menor de ainda estar aqui no futuro. E há, ainda, erros decorrentes da previsão de uma situação que está muito distante. Mas a crescente incerteza acarretada pela distância no tempo não impede que as pessoas sensatas se preparem para o que está por vir. O futuro significa que, se pretende cuidar de si mesmo, você já está encarregado (ou tem o privilégio) de uma responsabilidade social. O "eu" objeto de seus cuidados é uma comunidade que existe ao longo do tempo. A necessidade de considerar a sociedade do indivíduo, por assim dizer, é tanto um fardo quanto uma oportunidade que parecem característicos dos seres humanos.

Os animais não parecem considerar o futuro da mesma maneira que nós. Se visitar a savana africana e observar um rebanho de zebras, verá, com certa frequência, leões perambulando entre elas. E, enquanto os leões estiverem relaxados, as zebras realmente não se importam. Do ponto de vista humano, essa atitude parece um tanto imprudente. Uma melhor alternativa seria as zebras esperarem os leões dormirem, correrem para um canto remoto do campo e elaborar um plano. Deveriam, então, reunir algumas dezenas de zebras para atacar os leões adormecidos e pisoteá-los até a morte. Assim, os leões deixariam de ser um problema. Mas não é isso que as zebras fazem. Elas pensam: "Ah, olhe para esses leões relaxados! Leões relaxados nunca são um problema!" Elas não parecem ter uma noção real de tempo. Não conseguem se conceituar ao longo da expansão temporal. Os seres humanos, por sua vez, não apenas são capazes de fazer essa conceituação, mas incapazes de se livrar dela. Nós descobrimos o futuro há muito tempo — e agora o futuro

REGRA 4

é onde cada um de nós vive, o mundo potencial. Tratamos isso como *realidade*. É uma realidade que *poderá existir* — mas com alta probabilidade de, em algum momento, se tornar o *agora*, e somos levados a considerá-la.

Você não consegue escapar de si mesmo. Está sobrecarregado com quem é agora e com quem será no futuro. Isso significa que, se está cuidando de si mesmo de maneira adequada, deve considerar que haverá a repetição desse "eu" ao longo do tempo. Você está destinado a participar de um jogo com o seu "eu" de hoje que não deve interferir no jogo que enfrentará amanhã, no próximo mês, no próximo ano e assim por diante. Dessa forma, o egoísmo mesquinho está fadado a ser improdutivo. É por essa razão, entre outras, que uma ética estritamente individualista é uma contradição de termos. Na verdade, há pouca diferença entre como você deve se tratar — assim que perceber que é uma comunidade que se estende ao longo do tempo — e como deve tratar as outras pessoas.

Por exemplo, em um casamento, você enfrenta o mesmo problema com seu parceiro e consigo mesmo: está preso às consequências de um jogo repetitivo. Pode tratá-lo com desprezo no momento presente, no agora, não importa o quão cruel e insensível possa ser, mas acordará com ele amanhã, no próximo mês e daqui a uma década (se não ao lado desse cônjuge, de outro igualmente infeliz). Se você trata a pessoa com quem está comprometido de um jeito que não funciona quando repetido ao longo do tempo, está em um jogo degenerativo, e ambos sofrerão de forma terrível por isso. Esse problema não é materialmente diferente de deixar de fazer as pazes com o seu "eu" do futuro. As consequências são idênticas.

FELICIDADE E RESPONSABILIDADE

As pessoas querem ser felizes, o que não é de admirar. Muitas vezes ansiei profundamente pelo retorno da felicidade — desejando que estivesse presente — e certamente não estou sozinho nisso. No entanto, não acredito que você deva *perseguir* a felicidade. Se o fizer, terá um problema de iteração, pois "feliz" é uma coisa do agora. Em situações de intensa emoção positiva, as pessoas tendem a se concentrar no presente e ser impulsivas.[4] Isso significa "bata o ferro enquanto ainda está quente" — aproveite as oportunidades enquanto as coisas estão bem e aja agora. Mas não temos só o *agora* e, infelizmente, é preciso considerar o todo, pelo menos na medida do possível. Assim, é improvável que o elemento otimizador de sua vida ao longo do tempo seja a felicidade. No entanto, não estou negando que ela seja desejável. Se a felicidade vier até você, receba-a com gratidão e de braços abertos (mas tome cuidado, pois ela o torna impetuoso).

E qual seria uma alternativa mais sofisticada para a felicidade? Imagine que seja viver de acordo com o senso de responsabilidade, porque isso ordena o futuro. Imagine, também, que você deva agir com confiança, honestidade, nobreza e comprometimento com um bem maior, a fim de manifestar esse senso de responsabilidade de forma adequada. O bem maior seria a otimização simultânea de sua função e da função das pessoas ao seu redor, ao longo do tempo, como discutimos anteriormente. Esse é o bem maior. Imagine que você torna esse alvo consciente, que articula essa meta como um objetivo explícito. Então surge uma pergunta: "Qual é a consequência disso do ponto de vista psicológico?"

Primeiro, considere que a maioria das emoções positivas que as pessoas experimentam não vem da conquista. Existe o prazer simples (para ser mais exato, a satisfação) decorrente de uma boa refeição quando se tem fome e existe a satisfação

REGRA 4

mais complexa, porém similar, que está associada à realização de algo difícil e que vale a pena. Imagine, por exemplo, que você se formou no ensino médio. O dia da formatura marca o evento. É uma celebração. Mas no dia seguinte isso acaba, e você imediatamente enfrenta um novo conjunto de problemas (da mesma forma que sente fome de novo apenas algumas horas após uma refeição satisfatória). Você não é mais o rei do ensino médio: está no último escalão da força de trabalho ou é um calouro em uma instituição de ensino superior. É a situação de Sísifo. Você se esforçou com afinco para empurrar sua pedra até o topo e, novamente, se viu ao pé da montanha.

A realização tem como consequência uma transformação quase instantânea. Assim como o prazer impulsivo, ela gera emoção positiva, mas também não é confiável. Então, surge outra questão: "O que pode ser considerado uma fonte realmente confiável de emoção positiva?" A resposta é que as pessoas experimentam emoções positivas durante a *busca* de uma meta valiosa. Imagine que você tem um objetivo. Estabelece uma meta. Desenvolve uma estratégia em relação a esse objetivo e, em seguida, a implementa. E, então, à medida que a executa, percebe que está funcionando. *É isso* que produz a emoção positiva mais confiável.[5] Imagine que, com o tempo, as atitudes e ações mais eficazes (em uma competição bem darwiniana) acabam por dominar todas as outras.[6] E isso é verdadeiro tanto no contexto psicológico quanto no social. E ocorre em sua vida, mas também ao longo dos séculos, à medida que as pessoas interagem e conversam, e elevam um determinado modo de ser ao status principal.

Isso implica algo crucial: não há felicidade na ausência de responsabilidade. Sem um objetivo valioso e valorizado, não há emoção positiva. Você pode argumentar: "Bem, o que exatamente constitui uma meta válida?" Imagine que esteja buscando algo prazeroso, mas trivial e de curto prazo. O sábio dentro de você comparará essa busca a um objetivo alternativo de agir no melhor interesse de sua comunidade, tanto a de seus futuros "eus" quanto a que abrange outras pessoas. Talvez você esteja relutante em aceitar que não deseja arcar com a responsabilidade — não como substituta ao foco imediato e impulsivo no prazer. No entanto, você está se enganando, nos níveis mais profundos de seu ser, se acredita que essa estratégia de evasão terá sucesso. Os componentes sábios e ancestrais de seu ser, seriamente preocupados com sua sobrevivência, não são fáceis de enganar nem de ignorar. Mas, no fim das contas, seu objetivo é trivial e você desenvolve uma estratégia um tanto superficial para alcançá-lo, e acaba descobrindo que ele não é satisfatório porque você não se importa o suficiente. Esse objetivo não é relevante para você — não de maneira profunda. Além disso, o fato de não estar perseguindo o objetivo que deveria faz com que, ao mesmo tempo, você se sinta culpado, envergonhado e inferior.

Essa não é uma estratégia útil. Ela simplesmente não funciona. Nunca conheci ninguém que ficasse satisfeito ao saber que não estava fazendo tudo o que deveria. Somos criaturas com consciência temporal: sabemos que estamos contínua e inevitavelmente em um jogo reiterado do qual não podemos nos esconder com facilidade. Não importa o quanto desejemos ignorar por completo o futuro, ele é parte do preço que pagamos por sermos intensamente autoconscientes e capazes de nos conceituar ao longo de toda a extensão de nossas vidas. Estamos presos a ele. Não há como escapar do futuro — e quando se está preso a algo e não há como escapar, a atitude certa é enfrentá-lo de maneira voluntária. Funciona. E assim, em vez de sua meta impulsiva de curto prazo, você estabelece uma meta de escala muito maior: agir adequadamente em relação a todos no longo prazo.

REGRA 4

CARREGUE O PESO EXTRA

Existe uma forma adequada de se comportar — uma ética — e você está fadado a lidar com ela. Você não consegue evitar a avaliação de si mesmo, e a de todos à sua volta, ao longo do tempo, e nem a prestação de contas de seu comportamento, tanto o bom quanto o mau. O objetivo é identificar o que funciona para muitas pessoas (incluindo você) em diversos lugares e intervalos de tempo. É uma ética emergente, difícil de formular explicitamente, mas de existência e consequências inescapáveis, que integra de forma inexorável e profunda o jogo do ser. Grandes jogadores são fascinantes. Pessoas fascinantes atraem companheiros. Quanto mais nos aproximamos do padrão — o padrão emergente —, mais chances temos de sobreviver e proteger nossas famílias. A competição seleciona os jogadores com base em seu comportamento ético. E estamos, portanto, biologicamente preparados para reagir de forma positiva e imitar o Grande Jogador — e desaprovar, até mesmo com violência, o enganador, o trapaceiro e o fraudador. E é sua consciência — seu instinto de virtude moral — que indica o desvio do caminho. Durante um jogo de futebol, quando seu filho derruba propositalmente um adversário ou deixa de fazer o passe para um colega de time que tem uma grande oportunidade de marcar um gol, você demonstra desaprovação. Sente vergonha, o que é esperado, pois está testemunhando a traição de alguém que você ama por alguém que você ama — a autotraição de seu filho. Algo semelhante ocorre quando você viola seu próprio senso de decência. É o mesmo instinto, e é melhor percebido nessa situação. Se não seguir o caminho certo, despencará do precipício e sofrerá miseravelmente — e não há como o âmago de seu ser permitir isso sem protestar.

Você pode racionalizar: "Não há precipício agora. Não há penhasco à vista. E um precipício no qual só cairei daqui a dez anos está longe demais." Mas a parte mais profunda de sua psique invariavelmente refuta: "Esse modo de pensar não é apropriado. Não funciona. O que acontecerá daqui a dez anos ainda é real, apesar de distante (o que possibilita inevitáveis erros de previsão). Se houver uma catástrofe à nossa espera, não devemos nos mover em sua direção. Não sem contestar." Se o seu comportamento sugerir que está se inclinando nessa direção, se sentirá culpado e terrível por causa disso, caso tenha sorte e esteja minimamente alerta. E agradeça a Deus por isso. Se o custo de se trair, no sentido mais profundo, é a culpa, a vergonha e a ansiedade, o benefício é o significado — um significado que revigora. Essa é a oportunidade mais valiosa que se esconde onde a responsabilidade foi abdicada.

Se prestar atenção à sua consciência, começará a perceber que alguns de seus comportamentos estão errados. Para ser mais exato: se você for alertado por sua consciência da possibilidade de estar agindo mal e procurar dialogar com ela, começará a criar uma imagem clara do que é errado — e, por ilação, do que é certo. O certo não é necessariamente o oposto do errado — e o errado, em certo sentido claro, é mais evidente e óbvio. Um senso do que é certo pode, portanto, ser desenvolvido e aprimorado por meio de uma atenção cuidadosa ao que é errado. Você age e se trai, e se sente mal por isso. Não sabe exatamente por quê. Tenta evitar pensar, pois é menos doloroso e mais fácil, no curto prazo, não pensar nisso. Tenta, com todas as suas forças, ignorar, mas tudo o que consegue é aumentar seu senso de autotraição e se voltar ainda mais contra si mesmo.

Então, talvez, você reconsidera e enfrenta seu desconforto. Percebe a desunião interna e o caos que a acompanha. Pode se perguntar — rogar para descobrir — o que fez de errado. E a resposta chega. E não é a que deseja. E uma parte sua deve, portanto, morrer para que você possa mudar. Mas ela luta para sobreviver, apresenta suas justificativas e defende sua causa. E fará isso com todos os truques disponíveis — valendo-se das

REGRA 4

mentiras mais odiosas, das lembranças mais amargas e mais ressentidas do passado e das atitudes mais desesperadamente cínicas sobre o futuro (na verdade, sobre o valor da vida em si). Mas você persevera e distingue, julga e decide exatamente por que seu comportamento foi errado, e começa a entender, por comparação, o que seria o certo. E, então, decide começar a agir de acordo com sua consciência. Decide que ela está do seu lado, apesar do seu aparente antagonismo. Coloca em ação tudo o que descobriu que está certo e começa a sua ascensão. Passa a se monitorar, com cada vez mais cuidado, para garantir que está fazendo a coisa certa — escutando o que diz, observando as próprias ações, tentando não se desviar do caminho reto e estreito. Esse se torna seu objetivo.

Uma ideia começa a tomar forma: "Viverei minha vida de maneira adequada. Terei como objetivo o bem. Terei como objetivo o bem mais elevado que conseguir." Agora, todas as suas partes que cuidam do seu futuro "eu" estão de acordo. Todas estão na mesma direção. Você não é mais uma casa dividida. Está apoiado sobre uma base sólida. Não é mais tão fácil de dissuadir ou desencorajar. Sua determinação supera seu niilismo e desespero. A luta que tem travado com sua própria tendência de duvidar e dissimular o protege contra as críticas injustificadas e cínicas dos outros. Há um objetivo elevado — o pico da montanha, a estrela brilhante na escuridão — acenando além do horizonte. A mera existência desse objetivo lhe dá esperança — e esse é o significado sem o qual não se pode viver.

Lembra-se do Pinóquio? Quando quer transformar o boneco de madeira que construiu em um menino de verdade, Geppetto primeiro olha para o céu e faz um pedido a uma estrela. É a mesma estrela que anuncia o nascimento de Pinóquio no início do filme e cuja luz se reflete no distintivo dourado concedido ao Grilo Falante no final. É a mesma estrela, simbolicamente falando, que anuncia o nascimento de Jesus no meio da escuridão. Geppetto se concentra na estrela e faz um pedido. O desejo é que sua marionete deixe de ser controlada e se torne real. A história do boneco e de suas tentações e provações é um drama psicológico. Todos entendemos isso, embora não possamos necessariamente articular essa compreensão. É preciso erguer os olhos acima do horizonte para estabelecer uma meta transcendente, se o seu desejo é deixar de ser uma marionete controlada por coisas que não entende e talvez não queira entender. Então, todos os subsistemas ou subpersonalidades que, do contrário, poderiam estar em busca da própria realização limitada se unirão sob a égide do verdadeiro ideal, e a consequência disso será um engajamento que se aproxima do definitivo ou total. Sob essas condições, todas as suas partes estarão em consonância. Esse é o equivalente psicológico do monoteísmo. É o surgimento do "eu" superior que pode ser o verdadeiro servo de Deus, em qualquer realidade metafísica potencialmente subjacente ao que é óbvio para nossos "eus" mortais cegos e limitados.

Qual é o antídoto para o sofrimento e a maleficência da vida? O objetivo mais elevado possível. Qual é o pré-requisito para alcançá-lo? Disposição para assumir o grau máximo de responsabilidade — e isso inclui as responsabilidades menosprezadas ou negligenciadas pelos outros. Você pode contestar: "Por que devo carregar todo esse fardo? Não é nada além de sacrifícios, dificuldades e problemas." Mas o que lhe dá tanta certeza de que não quer um fardo pesado para carregar? Você certamente precisa se ocupar de algo pesado, profundo, intenso e difícil. Então, quando acordar no meio da noite soterrado pelas dúvidas, você tem como se defender: "Apesar de todas as minhas falhas, que são muitas, pelo menos estou fazendo *isto*. Pelo menos estou cuidando de mim mesmo. Pelo menos sou útil para minha família e para as outras pessoas ao meu redor. Pelo menos estou me movendo, avançando hesitante, sob o peso da carga que decidi carregar." Assim conseguirá atingir um nível de respeito próprio genuíno — não um mero constructo psicológico superficial que

REGRA 4

se relaciona à avaliação momentânea do seu "eu". É muito mais profundo do que isso — e não é apenas psicológico. É *real*, tanto quanto psicológico.

Sua vida ganha significado na exata proporção do nível de responsabilidade que está disposto a assumir. Pois agora você está genuinamente engajado em melhorar as coisas. Está minimizando o sofrimento desnecessário. Está encorajando as pessoas ao seu redor por meio de exemplo e palavras. Está reprimindo a maleficência em seu coração e no dos outros. Um pedreiro pode questionar a utilidade de assentar tijolos, monotonamente, um após o outro. Mas talvez ele não esteja fazendo apenas isso. Talvez esteja construindo uma parede. E a parede faça parte de um edifício. E o edifício seja uma catedral. E o propósito da catedral seja a glorificação do Bem Supremo. E, sob tais circunstâncias, cada tijolo assentado é um ato que compartilha do divino. Se o que você está fazendo em suas atividades cotidianas não for suficiente, não está se propondo a construir a catedral adequada. E o motivo é não estar mirando alto o bastante. Porque, se estivesse, experimentaria o senso de significado que acompanha um objetivo suficientemente elevado, e ele justificaria o sofrimento e as limitações de sua vida. Quando se tem algo significativo para buscar, a vida é fascinante; seu caminho é significativo. O instinto mais profundo e confiável para o significado — desde que não seja pervertido pelo autoengano e pelo pecado (não há outra maneira de expressar isso) — se manifesta quando você está no caminho da virtude suprema.

O senso de significado é um indicador de que está nesse caminho. É um sinal de que toda a complexidade que o compõe está alinhada dentro de você e voltada para algo que vale a pena perseguir — algo que equilibra o mundo, que produz harmonia. É algo que você ouve manifestado na música e no profundo sentido de significado que a música produz de forma intrínseca. Talvez você seja fã de punk niilista com influência death metal. Profundamente cético e pessimista. Não enxerga significado em lugar algum. Você odeia tudo, só por princípio. Mas então o guitarrista de sua banda favorita e companheiros dele começam a tocar harmonias arranjadas — todos em sincronia — e você é arrebatado! "Ah, não acredito em nada, mas, meu Deus, que música!" As letras são destrutivas, niilistas, cínicas, repletas de amargura e desesperança, mas não importa, pois a música atrai e convoca seu espírito, que se enche com a perspectiva do significado, e você se move, em sintonia com os padrões musicais, e então balança a cabeça e bate os pés no mesmo ritmo, participando sem querer. Esses padrões sonoros, sobrepostos de forma harmoniosa, movendo-se na mesma direção, com previsibilidade e imprevisibilidade, em perfeito equilíbrio, são a ordem e o caos, em sua dança eterna. E você entra no ritmo, por mais que sua natureza seja desprezá-lo. E se alinha com essa harmonia direcional e padronizada, encontrando, assim, o significado que revigora.

Você tem um instinto — um espírito — que o orienta para o bem maior. Ele atrai sua alma para longe do inferno e em direção ao céu. E é por causa desse instinto que você frequentemente se desilude. As pessoas o desapontam. Você se trai; perde uma conexão significativa com seu local de trabalho, chefe ou parceiro. Pensa: "O mundo não está certo. Isso é profundamente perturbador." No entanto, esse mesmo desencanto pode servir como um sinal do destino. Ele remete à responsabilidade abdicada — ao que deixou de ser feito, ao que ainda *precisa ser feito*. Você fica irritado com essa necessidade. Acaba aborrecido com o governo, amargurado e ressentido com seu trabalho, insatisfeito com seus pais e frustrado com todas essas pessoas ao seu redor que não assumem responsabilidades. Afinal, existem coisas que clamam por ser realizadas. Fica indignado, pois o que precisa ser feito *não está sendo feito*. Todavia, essa raiva — essa afronta — é uma *porta*. Essa percepção da responsabilidade abdicada é um sinal de destino e significado. A sua parte orientada pelo bem maior está indicando a disjunção entre o ideal imaginado — o ideal que toma posse de você — e a realidade experimentada. Há uma lacuna aí, e ela está expressando a necessidade de ser preenchida. Você pode ceder à fúria e culpar outras pessoas — pois claramente elas contribuem para o problema. Ou pode compreender que sua decepção é um sinal, enviado pelo que há de mais essencial em seu ser, de que há algo errado que precisa ser corrigido — e, talvez, *por você*. O que é isso, essa preocupação, esse cuidado, essa irritação, essa distração? Não é o chamado para a felicidade. É o apelo à ação e à aventura que constituem a vida real. Considere, mais uma vez, a história bíblica de Abrão.

> Ora, o Senhor havia dito a Abrão: Sai-te do teu país, e da tua parentela, e da casa de teu pai, para uma terra que eu te mostrarei.
>
> E eu farei de ti uma grande nação, e eu te abençoarei, e farei teu nome grande; e tu serás uma bênção.
>
> E eu abençoarei os que te abençoarem, e amaldiçoarei os que te amaldiçoarem, e em ti todas as famílias da terra serão abençoadas. (Gênesis 12:1–3)

Abrão, que descobriu tardiamente sua vocação, passou tempo demais sob as asas do pai, para dizer o mínimo. Porém, ao receber o chamado de Deus, é melhor atendê-lo, não importa o quão tarde (e aí está a esperança real para aqueles que acreditam que protelaram demais). Abrão deixa seu país, seu povo e a casa de seu pai e se aventura pelo mundo, seguindo a voz calma e baixa; atendendo ao chamado de Deus. E não é um chamado para a felicidade. É a catástrofe sangrenta que descrevemos anteriormente: fome, guerra e conflitos domésticos. Tudo isso pode fazer um indivíduo razoável (e mesmo o próprio Abrão) duvidar da sabedoria de atender a Deus e à consciência, e de assumir a responsabilidade da autonomia e o fardo da aventura. Melhor estar deitado em uma rede, desfrutando de uvas descascadas na segurança da tenda paterna. Entretanto, o que o chama para o mundo — para o seu destino — não é a facilidade. É o conflito e a discórdia. É a amarga contenda e a disputa mortal entre opostos. É provável — inevitável — que a aventura de sua vida irá frustrá-lo, desapontá-lo e perturbá-lo, à medida que você atende ao chamado da consciência, assume sua responsabilidade e se esforça para corrigir a si mesmo e o mundo. Mas é nesse ponto que o significado profundo que fornece orientação e proteção deve ser encontrado. É quando tudo entra nos eixos, quando o que foi espalhado e quebrado se junta; quando o propósito se manifesta; quando o que é adequado e bom é revigorado, e o que é fraco, ressentido, arrogante e destrutivo é derrotado. É onde a vida que vale a pena ser vivida será eternamente encontrada — e onde você pode encontrá-la pessoalmente, basta estar disposto.

Perceba que a oportunidade se esconde onde a responsabilidade foi abdicada.

REGRA 5

NÃO FAÇA O QUE ODEIA

A ORDEM PATOLÓGICA EM SEU DISFARCE COTIDIANO

Tive uma cliente que trabalhava em uma grande empresa. Parte de seu trabalho envolvia se sujeitar a uma enxurrada constante de idiotices. Ela era uma pessoa sensata e honesta, que enfrentou e superou uma vida difícil e desejava genuinamente contribuir e trabalhar de acordo com seu bom senso e honestidade. No ambiente corporativo, ela acabou envolvida em uma longa discussão por e-mail e em pessoa sobre a possível ofensividade do termo "flip chart" (uma expressão comum que se refere a várias folhas de papel, normalmente apoiadas em um tripé). Para aqueles que ainda acham difícil acreditar que conversas como essa ocupam horas de funcionários de grandes empresas, basta uma rápida busca no Google pela expressão em inglês "Flip chart derogatory" [flip chart depreciativo, em tradução livre]. Você constatará imediatamente que existe uma preocupação ampla e genuína com esse problema. Muitas reuniões foram realizadas pelos superiores de minha cliente para discutir esse assunto.

Ao que parece, "flip" já foi um termo depreciativo para filipino em países anglófonos (encontrei poucas evidências de seu uso atual). Mesmo que a antiga ofensa não tenha absolutamente nada a ver com "flip chart", os gestores da empresa de minha cliente consideraram que valia a pena gastar tempo discutindo a natureza hipoteticamente preconceituosa da expressão e formulando um termo substituto, cujo uso acabou se tornando obrigatório entre os funcionários. Tudo isso apesar do fato de nenhum funcionário de nacionalidade ou descendência filipina ter se queixado do uso do termo pela empresa. De acordo com o Global Language Monitor (languagemonitor.com), que monitora, mas não aprova, o uso de palavras politicamente corretas, o termo apropriado agora é "bloco de escrita", apesar do fato de um flip chart não ser um "bloco".

De qualquer modo, a empresa em questão decidiu-se pelo termo "bloco de cavalete", o que parece uma descrição mais precisa — não que essa solução comparativamente elegante diminua a tolice da questão. Afinal, ainda existem outras palavras em inglês como "flip-flopped" [mudar de forma repentina], "flippant" [impertinente], "flip-flops" [chinelo], "flippers" [nadadeira] e assim por diante, e pelo menos as duas primeiras soam mais depreciativas à primeira vista do que "flip chart", se é que vamos nos preocupar com esse tipo de coisa. Agora, você pode se perguntar: "Que diferença essa pequena mudança na terminologia realmente faz? É um problema banal. Por que alguém se importaria com o fato de essa mudança sequer estar sendo discutida? Por que não ignorar, já que é melhor ignorar tamanha insanidade, e se concentrar em algo mais importante?" Porque, é claro, você pode alegar que dar atenção a alguém que está lidando com esse tipo de questão é tão perda de tempo quanto se atentar para a discussão em si. E eu diria que é exatamente esse o enigma que a Regra 5 está tentando resolver. Quando deixar de participar de um processo preocupante que vê, ou pensa ver, se desenrolando à sua frente?

REGRA 5

Em sua primeira carta, minha cliente me contou que não só a discussão questionando o uso de "flip chart" foi bem recebida por seus colegas de trabalho, como também, imediatamente, surgiu uma espécie de concurso para identificar e informar outras palavras que também pudessem ser ofensivas.[1] "Blackboard" [quadro-negro] foi mencionada, assim como "master key" [chave mestra] (a primeira porque se referir a qualquer coisa como "negra/preta" — mesmo que essa seja sua cor — é de alguma forma racista em nossos tempos de hipersensibilidade; a segunda por causa de sua relação hipotética com a terminologia historicamente associada à escravidão). Minha cliente tentou entender o que estava presenciando: "Essas discussões dão às pessoas uma sensação superficial de serem boas, nobres, compassivas, de coração aberto e sábias. Então, se para fins de argumentação alguém discordar, como poderia entrar na discussão sem ser considerado anticompassivo, tacanho, racista e malvado?"

Ela também ficou perturbada porque ninguém em seu local de trabalho pareceu se incomodar com o fato de que um determinado grupo pudesse conferir a si mesmo a autoridade para banir palavras (e desdenhar ou mesmo punir aqueles que continuaram a usá-las), sem se dar conta de qualquer falha ética de sua parte e sem perceber o perigo de tal censura, que poderia facilmente se estender, digamos, a opiniões pessoais, tópicos de conversação — ou até mesmo livros. Por fim, minha cliente acreditava que toda a discussão constituía um excelente exemplo de "diversidade", "inclusão" e "equidade" — termos que se tornaram verdadeiros mantras para os departamentos de recursos humanos ou aprendizagem e desenvolvimento (ela trabalhava neste último). Considerava-os "mecanismos de doutrinação corporativa e propaganda ideológica" e parte da maneira pela qual o politicamente correto — típico, sobretudo, de muitos progra-

---

I Obtive permissão expressa de minha cliente para fornecer todas essas informações.

mas universitários — estende seu alcance para a cultura mais ampla. No entanto, o mais importante foram as perguntas que ela me fez em uma de suas cartas: "Seria o caso de dar um basta? Quando e onde paramos? Se uma pequena minoria, mesmo hipoteticamente, acha algumas palavras ofensivas, o que acontecerá? Continuamos a proibir palavras indefinidamente?"

O que minha cliente estava percebendo — pelo menos de seu ponto de vista — *não* era um único evento, hipoteticamente capaz de conduzir os envolvidos por um caminho perigoso, mas uma variedade ou sequência de eventos unidirecionais identificável e com relação de causalidade. Esses eventos pareciam formar um padrão coerente, associado a uma ideologia com propósito, explícita e implicitamente, direcional. Além disso, o efeito dessa direcionalidade vinha se manifestando, ao que tudo indicava, por um período de tempo razoável, não apenas no mundo corporativo de minha cliente, mas no mundo mais amplo de instituições sociais e políticas em torno da empresa para a qual ela trabalhava. Embora bastante isolada no departamento que, por acaso, integrava (o epicentro da blitz ideológica da empresa em questão), ela percebia à sua volta evidências de que os processos que a perturbavam tinham um efeito prejudicial sobre outras pessoas, além do efeito em sua consciência. É importante entender que, para minha cliente, essas questões não eram conceitos filosóficos insignificantes. Elas a incomodavam profundamente e perturbavam sua vida.

É claro que ser obrigado a fazer coisas estúpidas e odiosas é desmoralizante. Alguém designado para uma tarefa inútil ou mesmo contraproducente acabará esmorecendo, se tiver algum bom senso, e encontrará dentro de si pouquíssima motivação para realizá-la. Por quê? Porque cada fibra de seu ser genuíno luta contra essa necessidade. Fazemos as coisas que fazemos porque as consideramos importantes, em comparação com todo o resto. Julgamos o que valorizamos como algo digno de sacrifício e busca. Essa dignidade nos motiva a agir, apesar do fato de a ação ser difícil e perigosa. Quando somos solicitados a fazer coisas que consideramos odiosas e estúpidas, ao mesmo tempo, somos forçados a agir de forma contrária à estrutura de valores que nos motiva a seguir em frente com coragem e nos protege contra a degeneração em confusão e terror. "Sê fiel a ti mesmo",[1] como disse Polônio em *Hamlet*, de Shakespeare. Esse "ti mesmo" — o "eu", a psique integrada — é, na verdade, a arca que nos protege quando as tempestades desabam e o nível da água sobe. Agir violando seus preceitos — suas crenças fundamentais — é conduzir o próprio navio para os baixios da destruição. Agir violando os preceitos desse "eu" fundamental é trapacear no próprio jogo, sofrer o vazio da traição, perceber, na esfera abstrata, e experimentar, de forma encarnada, a perda que inevitavelmente está por vir.

Que preço minha cliente pagou por sua subjugação inicial aos ditames arbitrários de seus gerentes? Ela era uma imigrante de um país do antigo bloco soviético e já experimentara mais do que o suficiente da ideologia autoritária. Em consequência, sua incapacidade de determinar como poderia objetar ao que estava acontecendo a deixou se sentindo fraca e conivente. Além disso, nenhuma pessoa sensata poderia permanecer motivada a se esforçar em um lugar, como seu local de trabalho acabou se tornando, onde absurdos de tipo conceitual não apenas ocorriam continuamente, mas eram encorajados ou, pior ainda, exigidos. Tal "ação" ridiculariza o próprio trabalho produtivo — até mesmo a própria ideia de trabalho produtivo (e isso é, de fato, parte da verdadeira motivação para esse comportamento: pessoas que se ressentem com a competência e a produtividade genuínas têm todos os motivos para minar e denegrir até os conceitos de ambos). Então, o que ela fez sobre o estado desmoralizante em que se encontrava?

Minha cliente não se sentia confiante o suficiente no seu cargo ou em relação à capacidade dos seus gerentes para que pudesse discutir abertamente as suas objeções, embora as nossas conversas evidenciassem o seu desejo intenso de escapar da situação. Em consequência, ela começou a desenvolver o que poderia ser considerado uma ação de retaguarda. Ela já estava envolvida no desenvolvimento de projetos de treinamento interno para a empresa, como mencionamos. Foi possível, portanto, começar a se diversificar, oferecendo seus serviços como palestrante em uma variedade de conferências corporativas. Embora nunca tenha confrontado diretamente a questão do flip chart (e pode ter sido sábio evitar fazê-lo), ela começou a falar contra o tipo de pseudociência que caracteriza muitas das ideias que os gerentes corporativos, em especial nos departamentos de recursos humanos, consideram válidas. Por exemplo, realizou uma série de palestras criticando a moda generalizada de "estilos de aprendizagem" — uma teoria baseada na ideia de que existem entre quatro e oito diferentes modalidades preferidas e mais favoráveis para cada indivíduo, quando usadas para dominar novas ideias. Entre eles estão o visual, o auditivo, o verbal, o físico e o lógico.

O problema com a teoria dos estilos de aprendizagem? De forma bem básica: simplesmente não há qualquer evidência de sua validade. Em primeiro lugar, embora os alunos possam manifestar preferência por uma forma de transmissão de informações em detrimento da outra, do ponto de vista prático, transmiti-las de determinada forma não melhora seu desempenho acadêmico.[2] Em segundo lugar (e isso faz sentido, dado o primeiro problema), não há evidências de que os professores possam avaliar com precisão o "estilo de aprendizagem" de seus alunos.[3] Portanto, embora não tenha sido possível confrontar diretamente a tolice específica que a perturbava, após uma longa estratégia e bastante trabalho, minha cliente conseguiu se opor, de maneira muito eficaz, à ignorância que se passava

REGRA 5

por conhecimento psicológico entre um subconjunto substancial de seus colegas de trabalho (e funcionários de outras empresas, onde aconteciam as mesmas coisas). Ela também havia trabalhado como jornalista para um dos principais jornais da Albânia, seu país de origem, e começou a dar prioridade a isso. Embora não fosse bem remunerado, o trabalho possibilitou que ela desenvolvesse uma excelente reputação profissional e que batalhasse na mídia impressa pelo que acreditava, alertando os cidadãos de seu Estado, outrora dominado por comunistas, acerca do movimento em direção à opinião totalitária, que começava a se tornar atraente para as pessoas no Ocidente.

Que preço minha cliente pagou por sua decisão de se posicionar e lutar? Para começar, ela teve que enfrentar seu medo de represálias, bem como o fato de que tal medo — aliado à profunda aversão que sentia pelas manobras ideológicas que caracterizavam seu local de trabalho — estava minando seu interesse pelo cargo, bem como fazendo-a se sentir inadequada e covarde. Então, teve que ampliar suas atividades profissionais: primeiro, correr o risco de se oferecer como palestrante em convenções corporativas (e as pessoas geralmente são muito relutantes em falar em público — é um medo comum, muitas vezes severo o suficiente para interferir no progresso da carreira);[4] segundo, dominar a literatura, capacitando-se a falar de maneira confiável e informada; e terceiro, apresentar material que, dada a sua natureza crítica, estava fadado a ofender uma proporção razoável dos presentes (precisamente aqueles que aceitavam e propagavam as teorias que ela agora desacreditava). Tudo isso significava enfrentar seu medo — de inação tanto quanto de ação. Essas mudanças foram um intenso desafio, mas a consequência foi a expansão de sua personalidade e competência, bem como a consciência de que estava fazendo uma contribuição social genuína.

Acredito que o bem que as pessoas fazem, por menor que pareça, tem uma influência mais ampla no mundo do que se imagina, e acredito o mesmo sobre o mal. Cada um de nós é mais responsável pelo estado do mundo do que acreditamos ou nos sentiríamos confortáveis em aceitar. Sem atenção cuidadosa, a própria cultura se inclina para a corrupção. A tirania cresce devagar e exige que recuemos a passos relativamente pequenos. Mas cada passo para trás aumenta a possibilidade do próximo recuo. Cada traição de consciência, cada ato de silêncio (apesar do ressentimento que experimentamos quando silenciados) e cada racionalização enfraquece a resistência e aumenta a probabilidade do próximo movimento restritivo. É isso que acontece quando aqueles que progridem se deleitam com o poder recém-adquirido — e essas pessoas sempre existirão. É melhor se posicionar, vigilante, quando os custos são relativamente baixos — e, talvez, quando as potenciais recompensas ainda não tenham desaparecido. Melhor se posicionar antes que a capacidade de fazê-lo seja comprometida de forma irremediável. Infelizmente, muitas vezes as pessoas agem contra sua consciência — mesmo sabendo disso —, e o inferno tende a chegar, passo a passo, uma traição após a outra. Lembre-se de que é raro que as pessoas se posicionem contra o que sabem ser errado, mesmo quando as consequências são relativamente pequenas. E isso é algo a considerar profundamente, se você está preocupado em levar uma vida moral e cuidadosa: se não objetar quando as transgressões contra sua consciência são menores, por que presumir que não participará voluntariamente quando elas de fato saírem do controle?

Parte de se mover para Além da Ordem é saber quando há motivos para isso. Parte de se mover para Além da Ordem é entender que sua consciência tem primazia sobre sua ação, de forma a se sobrepor ao dever social convencional. Se você decidir se posicionar e recusar uma ordem, se fizer algo que os outros desaprovam, mas que acredita firmemente ser o corre-

REGRA 5 149

to, deve estar em uma posição de confiar em si mesmo. E isso requer tentar viver uma vida honesta, significativa e produtiva (exatamente o tipo de vida de uma pessoa que despertaria sua confiança). Se você agiu com honra — e, portanto, se mostrou uma pessoa confiável —, será a sua decisão de se recusar a obedecer ou agir de maneira contrária às expectativas do público que ajudará a sociedade a se manter de pé. Ao fazer isso, você pode se juntar à força da verdade que põe fim à corrupção e à tirania. O indivíduo soberano, desperto e atento à sua consciência, é a força que impede o grupo — como estrutura necessária que norteia as relações sociais normativas — de se tornar cego e mortal.

Não quero terminar esta parte em um tom de falso otimismo. Em correspondência posterior com minha cliente, soube que ela mudou de emprego — de uma grande organização para outra — várias vezes nos anos que se seguiram. Em um dos empregos, ela conseguiu um bom cargo, que possibilitou que se envolvesse em um trabalho produtivo, sensato e significativo. No entanto, embora bem-sucedida nessa empresa, ela foi demitida durante uma reorganização corporativa e, desde então, descobriu que as outras empresas para as quais trabalhou estão totalmente dominadas pelos modismos das políticas linguísticas e de identidade, assim como seu local de trabalho original. Alguns dragões estão por toda parte e não são fáceis de derrotar. Mas suas tentativas de contra-atacar — seu trabalho para desmascarar teorias pseudocientíficas; seu trabalho como jornalista — ajudaram a fortalecê-la contra a depressão e a reforçar sua autoestima.

FORTIFIQUE SUA POSIÇÃO

Quando a cultura se desintegra — porque se recusa a se conscientizar de sua própria patologia; porque o herói visionário está ausente —, ela desaba no caos subjacente a tudo. Sob tais condições, o indivíduo pode mergulhar de maneira voluntária e tão profunda quanto ousar, e redescobrir os princípios eternos que renovam a visão e a vida. A alternativa é desespero, corrupção e niilismo — subjugação impensada às falsas promessas do utopismo totalitário e da vida como um escravo infeliz, mentiroso e ressentido.

Se você deseja se envolver em um grande empreendimento — mesmo que se considere uma mera peça da engrenagem —, precisa deixar de fazer coisas que odeia. Deve fortificar sua posição, independentemente de sua mesquinhez e pequenez, enfrentar a falsidade organizacional que mina seu espírito, enfrentar o caos que emerge, resgatar seu pai quase morto das profundezas e viver uma vida genuína e verdadeira. Do contrário, a natureza se envergonha, a sociedade se torna estúpida e você continua uma marionete, com seus cordões manipulados por forças demoníacas que operam nos bastidores — e tem mais uma coisa: a culpa é sua. Ninguém está destinado, no sentido determinístico, a permanecer uma marionete.

Não estamos desamparados. Mesmo sob os escombros das vidas mais destruídas, ainda podemos encontrar armas úteis. Da mesma forma, até o gigante de aparência mais terrível pode não ser tão onipotente quanto proclama ou aparenta. Admita a possibilidade de ser capaz de revidar; a possibilidade de resistir e preservar sua alma — e talvez até mesmo seu trabalho. (Mas também há a possibilidade de surgir um emprego melhor se conseguir tolerar a ideia da transformação.) Se você está disposto a se conceituar como alguém que poderia — e, talvez mais importante, deveria — defender sua posição, pode começar a

REGRA 5

perceber as armas à sua disposição. Se o que está fazendo o leva a atacar os outros impulsivamente; se o que está fazendo destrói sua motivação para seguir em frente; se suas ações e omissões fazem com que sinta desprezo por si mesmo e, pior, pelo mundo; se a maneira como conduz sua vida impossibilita que acorde feliz pela manhã; se está atormentado por um profundo sentimento de autotraição — talvez esteja optando por ignorar aquela voz calma e baixa, por mais inclinado que possa estar a considerá-la algo a que só os fracos e ingênuos atendem.

Se em seu trabalho você for requisitado a fazer algo que desperte o desprezo por si mesmo — que o leve a se sentir fraco e envergonhado, propenso a atacar aqueles que ama, sem vontade de ter um desempenho produtivo e cansado de sua vida —, é possível que seja hora de refletir, avaliar, criar estratégias e se colocar em uma posição em que seja capaz de dizer não.[II] Talvez você conquiste mais respeito das pessoas às quais se opõe por motivos morais, mesmo que ainda pague um preço alto por suas ações. Talvez elas até venham a repensar a própria postura — se não agora, com o tempo (já que suas consciências podem atormentá-las com a mesma voz calma e baixa).

PRATICABILIDADES

Talvez você também deva se preparar para uma mudança lateral — para outro emprego, por exemplo, constatando algo como: "Esta profissão está anestesiando minha alma, e definitivamente não é para mim. É hora de dar os passos necessários, e meticulosos, para organizar meu currículo e me engajar na difícil, exigente e muitas vezes ingrata busca de um novo emprego"

II Talvez não só uma vez, porque isso significa uma reação muito impulsiva; talvez não só duas vezes, pois isso ainda pode não constituir evidência suficiente para arriscar empreender o que pode ser uma guerra genuína; mas definitivamente três vezes, quando um padrão foi claramente estabelecido.

(mas na qual você só precisa ter sucesso uma vez). Talvez possa encontrar um cargo que pague melhor e seja mais interessante, e no qual trabalhe com pessoas que não apenas se recusem a aniquilar seu espírito, mas também o rejuvenesçam. Talvez seguir os ditames da consciência seja, de fato, o melhor plano possível à sua disposição — o mínimo a fazer, caso contrário, você terá que viver com o seu senso de autotraição e o reconhecimento de que suportou o que, na verdade, era intolerável. Nada disso é bom.

Posso ser demitido. Bem, prepare-se agora para procurar e conseguir outro emprego, que com sorte será melhor (ou para discutir com seu gerente com um argumento bem preparado e articulado). E não parta do pressuposto de que deixar o emprego, mesmo que de maneira involuntária, seja necessariamente algo ruim.

Tenho medo de mudar. Bem, claro que tem, mas medo comparado a quê? Esse medo se equipara ao de continuar em um trabalho no qual o que está em jogo é a essência de ser; no qual se torna mais fraco, mais desprezível, mais amargo e mais sujeito à pressão e à tirania ao longo dos anos? Existem poucas opções na vida em que não há risco de ambos os lados, e muitas vezes é necessário contemplar com a mesma minúcia os riscos de mudar e de permanecer inerte. Tenho visto muitas pessoas mudarem, às vezes após vários anos de estratégias, e acabarem em uma situação melhor, psicológica e pragmaticamente, depois de sua provação.

Talvez ninguém mais me queira. Bem, a taxa de rejeição de candidaturas para novos empregos é extraordinariamente alta. Digo aos meus clientes para presumir uma taxa de 50:1, assim, suas expectativas são definidas de forma realista. Em muitos casos, você será preterido para vários cargos para os quais está qualificado. Mas isso raramente é *pessoal*. Em vez disso, é uma condição de existência, uma consequência

REGRA 5

153

inevitável de uma sujeição um tanto arbitrária às condições ambivalentes de dignidade que caracterizam a sociedade. É consequência do fato de que currículos são fáceis de divulgar e difíceis de serem analisados; de que muitos empregos têm candidatos internos não divulgados (e que, portanto, estão apenas seguindo a maré); e de que algumas empresas mantêm um estoque circulante de candidatos, caso precisem contratar rapidamente. Esse é um problema atuarial, estatístico, de parâmetros — e não necessariamente uma indicação de que há algo errado com você. O ideal é incorporar todo o realismo pessimista em suas expectativas, para não ficar desanimado demais. Estime 150 candidaturas, escolhidas a dedo, que acarretarão de 3 a 5 entrevistas. Essa pode ser uma missão de um ano ou mais. É muito menos do que uma vida inteira de infelicidade e trajetória descendente. Mas não é algo insignificante. É preciso se fortalecer para isso, planejar e obter o apoio de pessoas que entendem o que você está fazendo e que avaliem realisticamente a dificuldade e as opções.

No entanto, também pode ser que você esteja atrasado no desenvolvimento de suas habilidades e possa melhorar seu desempenho no trabalho, de modo a aumentar suas chances de ser contratado em outro lugar. Mas não há perda nesse processo. Quando não existem opções de mudança, não se pode dizer "não" com propriedade diante de um poder corrupto. Em consequência, você tem a obrigação moral de se colocar em uma posição de relativa força e fazer o que for necessário para aproveitá-la. Talvez também seja necessário ponderar o pior cenário possível e discuti-lo com aqueles que serão afetados por suas decisões. Entretanto, mais uma vez, vale a pena perceber que ficar onde não deveria estar pode ser o verdadeiro pior cenário: que o arrasta e o mata lentamente ao longo de décadas. Essa não é uma boa morte, embora lenta, e pouquíssimo nela não remete à desesperança que faz as pessoas envelhecerem rapidamente e ansiarem pelo fim da carreira e, pior, da vida. Isso não é aprimoramento. Como diz o velho clichê: se precisa arrancar o Band-Aid, é melhor que seja de uma vez. Você pode até esperar enfrentar alguns dolorosos anos de reconhecimento tardio de sua insuficiência e ser obrigado a enviar quatro, cinco ou dez solicitações de entrevista de emprego por semana, sabendo muito bem que a maioria será rejeitada sem ao menos uma segunda análise. Mas só é preciso ganhar na loteria uma vez, e alguns anos de dificuldade e esperança superam toda uma vida infeliz com uma carreira degenerada e oprimida.

E sejamos claros: não é uma simples questão de odiar o seu trabalho porque ele exige que você acorde muito cedo pela manhã, ou que se arraste até lá quando está muito calor — ou frio, com muito vento ou ainda seco demais — ou quando está deprimido e com vontade de ficar na cama. Não é uma questão da frustração provocada quando é exigido que faça coisas servis ou necessárias, como esvaziar latas de lixo, varrer o chão, limpar banheiros ou, de qualquer outra forma, ocupar um lugar humilde, mas merecido, na base da hierarquia de competência — ou mesmo de tempo de serviço. O ressentimento decorrente desse trabalho necessário é, na maioria das vezes, apenas ingratidão, incapacidade de aceitar um lugar humilde e incipiente, relutância em adotar a posição do tolo ou arrogância e falta de disciplina. A recusa do chamado da consciência não é, de forma alguma, a mesma coisa que a irritação acerca de um baixo status indesejável.

Essa rejeição — a traição da alma — é, na verdade, o requisito para realizar um trabalho comprovadamente contraproducente, absurdo ou inútil; para tratar os outros injustamente e mentir sobre isso; para se enredar em uma ilusão, trair seu "eu" futuro; para tolerar tortura e abusos desnecessários (e observar silenciosamente os outros sofrerem o mesmo tratamento). Essa rejeição é fechar os olhos e concordar em dizer e fazer coisas que traem seus valores mais profundos e que o tornam um tra-

REGRA 5

paceiro em seu próprio jogo. E não há dúvida de que o caminho para o inferno, pessoal e socialmente, não está pavimentado com boas intenções, mas, sim, com a adoção de atitudes e atos que perturbam inevitavelmente a sua consciência.

Não faça o que odeia.

"EM NOSSO KOLKHOZ NÃO HÁ LUGAR PARA SACERDOTES E KULAKS"

REGRA 6

ABANDONE A IDEOLOGIA

OS LUGARES ERRADOS

Depois do lançamento de *12 Regras para a Vida*, minha esposa, Tammy, e eu embarcamos em uma longa viagem de palestras por todo o mundo anglófono e uma boa parte da Europa, especialmente no Norte. A maioria dos teatros em que palestrei eram antigos e muito bonitos, e foi uma delícia estar em prédios com histórias arquitetônicas e culturais tão ricas, onde tantas bandas que amamos tocaram e onde outros artistas tiveram seus grandes momentos. Reservamos 160 salas — geralmente com capacidade para cerca de 2.500 a 3 mil pessoas (embora houvesse espaços menores na Europa e maiores na Austrália). Fiquei — e ainda estou — profundamente impressionado com o fato de haver um público tão grande para minhas palestras — e aparentemente em todos os lugares. A mesma surpresa se estende às minhas aparições no YouTube e em podcasts — em meus canais, nas entrevistas em outros e nos inúmeros vídeos que as pessoas extraem de minhas longas palestras e conversas com jornalistas. Eles foram assistidos ou ouvidos centenas de milhões de vezes. E, por fim, tenho o livro anterior, que atingirá cerca de 4 milhões de exemplares vendidos só em inglês quando o presente volume for publicado e que terá sido traduzido para cinquenta outros idiomas, segundo estimativas. Não é nada fácil saber o que pensar em relação a um público assim.

O que está acontecendo? Qualquer pessoa sensata ficaria perplexa — para dizer o mínimo — com tudo isso. Parece que meu trabalho aborda algo que está ausente na vida de muitas pessoas. Como mencionei anteriormente, baseio grande parte do meu conteúdo nas ideias de grandes psicólogos e outros pensadores, e isso deve valer de alguma coisa. Mas também tenho ponderado continuamente sobre o que de mais específico (se houver) pode estar atraindo a atenção das pessoas e conto com duas fontes de informação para tentar determinar isso com precisão. A primeira é a reação dos próprios indivíduos, quando os encontro logo após uma de minhas palestras ou quando me param na rua, em aeroportos, cafés ou outros locais públicos.

Em uma cidade do Meio-oeste norte-americano (acho que pode ter sido Louisville), um jovem me encontrou após minha palestra e disse: "Uma história rápida. Há dois anos, fui libertado da prisão. Sem casa. Sem grana. Comecei a ouvir suas palestras. Agora tenho um emprego de tempo integral, sou dono do meu apartamento e minha esposa e eu acabamos de ter nossa primeira filha. Muito obrigado." E o "obrigado" foi acompanhado de contato visual direto e um aperto de mão firme, e a história foi contada com uma voz de convicção. As pessoas me contam histórias muito semelhantes na rua, muitas vezes às lágrimas, embora a que acabei de contar fosse talvez um pouco mais drástica do que a média. Elas compartilham acontecimentos de cunho muito pessoal (do tipo que você compartilha apenas com pessoas com as quais se sente seguro). E me sinto muito privilegiado por ser uma dessas pessoas, embora seja emocionalmente exigente ser o ouvinte de constantes revelações pessoais, mesmo quando são tão positivas (ou talvez até por isso mesmo). Acho comovente perceber que tantas pessoas recebe-

REGRA 6

ram tão pouco incentivo e orientação, e quanto bem pode surgir quando recebem um pouco mais. "Eu sabia que você conseguiria" já é um bom começo e ajuda muito a amenizar parte da dor desnecessária do mundo.

Esse é um formato de história que ouço, constantemente, em muitas variações. Quando nos encontramos em particular, as pessoas também me dizem que gostam de minhas palestras e do que escrevo, pois o que digo e escrevo lhes oferece as palavras de que precisam para expressar coisas que já sabem, mas são incapazes de articular. É útil para todos ser capaz de representar explicitamente o que já entendem de maneira implícita. Com frequência, sou atormentado por dúvidas sobre o papel que estou desempenhando, então o fato de as pessoas acharem que minhas palavras corroboram suas crenças profundas — que até então permanecem sem realização ou expressão — é reconfortante, me ajuda a manter a fé no que aprendi e refleti e agora compartilho de forma tão pública. Ajudar as pessoas a se conectar com o que intuem em seu íntimo, mas não conseguem articular, parece ser uma função razoável e valiosa para um homem público e intelectual. E ainda há mais uma informação relacionada ao que estou realizando. Eu a obtive como consequência direta das palestras ao vivo que tantas vezes tive a oportunidade de proferir. É um privilégio e uma dádiva poder falar repetidamente para grandes grupos. Proporciona uma oportunidade em tempo real de julgar o *zeitgeist*, o espírito da época. Também me permite formular e testar imediatamente a comunicabilidade e a capacidade de prender a atenção das novas ideias e, assim, julgar sua qualidade — pelo menos em parte. Isso tudo ocorre durante a palestra, quando observo as reações do público.

Na Regra 9 de *12 Regras para a Vida* — "Presuma que a pessoa com quem está conversando possa saber algo que você não sabe" —, sugiro que, ao falar para um grande grupo, você esteja sempre atento aos indivíduos — a multidão é uma espécie de ilusão. No entanto, é possível ampliar sua atenção visual focada no indivíduo ao ouvir, simultaneamente, todo o grupo, de forma que você o ouça sussurrar, rir, tossir ou o que quer que esteja fazendo, enquanto se concentra em observar indivíduos específicos. O que você deseja da pessoa à sua frente é a atenção total. O que quer ouvir da multidão é o silêncio mortal. Quer ouvir o *nada*. Conseguir isso significa que seus ouvintes não estão distraídos com o que possam estar pensando no momento. Se você está na plateia de uma apresentação e não está totalmente entretido pelo conteúdo, acaba se preocupando com os pequenos desconfortos físicos e muda de posição o tempo todo. Presta atenção aos próprios pensamentos. Começa a pensar no que precisa fazer amanhã. Sussurra algo para a pessoa ao seu lado. Isso tudo contribui para o descontentamento do público e para os ruídos perceptíveis. Mas se você, como orador, estiver posicionado corretamente no palco, física e espiritualmente, terá a atenção absoluta da plateia a tudo o que estiver dizendo, e ninguém fará o menor ruído. Dessa forma, você consegue saber quais ideias têm poder.

Ao observar e ouvir da maneira que acabei de descrever em todas as palestras que ministrei, tornei-me cada vez mais consciente de que a menção de um tópico em particular levava a plateia (e quero dizer todas, sem exceção) a um silêncio mortal: responsabilidade — o tópico central da Regra 4 deste livro: "Perceba que a oportunidade se esconde onde a responsabilidade foi abdicada." Essa reação foi fascinante — e nada previsível. A responsabilidade não é um produto fácil de vender. Os pais sempre se esforçaram para tornar os filhos pessoas responsáveis. A sociedade tenta a mesma coisa, com suas instituições de ensino, estágios, organizações de voluntários e clubes. Fomentar a responsabilidade pode ser considerado o propósito fundamental da sociedade. Mas algo deu errado. Cometemos um erro ou uma série de erros. Por exemplo, passamos muito tempo (grande parte dos últimos cinquenta anos) clamando por direitos, e não estamos mais exigindo o suficiente dos jovens com quem convivemos. Há décadas dizemos aos jovens que devem exigir o que a sociedade lhes deve. Sugerimos que, por causa dessas exigências, os importantes significados de suas vidas serão proporcionados a eles, quando deveríamos ter feito o contrário: mostrar que o significado que revigora a vida em todas as suas tragédias e decepções está em carregar um fardo nobre. Como deixamos de fazer isso, eles cresceram procurando significado nos lugares errados. E isso os deixou vulneráveis a respostas fáceis e suscetíveis à força amortecedora do ressentimento. O que, no desenrolar da história, nos levou a esse ponto? Como surgiu essa vulnerabilidade, essa suscetibilidade?

TALVEZ ELE SÓ ESTEJA DORMINDO

No último quarto do século XIX, o filósofo alemão Friedrich Nietzsche disse a famosa frase: "Deus está morto." Esse enunciado ficou tão famoso que você pode até vê-lo rabiscado nas paredes de banheiros públicos, onde muitas vezes assume a seguinte forma: "Deus está morto" — Nietzsche. "Nietzsche está morto" — Deus. O grande pensador não fez essa afirmação de maneira narcisista ou exultante. A opinião dele derivava de seu medo de que todos os valores judaico-cristãos, que serviam de base para a civilização ocidental, tivessem sido perigosamente submetidos a uma crítica racional casual, e que seu mais importante axioma — a existência de uma divindade transcendente e todo-poderosa — fora fatalmente contestado. Nietzsche concluiu que tudo logo desmoronaria, de uma maneira psicológica e socialmente catastrófica.

Não é preciso ser um leitor muito atento para notar que Nietzsche descreveu Deus, em *A Gaia Ciência*, como o "que o mundo possuiu de mais sagrado e de mais poderoso até hoje", e os seres humanos modernos como "os assassinos entre os assassinos".[1] Não são os tipos de descrições que você poderia esperar de um racionalista exultante que celebra a morte de uma superstição. Foi uma declaração de desespero absoluto. Em suas outras obras, principalmente em *A Vontade de Poder*, Nietzsche descreveu o que ocorreria no século seguinte e além por causa desse ato assassino.[2] Ele profetizou (e essa é a palavra correta para isso) que duas consequências principais surgiriam — aparentemente opostas, embora cada uma delas se interligasse de forma inextricável e causal —, ambas associadas à morte do ritual, da história e da crença tradicionais.

Nietzsche acreditava que, à medida que o propósito da vida humana se tornava incerto fora da estrutura intencional do pensamento monoteísta e do mundo significativo que ela propunha, experimentaríamos um aumento existencialmente devastador do niilismo. Como alternativa, sugeriu ele, as pessoas recorreriam à identificação com a ideologia totalitária e rígida: como substituta das noções humanas para o Pai transcendente de toda a criação. O prognóstico de Nietzsche para os dois cenários que surgiriam no rescaldo da morte de Deus: a dúvida insidiosa e a certeza esmagadora.

O incomparável romancista russo Fiódor Dostoiévski abordou a mesma questão que Nietzsche — mais ou menos na mesma época — em sua obra-prima *Os Possessos* (também conhecida como *Os Demônios*).[3] O protagonista desse romance, Nikolai Stavróguin, desposa os mesmos ideais que posteriormente deram origem ao comunismo revolucionário, embora sua vida fictícia se desenrole décadas antes do início da grande turbulência que se tornou a União Soviética. Na opinião de Dostoiévski, o surgimento desses ideais não foi um desenvolvimento positivo. Ele achava que a adoção de uma ideologia utópica rígida e abrangente, baseada em alguns axiomas su-

REGRA 6

postamente óbvios, representava um perigo político e espiritual com o potencial de exceder em muito toda a brutalidade que ocorrera em nosso passado religioso, monárquico ou até mesmo pagão. Dostoiévski, assim como Nietzsche, previu esses acontecimentos quase cinquenta anos (!) antes da Revolução Leninista na Rússia. Esse nível incompreensível de capacidade profética continua a ser um exemplo emblemático de como o artista e sua intuição trazem à luz o futuro muito antes que os outros o vejam.

Nietzsche e Dostoiévski previram que o comunismo pareceria terrivelmente atraente — uma alternativa aparentemente racional, coerente e moral à religião ou ao niilismo — e que as consequências seriam letais. O primeiro escreveu, em seu estilo inimitavelmente ríspido, irônico e brilhante: "Na verdade, eu gostaria que fizessem alguns experimentos para demonstrar que na sociedade socialista a vida nega a si mesma e se corta pelas raízes. A terra é grande o suficiente e há pessoas o suficiente para que eu considere esse tipo de lição prática e *demonstratio ad absurdum* válida — ainda que só possa ser realizada com um alto custo de vidas humanas."[4] O socialismo a que Nietzsche se referia não era a versão relativamente branda que depois se popularizou na Grã-Bretanha, na Escandinávia e no Canadá, com sua ênfase às vezes genuína na melhoria da vida da classe trabalhadora, mas o coletivismo total da Rússia, da China e de uma série de países menores. Se de fato aprendemos a "lição prática" — a demonstração do absurdo da doutrina — como consequência do "alto custo de vidas" previsto por Nietzsche, ainda não sabemos.

Nietzsche parece ter adotado incondicionalmente a ideia de que o mundo, na maneira postulada pelas ciências físicas emergentes, era ao mesmo tempo objetivo e sem valor. Isso o deixou com uma única escapatória ao niilismo e ao totalitarismo: o surgimento do indivíduo forte o suficiente para criar seus próprios valores, projetá-los na realidade sem valor e, então, segui-los. Ele postulou que, no rescaldo da morte de Deus, seria necessário um novo tipo de homem — o Übermensch (a pessoa superior ou super-homem) — para que a sociedade não flutuasse à deriva em direção às encostas rochosas do desespero e da teorização política excessivamente sistematizada, uma em cada extremo. Os indivíduos que seguem esse caminho, essa alternativa ao niilismo e ao totalitarismo, devem, portanto, produzir sua própria cosmologia de valores.

No entanto, os psicanalistas Freud e Jung acabaram com essa noção, demonstrando que não estamos suficientemente no controle de nós mesmos para criar valores por meio de uma escolha consciente. Além disso, há poucas evidências de que algum de nós tenha a capacidade para criar a si mesmo *ex nihilo* — do nada —, especialmente devido às limitações extremas de nossa experiência, aos vieses de nossas percepções e à curta duração de nossas vidas. Temos uma natureza — ou, muitas vezes, é ela que nos "tem" — e, agora, só um tolo ousaria alegar que temos domínio suficiente sobre nós mesmos para criar, em vez de descobrir, o que valorizamos. Temos capacidade para a experiência reveladora espontânea — artística, inventiva e religiosa. Descobrimos coisas novas sobre nós mesmos o tempo todo, para nosso deleite — e também para nosso desalento, pois muitas vezes somos dominados por nossas emoções e motivações. Lutamos com nossa natureza. Barganhamos com ela. Mas não é nada óbvio que o indivíduo algum dia será capaz de trazer à luz os novos valores que Nietzsche tanto ansiava.

Há outros problemas com o argumento de Nietzsche. Se cada um de nós vive de acordo com os próprios valores criados e projetados, o que resta para nos unir? Esse é um problema filosófico de crucial importância. Como uma sociedade de Übermenschen poderia evitar o constante conflito entre si, a menos que houvesse alguma semelhança nos valores criados? Por fim, não temos

REGRA 6

165

evidências de que algum desses super-homens tenha existido. Em vez disso, ao longo do último século e meio, com a crise moderna de significado e a ascensão de Estados totalitários como a Alemanha nazista, a URSS e a China comunista, parece que chegamos exatamente ao estado niilista ou ideologicamente dominado que Nietzsche e Dostoiévski temiam, com as mesmas consequências catastróficas, tanto sociológicas quanto psicológicas, que eles previam.

Também não é de forma alguma evidente que o valor, embora pareça subjetivo, não seja parte integrante da realidade, apesar da inegável utilidade do método científico. O axioma científico central que nos foi legado pelo Iluminismo — de que a realidade é o domínio exclusivo do objetivo — representa um desafio fatal para a realidade da experiência religiosa, se esta última for fundamentalmente subjetiva (e parece ser exatamente isso). Mas há algo que complica a situação e que parece estar entre o subjetivo e o objetivo: e se houver experiências que em geral se manifestam para uma pessoa de cada vez (como parece ser o caso com muitas revelações), mas que parecem formar um padrão significativo quando consideradas coletivamente? Isso indica que está ocorrendo algo que não é meramente subjetivo, embora não possa ser identificado com facilidade por meio dos métodos existentes da ciência. Em vez disso, pode ser que o valor de algo seja suficientemente idiossincrático — e dependente das particularidades de tempo, de lugar e do indivíduo que o experimenta —; talvez esse valor não possa ser fixado e replicado da maneira necessária para que exista como um objeto. No entanto, isso não significa que o valor não seja *real*: significa apenas que ele é tão complexo que ainda não se enquadra, e pode nunca se enquadrar, na cosmovisão científica. O mundo é um lugar muito estranho, e há momentos em que a descrição metafórica ou narrativa típica da cultura e a representação material tão inerente à ciência parecem se encontrar, quando tudo se junta — quando a vida e a arte refletem igualmente uma à outra.

A psique — a alma — que cria ou é o recipiente de tais experiências parece indiscutivelmente real: a prova está, inclusive, em nossas ações. Todos assumimos axiomaticamente a realidade de nossas existências individuais e experiências conscientes, e estendemos a mesma cortesia aos outros (ou sofremos as consequências). Não é irracional sugerir que tal existência e tal experiência tenham uma profunda estrutura biológica e física subjacente. Aqueles com inclinação psicanalítica sem dúvida assumem que sim, bem como muitos que estudam psicobiologia, especialmente os que se concentram na motivação e na emoção.[5] Essa estrutura, aceita pelos cientistas e pela população em geral em igual medida, parece manifestar a experiência religiosa como parte de sua função básica — e essa função religiosa tem semelhanças suficientes entre as pessoas para, ao menos, nos fazer entender o que significa "experiência religiosa" — principalmente se já a experimentamos em algum momento da vida.

O que isso implica? Talvez que o verdadeiro sentido da vida esteja disponível para ser descoberto, se é que a descoberta em si é possível, pelo indivíduo, sozinho — ainda que ele se comunique com outros indivíduos, do passado e do presente. Portanto, é bem provável que o verdadeiro sentido da vida não seja encontrado no que é objetivo, mas, sim, no subjetivo (e, ainda assim, universal). A existência de consciência, por exemplo, fornece algumas evidências disso, assim como o fato de que experiências religiosas podem ser induzidas quimicamente, bem como por meio de práticas como dançar, entoar, jejuar e meditar. Ademais, o fato de as ideias religiosas serem capazes de unir um grande número de pessoas sob um único guarda-chuva moral (embora tais ideias também possam se dividir em seitas) indica um chamado interno universal. Considerada sua aparente semelhança e necessidade, bem como a quase certeza de que a capacidade para atribuir valor é uma antiga função evoluída, selecionada pela própria realidade que estamos tentando definir e compreender, por que presumimos com tanta facilidade que nada disso é real?

Vimos as consequências das alternativas totalitárias nas quais o coletivo deve carregar os fardos da vida, traçar o caminho adequado e transformar o mundo terrível na utopia prometida. Os comunistas produziram uma visão de mundo atraente tanto para as pessoas justas quanto para os invejosos e cruéis. Talvez o comunismo pudesse até ter sido uma solução viável para os problemas da distribuição desigual da riqueza que caracterizou a era industrial, se todos os supostamente oprimidos fossem pessoas boas e todo o mal fosse restrito, como teorizado, aos senhores burgueses. Infelizmente para os comunistas, uma proporção substancial dos oprimidos eram incapazes, inconscientes, tolos, libertinos, loucos por poder, violentos, ressentidos e invejosos, enquanto uma proporção substancial dos opressores eram educados, capazes, criativos, inteligentes, honestos e compassivos. Quando o frenesi da deskulakização assolou a recém-criada União Soviética, foram assassinos vingativos e invejosos que redistribuíram a propriedade violentamente tirada de fazendeiros, em sua maioria, competentes e confiáveis. Uma consequência não intencional dessa "redistribuição" de riquezas foi a fome de 6 milhões de ucranianos na década de 1930, em meio a uma das terras mais férteis do mundo.

Os outros grandes vilões do século XX, os nacional-socialistas alemães, também eram, é claro, ideólogos poderosos e perigosos. Sugeriu-se que os acólitos de Hitler foram inspirados pela filosofia de Nietzsche. A afirmação pode, de maneira distorcida, conter alguma verdade, já que certamente estavam tentando criar valores próprios — embora não da mesma forma que os indivíduos cujo surgimento o filósofo propunha.

É mais razoável dizer que Nietzsche identificou as condições culturais e históricas que tornaram extremamente provável o aumento da influência de ideias semelhantes às promovidas pelos nazistas. Os nazistas estavam tentando criar um homem perfeito — pós-cristão, pós-religioso, o ariano ideal — e, definitivamente, formularam esse ideal em total desacordo com os ditames do judaísmo ou do cristianismo. Assim, o ariano perfeito poderia ser — e assim o foi — conceituado pelos nazistas como um "homem superior". Isso não significa que o ideal nazista postulado tivesse qualquer semelhança com o ideal nietzschiano. Muito pelo contrário: Nietzsche era um fervoroso admirador da individualidade e teria considerado a ideia de um homem superior como criação do Estado ao mesmo tempo absurda e abominável.

A ATRAÇÃO FATAL DO FALSO ÍDOLO

Considere aqueles que não foram tão longe a ponto de adotar as desacreditadas ideologias dos marxistas-leninistas e dos nazistas, mas que ainda acreditam nos lugares-comuns que caracterizam o mundo moderno: conservadorismo, socialismo, feminismo (e todos os tipos de -ismos de estudos étnicos e de gênero), pós-modernismo e ambientalismo, entre outros. São todos monoteístas, do ponto de vista prático — ou adoradores politeístas de um número muito pequeno de deuses. Esses deuses são os axiomas e as crenças fundamentais que devem ser aceitos, a priori, em vez de comprovados, antes que o sistema de crenças possa ser adotado; e que, quando aceitos e aplicados ao mundo, possibilitam a prevalência da ilusão de que o conhecimento foi criado.

O processo pelo qual um sistema -ismo pode ser gerado é simples em seus estágios iniciais, mas bastante sinuoso em sua

REGRA 6

aplicação para imitar (e substituir) uma teorização produtiva real. O ideólogo começa selecionando algumas abstrações e, em suas representações de baixa resolução, esconde partes grandes e indiferenciadas do mundo. Entre elas "a economia", "a nação", "o meio ambiente", "o patriarcado", "o povo", "os ricos", "os pobres", "os oprimidos" e "os opressores". O uso de termos únicos sugere uma supersimplificação de fenômenos que, na verdade, são incrivelmente diversos e complexos (essa complexidade mascarada é parte do motivo pelo qual os termos passaram a ter tanto peso emocional). Por exemplo, existem muitas razões para as pessoas serem pobres. Falta de dinheiro é a causa óbvia — mas essa hipotética obviedade é parte do problema com a ideologia. Falta de educação; famílias desestruturadas; bairros dominados pelo crime, alcoolismo, abuso de drogas, criminalidade e corrupção (e a exploração política e econômica que os acompanha); doença mental; falta de um plano de vida (ou mesmo a incapacidade de perceber que formular tal plano é possível ou necessário); baixa conscienciosidade; localização geográfica desfavorável; mudança no cenário econômico e o consequente desaparecimento de setores inteiros de empreendimentos; tendência acentuada de os ricos ficarem ainda mais ricos e de os pobres, cada vez mais pobres; baixa criatividade/interesse empresarial; falta de incentivo — esses são apenas alguns dos múltiplos problemas que geram a pobreza, e a solução para cada um (supondo que exista uma solução) obviamente não é a mesma. Nem os vilões que se escondem atrás de cada suposta causa diferenciável são os mesmos (pressupondo que realmente haja vilões).

Todos esses problemas requerem uma análise cuidadosa e particularizada, seguida pela geração de múltiplas soluções potenciais e pela avaliação criteriosa dessas soluções para garantir o efeito desejado. É incomum ver qualquer problema social sério abordado de forma tão metódica. Também é raro que as soluções geradas, mesmo por um processo metódico, produzam o resultado pretendido. A grande dificuldade de avaliar os problemas em detalhes suficientes para entender o que os causa, aliada à dificuldade igualmente grande de gerar e testar soluções particularizadas, é o bastante para deter até os mais intrépidos, digamos, de ousar o enfrentamento de uma verdadeira praga da humanidade. Uma vez que o ideólogo pode se colocar no lado moralmente correto da equação — sem o esforço genuíno necessário para fazê-lo de forma válida —, é muito mais fácil e instantaneamente gratificante reduzir o problema a algo simples e nomear um malfeitor, que pode então ser moralmente antagonizado.

Após dividir o mundo em grandes partes indiferenciadas, descrever o(s) problema(s) característico(s) de cada uma delas e identificar os vilões adequados, o teórico do -ismo cria um pequeno número de forças ou princípios explicativos (que podem até contribuir de fato para a compreensão ou a existência dessas entidades abstratas). Então, ele concede a esses princípios o poder de causa primária, enquanto ignora outros de igual ou maior importância. Para tais fins, é mais eficaz utilizar um sistema motivacional importante, um fato sociológico ou conjectura em grande escala. Também é bom escolher esses princípios explicativos por meio de um negativo, ressentido e destrutivo argumento não declarado e, em seguida, transformar a discussão desse argumento e a razão de sua existência em tabu para o ideólogo e seus seguidores (sem mencionar os críticos). Em seguida, o falso teórico apresenta uma teoria *post hoc* sobre como todo fenômeno, não importa quão complexo, pode ser considerado uma consequência secundária do novo sistema totalizante. Por fim, uma escola de pensamento emerge para propagar os métodos dessa redução algorítmica (particularmente quando o pensador espera alcançar o domínio nos mundos conceitual e real), e aqueles que se recusam a adotar o algoritmo ou que criticam seu uso são tácita ou explicitamente demonizados.

REGRA 6

Intelectuais incompetentes e corruptos prosperam nessa atividade, nesses jogos. Os primeiros jogadores de um determinado jogo desse tipo são geralmente os mais brilhantes dos participantes. Eles elaboram uma história em torno de seu princípio causal de escolha, demonstrando como aquela força motivacional hipoteticamente primária contribuiu profundamente para qualquer domínio da atividade humana. Às vezes, isso é até útil, pois tal atividade é capaz de esclarecer como uma motivação outrora tabu de ser discutida, ou considerada, pode desempenhar um papel mais relevante na influência do comportamento humano e da percepção do que era anteriormente visto como aceitável (isso é o que aconteceu, por exemplo, com Freud e sua ênfase em sexo). Os seguidores desses primeiros jogadores, desesperados para se juntar a uma nova hierarquia de dominação potencialmente acessível (já que a antiga está assoberbada por seus atuais ocupantes), ficam fascinados por essa história. Ao fazer isso, sendo menos inteligentes do que aqueles a quem seguem, substituem sutilmente as expressões "contribuíram" ou "influenciaram" para "causaram". O(s) criador(es) da história, satisfeito(s) com a adesão de seguidores, também começa(m) a mudá-la nesse sentido. Ou se opõe(m), o que não importa. O culto já está criado.

Esse tipo de teorização é particularmente atraente para pessoas inteligentes, mas preguiçosas. O cinismo e a arrogância também ajudam. Os novos adeptos serão ensinados que dominar esse jogo é sinônimo de se educar e aprenderão a criticar teorias alternativas, métodos diferentes, e assim sucessivamente, até chegarem à essência do fato em si. Se a teoria vem acompanhada de um vocabulário impenetrável, tanto melhor. Então, os potenciais críticos levarão um valioso tempo até para aprender a decodificar os argumentos. E há um aspecto conspiratório que rapidamente passa a se espalhar pela escola, onde ocorre tal "educação" e onde gradualmente tal atividade passa a ser a única permitida: não critique a teoria — e não seja discriminado. Não se torne impopular. E até: não receba uma nota ruim ou uma crítica ruim, expressando uma opinião tabu (e mesmo quando isso não ocorre na prática, o medo de que possa acontecer mantém muitos alunos e professores, ou funcionários e empregadores, sob controle).

Freud, como observamos, tentou reduzir a motivação à sexualidade, à libido. O mesmo pode ser feito de forma bastante eficaz por qualquer pessoa suficientemente alfabetizada, inteligente e verbalmente fluente. Isso ocorre porque a "sexualidade" (assim como qualquer termo único multifacetado) pode ser definida de maneira tão estrita ou tão vaga quanto necessário por aqueles que a usam para oferecer explicações abrangentes. Não importa como é definido, o sexo é um fenômeno biológico de crucial importância — fundamental para a própria vida complexa — e sua influência pode, portanto, ser genuinamente detectada ou plausivelmente inventada em qualquer campo importante de empreendimento e, então, exagerada (enquanto outros fatores de importância significativa têm sua relevância diminuída). Desse modo, o princípio explicativo único pode ser expandido de forma indefinida, de acordo com as pretensões.

Marx fez a mesma coisa quando descreveu o homem de uma maneira fundamentalmente econômica e baseada em classe, e a história como o eterno campo de batalha da burguesia e do proletariado. Tudo pode ser explicado por meio de um algoritmo marxista. Os ricos são ricos porque exploram os pobres. Os pobres são pobres porque são explorados pelos ricos. Toda desigualdade econômica é indesejável, improdutiva e uma consequência de injustiça e corrupção fundamentais. É claro que há — como no caso de Freud — algum valor nas observações de Marx. A classe é um elemento importante das hierarquias sociais e tende a se manter com certa estabilidade ao longo do tempo. O bem-estar econômico, ou a falta dele, é de crucial importância. E o fato condenável da distribuição de Pareto[6] — a

REGRA 6

tendência de quem tem mais a obter mais (o que parece se aplicar a qualquer sistema econômico) — significa que a riqueza se acumula nas mãos de uma minoria. As pessoas que compõem essa minoria mudam de maneira substancial, independentemente da mencionada estabilidade de classe,[7] e esse é um ponto crucial, mas o fato de os relativamente ricos sempre serem uma minoria — e uma pequena minoria, aliás — parece terrivelmente imutável.

No entanto, sejam quais forem suas virtudes hipotéticas, a implementação do marxismo foi um desastre em todos os lugares onde foi experimentada — e isso motivou as tentativas de seus impenitentes aspirantes a adeptos atuais de revestir suas ideias com uma nova roupagem e continuar em frente, como se nada de significativo tivesse mudado. Pensadores fortemente influenciados por Marx e com esmagadora influência em grande parte da academia hoje (como Michel Foucault e Jacques Derrida) modificaram a simplificação marxista, essencialmente, ao substituírem "economia" por "poder" — como se o poder fosse a única força motivadora por trás de todo comportamento humano (em oposição, digamos, à autoridade competente, ou à reciprocidade de atitude e ação).

A redução ideológica desse tipo é a marca registrada do mais perigoso dos pseudointelectuais. Os ideólogos são o equivalente intelectual dos fundamentalistas — inflexíveis e rígidos. Seu senso de superioridade moral e sua reivindicação moral à engenharia social são igualmente profundos e perigosos. Pior ainda: os ideólogos reivindicam a própria racionalidade. Então, tentam justificar suas afirmações como lógicas e ponderadas. Pelo menos os fundamentalistas admitem devoção a algo em que acreditam de maneira arbitrária. São muito mais honestos. Além disso, os fundamentalistas são limitados por uma relação com o transcendente. O que significa que Deus, o centro de seu universo moral, permanece fora e acima do entendimento completo, de acordo com o próprio credo fundamentalista. Judeus de direita, islamitas rigorosos e cristãos ultraconservadores acabam por admitir, quando pressionados, que Deus é essencialmente um mistério. Essa concessão fornece pelo menos algum limite para suas reivindicações, como indivíduos, de retidão e poder (já que o fundamentalista genuíno permanece subordinado a Algo que ele não pode alegar compreender totalmente, muito menos dominar). Para o ideólogo, porém, nada está fora da compreensão ou do domínio. Uma teoria ideológica explica tudo: todo o passado, todo o presente e todo o futuro. Isso significa que um ideólogo pode se considerar detentor da verdade absoluta (algo proibido ao fundamentalista fiel a si mesmo). Não há pretensão mais totalitária ou situação em que os piores excessos de orgulho tenham maior probabilidade de se manifestar (e não só o orgulho, mas também o ardil, uma vez que a ideologia é incapaz de explicar o mundo ou prever o futuro).

Moral da história? Cuidado com os intelectuais que transformam em monoteísmo suas teorias de motivação. Cuidado, em termos mais técnicos, com as causas univariadas (de variável única) para problemas diversos e complexos. Claro, o poder desempenha um papel na história, assim como a economia. Mas o mesmo pode ser dito sobre ciúme, amor, fome, sexo, cooperação, revelação, raiva, repulsa, tristeza, ansiedade, religião, compaixão, doença, tecnologia, ódio e acaso — nenhum dos quais pode ser definitivamente reduzido a outro. No entanto, a tentação de se fazer isso é óbvia: simplicidade, facilidade e a ilusão de domínio (que pode ter consequências psicológicas e sociais muito úteis, especialmente em curto prazo) — e, não esqueçamos, a frequente descoberta de um vilão, ou conjunto de vilões, sobre os quais descarregar as motivações ocultas da ideologia.

REGRA 6

RESSENTIMENTO

O ressentimento[8] — ressentimento hostil — ocorre quando o fracasso individual ou o status insuficiente é atribuído ao sistema no qual essa falha ou status inferior ocorre e, mais particularmente, às pessoas que alcançaram sucesso e status elevado dentro desse sistema. O sistema é arbitrariamente taxado como injusto. Os bem-sucedidos são considerados exploradores e corruptos, pois podem ser julgados, de maneira lógica, como beneficiários indignos, bem como apoiadores voluntários, conscientes, egoístas e imorais, de um sistema injusto. Uma vez que essa cadeia causal de pensamento tenha sido aceita, todos os ataques aos bem-sucedidos podem ser interpretados como tentativas moralmente justificadas de fazer justiça — em vez de, digamos, manifestações de inveja e cobiça que poderiam ter sido tradicionalmente definidas como vergonhosas.

Há outra característica típica da busca ideológica: as vítimas apoiadas por ideólogos são sempre inocentes (e às vezes elas são *de fato* inocentes), e os acusados são sempre maus (outro tipo que não falta em nosso mundo). Mas o fato de que existam vítimas e acusados genuínos não é desculpa para fazer declarações generalizadas de baixa resolução sobre o palco global de vítimas sem culpa e acusados malignos — especialmente quando não se leva em consideração a presunção de inocência do acusado. *Não se pode presumir a culpa de um grupo* — e certamente não uma que se estenda por várias gerações.[9] Esse é um sinal claro das más intenções do acusador e um prenúncio de uma catástrofe social. Mas a vantagem é que o ideólogo, com poucos custos práticos, pode se conceber tanto como nêmesis do opressor quanto como defensor do oprimido. Quem precisa das distinções sutis exigidas pela determinação de culpa ou inocência individual quando um prêmio tão grandioso é convidativo?

Seguir o caminho do ressentimento é arriscar uma amargura tremenda. Isso é, em grande parte, uma consequência da identificação do inimigo externo, e não interno. Por exemplo, se a riqueza é o problema e os ricos são percebidos como a razão da pobreza e de todos os outros problemas do mundo, então os ricos se tornam o inimigo — indistinguíveis, em algum sentido profundo, de um nível demoníaco do mal no que tange à sua importância psicológica e social. Se o problema é o poder, então aqueles que estabeleceram qualquer autoridade são a causa singular do sofrimento do mundo. Se a masculinidade é o problema, então todos os homens (ou mesmo o conceito de masculino) devem ser atacados e vilipendiados.[1] Tal divisão do mundo em um diabo externo e um santo interno justifica o ódio proveniente do senso de superioridade moral — exigido pela moralidade do próprio sistema ideológico. Esta é uma armadilha terrível: uma vez identificada a fonte do mal, torna-se dever dos justos erradicá-la. É um convite à paranoia e à perseguição. Um mundo onde só você e as pessoas com pensamento semelhante ao seu são bons é também um lugar onde você está cercado por inimigos empenhados em sua destruição, que precisam ser combatidos.

---

[1] E não pense que o jogo não pode ser (e não seja) jogado de maneira reversa. O mesmo se aplica à feminilidade em muitos lugares do mundo: em árabe, por exemplo, a palavra *awrah* denota as partes íntimas do corpo, que devem ser vestidas. A raiz do termo *awr* significa algo que se aproxima de "fraqueza", "imperfeição" ou "defeito". "Nudez" seria a tradução mais comum em português. Outros significados incluem "falsidade", "artificialidade" ou "cegueira". De acordo com o dicionário compilado por Mohammad Moin, um conhecido estudioso iraniano de literatura persa e estudos iranianos, *awrah* significa "nudez" ou "vergonha" e "mulher jovem". Em consonância com essa rede de ideias, a palavra *awrat*, derivada de *awrah*, foi amplamente usada em várias culturas de influência árabe com o significado de "mulher". É por essas razões que as mulheres são vistas, por exemplo, por aqueles que seguem a vertente *wahhabi* do Islã — ultraconservadora, austera e puritana — como responsáveis pelo mal e pela tentação do mundo, a ponto de que seus movimentos devam ser drástica e severamente restringidos, mesmo que elas não tenham permissão de se apresentar de maneira relevante na esfera pública.

REGRA 6

É moralmente muito mais seguro olhar para si mesmo em busca dos pecados do mundo, pelo menos para alguém honesto e livre de cegueira intencional. É provável que você se torne muito mais lúcido sobre o que é o que, quem é quem e onde está a culpa depois de contemplar a viga em seu próprio olho, em vez do cisco no olho de seu irmão. É provável que suas próprias imperfeições sejam evidentes e abundantes e possam ser encaradas para seu benefício como o primeiro passo na sua jornada de Redentor para melhorar o mundo. Carregar sobre os ombros os pecados do mundo — assumir a responsabilidade pelo que não está certo na sua própria vida e ao seu redor — faz parte do caminho messiânico: parte da imitação do herói, no mais profundo dos sentidos. Essa é uma questão psicológica ou espiritual, e não sociológica ou política. Considere os personagens inventados por criadores de ficção de segunda categoria: eles são divididos em bons e maus. Em contraste, escritores sofisticados mostram essa divisão dentro dos personagens que criam, de modo que cada pessoa se torna o locus da luta eterna entre a luz e as trevas. É muito mais apropriado psicologicamente (e muito menos perigoso socialmente) presumir que você é o inimigo — que são suas fraquezas e insuficiências que estão prejudicando o mundo — do que presumir a sua bondade sagrada e a do seu grupo, e perseguir o inimigo, que, a partir desse ponto, você estará inclinado a enxergar em todos os lugares.

É impossível lutar contra o patriarcado, minimizar a opressão, promover a igualdade, transformar o capitalismo, salvar o meio ambiente, eliminar a competitividade, reduzir o governo ou administrar todas as organizações como um negócio. Esses conceitos têm uma resolução muito baixa. Certa vez assisti ao grupo de comédia Monty Python apresentando aulas de flauta em um tom satírico: sopre uma das pontas e mova os dedos para cima e para baixo nos buracos.[10] Verdadeiro. Mas inútil. Não tem o detalhamento necessário. Da mesma forma, processos e sistemas sofisticados de grande escala não têm uma existência real o suficiente para possibilitar sua transformação unitária abrangente. Mas os cultos do século XX vendem a ideia de que isso é possível. As crenças desses cultos são ao mesmo tempo ingênuas e narcisistas, e o ativismo que eles promovem é usado por pessoas ressentidas e preguiçosas como substituto para realizações efetivas. Os únicos axiomas de indivíduos possuídos pela ideologia são encarados como deuses, que devem ser servidos cegamente por seus proselitistas.

No entanto, assim como Deus, a ideologia está morta. Foi assassinada pelos excessos sangrentos do século XX. Devemos deixá-la em paz, e começar a abordar e considerar os problemas menores, que são definidos de maneira mais precisa. Devemos conceituá-los na escala em que podemos começar a resolvê-los, não culpando os outros, mas tentando lidar com eles a partir de um ponto de vista pessoal e, ao mesmo tempo, assumindo a responsabilidade pelo resultado.

Tenha um pouco de humildade. Limpe seu quarto. Cuide de sua família. Siga sua consciência. Endireite sua vida. Encontre algo produtivo e interessante para fazer e comprometa-se. Quando você puder fazer tudo isso, procure um problema maior e tente resolvê-lo se tiver coragem. Se isso também funcionar, passe para projetos ainda mais ambiciosos. E, como início imperioso desse processo... abandone a ideologia.

REGRA 7

DEDIQUE-SE AO MÁXIMO A PELO MENOS UMA TAREFA E VEJA O QUE ACONTECE

O VALOR DA PRESSÃO E DO CALOR

Quando o carvão é submetido à pressão e ao calor intensos, bem abaixo da superfície da Terra, seus átomos se reorganizam em um alinhamento cristalino de repetição perfeita, formando um diamante. É nessa forma que o carbono que compõe o carvão também atinge o máximo de sua durabilidade (já que o diamante é a mais dura de todas as substâncias). Por fim, ele se torna capaz de refletir a luz. Essa combinação de durabilidade e brilho confere ao diamante as qualidades que justificam seu uso como símbolo de valor. O que é valioso é puro, adequadamente alinhado e reflete a luz — e isso é verdade para uma pessoa tanto quanto para uma pedra preciosa. A luz, é claro, significa o brilho luminoso da consciência elevada e focada. Os seres humanos estão conscientes durante o dia, quando há luz. Muito dessa consciência é visual e, portanto, depende da luz. Ser iluminado é estar excepcionalmente desperto e consciente — é atingir um estado de ser comumente associado à divindade.

Usar um diamante é associar-se ao esplendor solar, como o rei ou a rainha cujo perfil estampa as moedas de ouro que lembram o Sol, um padrão de valor quase universal.

O calor e a pressão transformam a matéria básica do carvão comum na perfeição cristalina de raro valor do diamante. O mesmo pode ser dito de uma pessoa. Sabemos que as múltiplas forças que operam na alma humana muitas vezes não estão alinhadas entre si. Fazemos as coisas que gostaríamos de não fazer e não fazemos as coisas que sabemos que deveríamos fazer. Queremos ser magros, mas nos sentamos no sofá comendo Cheetos e nos desesperamos. Estamos sem direção, confusos e paralisados pela indecisão. Somos puxados em todas as direções pelas tentações, apesar de nossa vontade declarada, e perdemos tempo, procrastinamos e nos sentimos mal com isso, mas não mudamos.

É por essas razões que os povos antigos tinham facilidade em acreditar que a alma humana era assombrada por fantasmas — possuída por espíritos ancestrais, demônios e deuses —, e nenhum deles tinha necessariamente os melhores interesses da pessoa em mente. Desde a época dos psicanalistas, essas forças contrárias, esses espíritos obsessivos, e às vezes malignos, foram conceituados, em termos psicológicos, como impulsos, emoções ou estados motivacionais — ou como complexos, que agem como personalidades parciais unidas dentro da pessoa por meio da memória, mas não da intenção. Nossa estrutura neurológica é de fato hierárquica. Os poderosos servos instintivos ao fundo, controlando a sede, a fome, a raiva, a tristeza, a euforia e a luxúria, podem facilmente ascender e se tornar nossos mestres e, com a mesma facilidade, travar uma guerra interna. A resiliência e a força de um espírito unido não são fáceis de alcançar.

A casa dividida contra si mesma não subsistirá, diz o provérbio. Da mesma forma, uma pessoa mal integrada não consegue

REGRA 7

se controlar quando é desafiada. Ela perde a unidade no nível mais alto da organização psicológica. Perde a mistura adequadamente equilibrada de propriedades, que é outra característica da boa temperança da alma, e não consegue se manter coesa. Reconhecemos isso quando dizemos: "Ele perdeu a cabeça" ou "Ele está em frangalhos". Antes de juntar as peças e reorganizá--las, é provável que essa pessoa seja vítima do domínio de uma ou mais personalidades parciais. Pode ser um espírito de raiva, ansiedade ou dor, emergindo para tomar o controle quando uma pessoa perde sua coesão mental. Você pode ver isso ocorrendo com mais clareza na birra de uma criança de 2 anos. Ela perde a cabeça temporariamente e, naquele momento, é pura emoção. Muitas vezes é uma ocorrência profundamente perturbadora para a própria criança, e, caso manifestada por um adulto, teria uma intensidade aterrorizante para quem a presenciasse. Os sistemas motivacionais arcaicos que governam a raiva jogam a personalidade em desenvolvimento da criança para escanteio e assumem o controle da mente e das ações. Essa é uma derrota real e desastrosa para o ainda frágil ego centralizador, que luta contra as poderosas forças em direção à integração psicológica e social.

A falta de união interna também se manifesta na intensificação do sofrimento, no aumento da ansiedade, na ausência de motivação e na falta de prazer que acompanham a indecisão e a incerteza. A incapacidade de decidir entre dez coisas, mesmo quando desejáveis, equivale a ser atormentado por todas elas. Sem objetivos claros, bem definidos e não contraditórios, é muito difícil obter o senso de engajamento positivo que faz a vida valer a pena. Objetivos claros também limitam e simplificam o mundo, reduzindo a incerteza, a ansiedade, a vergonha e as forças fisiológicas autodestrutivas desencadeadas pelo estresse. A pessoa mal integrada é, portanto, volátil e sem direção — e isso é apenas o começo. A dose certa de volatilidade aliada à falta de direção pode conspirar rapidamente para gerar o desamparo e a depressão típicos da futilidade prolongada. Esse não é apenas um estado psicológico. As consequências físicas da depressão, muitas vezes precedidas pela secreção excessiva de cortisol, o hormônio do estresse, são essencialmente indistinguíveis do envelhecimento rápido (ganho de peso, problemas cardiovasculares, diabetes, câncer e Alzheimer).[1]

As consequências sociais são tão graves quanto as biológicas. Uma pessoa que não está bem estruturada reage de forma exagerada ao menor sinal de frustração ou fracasso. Não é capaz de se engajar em negociações produtivas, nem consigo mesma, porque não consegue tolerar a incerteza de discutir potenciais futuros alternativos. Não consegue se satisfazer, porque não é capaz de obter o que deseja, visto que isso implica ter de escolher uma coisa em vez de outra. E também pode ser imobilizada pelo mais fraco dos argumentos. Uma de suas múltiplas subpersonalidades beligerantes se agarrará a tais argumentos, muitas vezes contrários a seus interesses, e os usará, na forma de dúvidas, para sustentar sua posição contrária. Uma pessoa em conflito profundo pode, portanto, ser detida, metaforicamente, com a pressão de um único dedo sobre seu peito (mesmo que se insurja contra esse obstáculo). Para avançar com determinação, é necessário ser organizado — ser direcionado para algo singular e identificável.

Escolha um alvo. Mire. Tudo isso faz parte do amadurecimento e da disciplina, e é algo a ser devidamente valorizado. Se você não tem objetivo, fica atormentado por tudo. Se não estabelece uma direção, não tem para onde ir, nada para fazer e nada de valor elevado em sua vida, pois o valor exige a classificação das opções e o sacrifício do inferior para o superior. Você realmente quer ser tudo o que poderia ser? Não é muito? Não seria melhor ser algo específico (e depois, talvez, acrescentar algo mais)? Apesar do sacrifício da escolha, não seria também um alívio?

A PIOR DECISÃO DE TODAS

Quando eu cursava a pós-graduação na Universidade McGill, em Montreal, estudando para meu doutorado em clínica, notei uma melhora acentuada no caráter de todos que perseveraram no programa de cinco a seis anos, que tinha um nível crescente de dificuldade. Suas habilidades sociais melhoraram. Eles se tornaram mais articulados. Encontraram um profundo senso de propósito pessoal. Desempenharam uma função útil em relação aos outros. Tornaram-se mais disciplinados e organizados. Divertiram-se mais. Tudo isso apesar do fato de os cursos de pós-graduação muitas vezes serem de qualidade inferior à que poderiam ter, o trabalho clínico não ser remunerado e ser difícil de conseguir, e os relacionamentos com os supervisores de pós--graduação às vezes (mas nem sempre) serem abaixo da média. Os que estavam começando a pós-graduação muitas vezes ainda eram imaturos e confusos. Mas a disciplina que lhes era imposta pela necessidade de pesquisa — e, mais especificamente, pela preparação da tese — logo aprimorou seu caráter. Escrever um trabalho longo, sofisticado e coerente significa, pelo menos em parte, tornar-se mais complexo, articulado e profundo em sua personalidade.

Quando me tornei professor e comecei a orientar alunos de graduação e pós-graduação, observei a mesma coisa. Os alunos de graduação em psicologia que se associaram a um laboratório (e, portanto, assumiram tarefas adicionais) obtiveram notas melhores do que aqueles que se sobrecarregaram menos. Assumir as funções de pesquisadores juniores os ajudou a estabelecer um lugar e uma comunidade, ao mesmo tempo em que exigia que se disciplinassem, principalmente por demandar o uso mais eficiente do tempo. Observo um processo semelhante no meu trabalho como psicólogo clínico. Costumo incentivar meus clientes a escolher o melhor caminho disponível para eles, mesmo que esteja longe de seus ideais. Isso às vezes significa tolerar pelo menos uma diminuição temporária da ambição ou do orgulho, mas tem a vantagem de substituir algo disponível apenas na fantasia por algo real. Quase sempre são observadas melhorias na saúde mental.

Existe algo com o qual vale a pena se comprometer? Já tenho idade suficiente para ter visto o que acontece quando as várias maneiras de responder a essa pergunta se manifestam. Em minha carreira como estudante de graduação e pós-graduação, professor, psicólogo clínico, pesquisador e em minhas várias incursões adicionais, tenho visto caminhos idênticos de desenvolvimento se manifestarem repetidamente. Em princípio, ambos os caminhos estão disponíveis para todos — para cada um dos tolos semidesenvolvidos, errantes, prematuramente cínicos, questionadores, hesitantes e esperançosos que todos somos em graus variados quando jovens e no limiar da idade adulta. Tornou-se evidente para mim que muitos compromissos têm valor duradouro: entre eles destacam-se os que envolvem caráter, amor, família, amizade e carreira (e talvez nessa ordem). As pessoas que permanecem incapazes ou não querem cuidar de seu jardim, por assim dizer, em um ou todos esses domínios, inevitavelmente sofrem por causa disso. No entanto, o compromisso exige sua dose de sacrifício. Buscar um diploma de graduação significa abnegação e estudo, e a escolha de uma determinada disciplina significa abrir mão da possibilidade de outros caminhos de estudo. O mesmo vale para a seleção de um parceiro ou grupo de amigos. O cinismo sobre essas coisas, ou a mera indecisão ou dúvida, encontra um aliado fácil, mas bastante antagônico, na racionalidade negligente e niilista que mina tudo: por que se preocupar? Que diferença isso fará em mil anos? O que torna um caminho preferível a outro — ou a nenhum — de qualquer maneira?

É possível estar satisfeito, ou até mesmo feliz, com um parceiro ou outro, com um grupo de amigos ou outro, com uma car-

REGRA 7

reira ou outra. Em certo sentido, a satisfação que esses cenários trazem pode ser gerada por diferentes escolhas. Cada um desses cenários é também profundamente imperfeito: os parceiros românticos podem ser inconstantes e complexos, assim como os amigos, e toda carreira ou trabalho é caracterizado por frustração, decepção, corrupção, hierarquia arbitrária, política interna e pura idiotice na tomada de decisões. A partir dessa falta de valor específico ou ideal, podemos concluir que não existe uma hierarquia de importância — ou chegar à conclusão afim, ainda mais desesperada, de que nada importa. Mas aqueles que fazem essas inferências, não importa o quanto estejam bem armados de argumentos racionalmente coerentes, pagam um alto preço. As pessoas sofrem quando desistem antes de concluir um curso de graduação ou curso técnico. E quero dizer "desistir", não fracassar, embora os dois possam ser difíceis de distinguir. Às vezes, as pessoas fracassam apenas porque não conseguem gerenciar o trabalho, apesar das boas intenções e da disciplina necessária. É preciso ter uma certa eloquência para trabalhar como advogado de maneira eficaz e um certo grau de destreza no manuseio de objetos mecânicos, por exemplo, para se tornar um carpinteiro. Às vezes, a combinação entre a pessoa e a escolha é tão ruim que nem todo o comprometimento será suficiente para produzir o fim desejado. Mas, muitas vezes, o fracasso é consequência de uma obstinação insuficiente, de uma racionalização elaborada, mas sem sentido, e da rejeição de responsabilidades. E quase nada de bom resulta disso.

As pessoas que não escolhem um emprego ou uma carreira geralmente ficam desarvoradas e à deriva. Podem tentar justificar isso com uma fachada de rebeldia romântica ou cinismo prematuro decorrente da desilusão. Podem recorrer à identificação casual com a exploração artística de vanguarda ou lidar com o desespero e a falta de objetivos apelando ao consumo excessivo de álcool e drogas e suas gratificações instantâneas. Mas nada disso contribui para o sucesso de um homem de 30 anos (muito menos para alguém uma década mais velho). O mesmo se aplica às pessoas que não conseguem escolher e se comprometer com um único parceiro romântico, ou que não sabem ou não querem ser leais aos amigos. Elas se tornam solitárias, isoladas e infelizes, e tudo isso apenas acrescenta a escuridão da amargura ao cinismo que desencadeou o isolamento em primeiro lugar. Esse não é o tipo de círculo vicioso que você deseja que caracterize sua vida.

As pessoas que conheci que concluíram seus cursos de graduação ou cursos técnicos e profissionalizantes eram melhores por isso. Não eram necessariamente "boas". Não estavam operando em seu ideal. Não estavam obrigatoriamente entusiasmadas com suas escolhas ou desprovidas de dúvidas e receios, tampouco tinham a certeza de que seguiriam o caminho de estudo escolhido. Mas estavam muito melhores do que aqueles que recuaram e se deixaram levar pela maré. Os compromissos e os sacrifícios decorrentes amadureceram aqueles que os suportaram e os tornaram pessoas melhores. Sendo assim, o que concluímos? Há muitas coisas com as quais podemos nos comprometer. Pode-se argumentar sobre a natureza arbitrária e até sem sentido de qualquer compromisso, dada a abundância de alternativas e a corrupção dos sistemas que o exigem. Porém, não se pode alegar o mesmo sobre o fato de não nos comprometermos: quem não escolhe uma direção está perdido. É muito melhor se tornar algo do que permanecer algo e acabar virando nada. Isso é válido apesar de todas as limitações e decepções genuínas acarretadas por essa transformação. Para desespero dos cínicos, as decisões ruins estão por toda parte. Mas alguém que transcendeu esse cinismo (ou, mais precisamente, substituiu-o por uma dúvida ainda mais profunda — isto é, a de que a dúvida em si é, em última análise, um guia confiável) argumenta: a pior decisão de todas é nenhuma.

DISCIPLINA E UNIDADE

A disciplina que possibilita a dedicação a uma tarefa começa desde cedo. Em tenra idade, as crianças começam a ordenar a multiplicidade de emoções e motivações, que constituem seus instintos básicos de sobrevivência, em estratégias de cooperação e competição que voluntariamente envolvem outras pessoas — e crianças afortunadas e bem estruturadas lidam com isso de maneira, ao mesmo tempo, socialmente desejável e psicologicamente saudável. Quando a experiência autodirigida de uma criança é interrompida pelo surgimento de um sistema instintivo (quando ela está com fome, raiva, frio ou cansada), o bom genitor intervém, resolvendo o problema que perturba a frágil unidade da criança ou, melhor ainda, ensinando-a a resolver o problema sozinha. Quando o último processo foi concluído com certa precisão, a criança está pronta para ingressar no mundo social. Isso deve ocorrer aos 4 anos de idade ou pode nunca acontecer.[2] Uma criança deve ser suficientemente auto-organizada para ser querida por seus pares aos 4 anos de idade ou corre o risco de um permanente ostracismo social. Uma criança que ainda está tendo acessos de raiva nessa idade corre exatamente esse risco.

Para a criança bem treinada ou com sorte o bastante para ser aceita, o processo de integração é promovido pelos pares — amigos. Quando uma criança brinca com outras, ela está se disciplinando. Aprende a subordinar todos os seus impulsos concorrentes aos ditames daquele jogo — uma unidade de regras, apesar da potencial multiplicidade de regras —; aprende a se submeter voluntariamente às suas regras e aos seus objetivos bem definidos. Para jogar dessa maneira, ela deve se transformar em uma subunidade funcional de uma máquina social maior. Isso pode ser interpretado como um sacrifício da individualidade, se considerarmos a individualidade como a escolha ilimitada de gratificação impulsiva. Mas é muito mais bem descrito como o *desenvolvimento* da individualidade, considerado em um nível superior: o indivíduo que opera de modo adequado e integrado coaduna os desejos do presente com as necessidades do futuro (incluindo a necessidade de jogar bem com os outros). É dessa forma que os variados jogos infantis mitigam a cacofonia gritante do final da infância. A recompensa por esse desenvolvimento é, obviamente, a segurança da inclusão social e o prazer do jogo.

Importante ressaltar que isso não é *repressão*. Esse ponto deve ficar muito claro, pois as pessoas acreditam que aquilo que a disciplina imposta pela escolha nos impede de fazer, de alguma forma, se perderá para sempre. É essa crença — com frequência expressa em relação à criatividade —, que, em grande parte, faz com que tantos pais tenham medo de prejudicar seus filhos ao discipliná-los. Mas a disciplina adequada organiza em vez de destruir. Uma criança aterrorizada para que seja obediente ou protegida de todas as chances possíveis de mau comportamento não é disciplinada, mas abusada. Por outro lado, uma criança que foi disciplinada de maneira adequada — pelos pais, outros adultos e, ainda mais significativo, por outras crianças — não precisa combater, dominar e, então, permanentemente *inibir* sua agressividade. Tampouco sublimar essa agressividade nem transformá-la em algo diferente. Em vez disso, ela a integra em suas habilidades de jogo cada vez mais sofisticadas, possibilitando que fomente sua competitividade e aprimore sua atenção, fazendo com que sirva aos propósitos mais elevados de sua psique em desenvolvimento.

Uma criança bem socializada não é desprovida de agressividade. *Ela simplesmente se torna extremamente boa em ser agressiva*, transmutando o que, de outra forma, poderia ser um impulso perturbador na perseverança focada e na competitividade controlada que constituem um jogador de sucesso. No início da adolescência, essa criança é capaz de se organizar em

REGRA 7

jogos cada vez mais complexos — atividades conjuntas e orientadas por objetivos em que todos participam de maneira voluntária, de que todos gostam e se beneficiam, mesmo que apenas uma pessoa ou um time possa vencer de cada vez. Essa habilidade é a própria civilização em sua forma nascente, no nível do jogador individual e do grupo. É aqui que a cooperação e a oportunidade de competir e vencer se manifestam simultaneamente. Tudo isso é uma preparação necessária para as escolhas mais permanentes que devem ser feitas para uma vida adulta bem-sucedida.

É certamente possível — e razoável — ter algumas dúvidas e discutir qual jogo seria melhor jogado aqui e agora; mas não é razoável afirmar que todos os jogos são, portanto, desnecessários. Da mesma forma, embora seja possível discutir qual moralidade é a *necessária*, não é possível argumentar que a moralidade em si é desnecessária. A dúvida sobre qual jogo é apropriado agora não é relativismo. É a ponderação inteligente do contexto. O fato de a felicidade não ser apropriada, por exemplo, em um funeral não significa que a felicidade em si não tenha valor. Da mesma forma, a afirmação de que a moralidade é necessária e inevitável não é totalitária. É apenas a observação de que os valores unidimensionais básicos e primitivos devem ser incluídos em estruturas socialmente organizadas para que a paz e a harmonia existam e sejam mantidas. Foi a junção de uma multiplicidade antagônica subordinada às doutrinas unificadoras do cristianismo que civilizou a Europa. Talvez pudesse ter sido o budismo, o confucionismo ou o hinduísmo, na medida em que o Oriente também é amplamente civilizado e unificado. Mas não poderia ter sido a ausência de uma doutrina. Sem um jogo, não há paz, apenas caos. Além disso, o jogo existente deve ser jogável (como discutimos na Regra 4: "Perceba que a oportunidade se esconde onde a responsabilidade foi abdicada"). Isso significa que ele deve ser estruturado por um conjunto de regras aceitas pela comunidade — apenas por restrições que um grande número de pessoas está disposto a respeitar por um longo tempo. Em teoria, é possível que existam muitos jogos assim, mas é pelo menos igualmente possível que sejam poucos. Em ambos os casos, as regras do cristianismo e as do budismo não são de forma alguma arbitrárias, tampouco são superstições sem sentido, assim como as regras de um jogo jogável não são meramente arbitrárias ou superstições absurdas. Pensar que a paz pode existir sem o jogo abrangente e aceito de forma voluntária é deixar de entender o perigo onipresente do tribalismo fragmentado ao qual podemos regredir com tanta facilidade e com consequências tão devastadoras.

Uma vez que o mundo social forçou a criança a integrar suas múltiplas subpersonalidades, ela se torna capaz de jogar com outras. Depois disso, deve estar pronta para se envolver nos jogos mais sérios que constituem os empregos ou as profissões, com suas expectativas, habilidades e regras altamente estruturadas. Além de aprendê-los, quando mais velha, deve aprender a dança dos sexos. Deve integrar sua personalidade socializada com a do outro, para que o casal formado possa coexistir de forma pacífica, produtiva, duradoura e inserida na sociedade — mantendo, ao mesmo tempo, a disposição voluntária de fazê-lo. Esse é o duplo processo de integração psicológica e social que acompanha a aprendizagem, tudo associado à terceirização da sanidade. A adesão a esse processo tornará a criança um adulto socialmente sofisticado, produtivo e psicologicamente saudável, capaz de verdadeira reciprocidade (e, talvez, da suspensão temporária e necessária da exigência de reciprocidade para criar os filhos).

No entanto, a história de integração e socialização não termina aqui. Isso se deve ao fato de que, durante um aprendizado digno deste nome, duas coisas acontecem ao mesmo tempo (tal como aprender a jogar e aprender a ter espírito esportivo acontecem ao mesmo tempo, enquanto se joga). Inicialmente, o aprendiz deve se

REGRA 7

tornar um servo da tradição, da estrutura e dos dogmas, assim como a criança que deseja jogar deve seguir as regras do jogo. Na melhor das hipóteses, essa servidão significa uma gratificante aliança, de uma forma ou de outra, com as instituições tipicamente consideradas patriarcais. Aprendizado significa calor e pressão (da mesma forma que novos funcionários são testados por seus colegas, que estudantes de direito articulados são testados por seus empregadores, que médicos residentes são testados por médicos, enfermeiras e pacientes). O objetivo desse calor e pressão é a subordinação de uma personalidade subdesenvolvida (de modo algum "individual" neste ponto) a um único caminho, com o propósito de transformar o iniciante indisciplinado em mestre realizado.

O mestre, o produto legítimo do aprendizado, não é mais o servo do dogma. Em vez disso, agora ele próprio é servido por dogmas, que tem a responsabilidade de preservar, bem como o direito de mudar, quando a mudança for necessária. Isso torna o mestre, que antes se permitiu ser escravizado, um seguidor emergente do espírito — o vento (espírito) que sopra onde quer (João 3:8). O mestre pode se permitir seguir suas intuições, pois o conhecimento obtido pela disciplina adquirida o habilitará a criticar suas próprias ideias e avaliar seu verdadeiro valor. Ele pode, portanto, perceber de maneira mais clara os padrões ou princípios essenciais que fundamentam os dogmas de sua disciplina e se inspirar neles, em vez de aderir cegamente às regras como atualmente são articuladas ou representadas. Ele pode, inclusive, contar com a união integrada de sua personalidade e seu treinamento para modificar ou transformar até mesmo os princípios mais fundamentais e profundamente intuídos, a serviço de uma união ainda mais elevada.

DOGMA E ESPÍRITO

A disciplina limitante que serve tanto como pré-condição para um jogo quanto para o desenvolvimento de uma unidade de ser consiste, utilmente, em mandamentos — regras que destacam o que definitivamente não deve ser feito, enquanto fazemos o que deve ser feito. O cumprimento dessas regras acarreta o desenvolvimento do caráter — com uma natureza ou essência particular (já discutimos isso na forma de desenvolver a desejabilidade pessoal jogando múltiplos jogos ou sequências de jogos). Assim como em muitas outras situações, parece que essa ideia já está implícita nas histórias que constituem o alicerce de nossa cultura. Isso é especialmente evidente no Evangelho de Marcos, que é um comentário sobre as mais influentes Regras do Jogo já formuladas — os Dez Mandamentos (e, ainda mais amplamente, um comentário sobre as próprias regras). São eles:

1. Não terás outros deuses diante de mim.
2. Não farás para ti nenhuma imagem esculpida.
3. Não tomarás o nome do SENHOR teu Deus em vão.
4. Lembra-te do dia do shabat, para mantê-lo santo.
5. Honra a teu pai e a tua mãe.
6. Não assassinarás.
7. Não cometerás adultério.
8. Não furtarás.
9. Não darás falso testemunho contra teu próximo.
10. Não cobiçarás.

O primeiro fala da necessidade de almejar a unidade mais elevada possível; o segundo, do perigo de adorar falsos ídolos (confundindo a representação, ou a imagem, com o inefável

REGRA 7

que ela supostamente representa); o terceiro significa que é errado reivindicar inspiração moral de Deus ao mesmo tempo que comete atos pecaminosos; o quarto, que é necessário reservar um tempo, com certa regularidade, para considerar o que é verdadeiramente valioso ou sagrado; o quinto mantém as famílias unidas, exigindo honra, respeito e gratidão dos filhos como recompensa justa pelos sacrifícios feitos pelos pais; o sexto evita o assassinato (obviamente), mas, ao fazê-lo, também protege a comunidade de mergulhar em uma batalha constante e potencialmente multigeracional; o sétimo determina a sacralidade do voto matrimonial, baseado na suposição (assim como o quinto) de que a estabilidade e o valor da família são de suma importância; o oitavo permite que pessoas honestas e trabalhadoras colham os benefícios de seus esforços sem medo de que o que produziram lhes seja tirado de forma arbitrária (e, assim, torna a sociedade civilizada uma possibilidade); o nono mantém a integridade da lei, reduzindo ou eliminando sua utilização como arma; e o décimo é um lembrete de que a inveja e o ressentimento que ela gera são uma força destrutiva das mais poderosas.

Vale pensar nesses Mandamentos como um conjunto mínimo de regras para uma sociedade estável — um jogo social iterável. Eles são regras estabelecidas no livro do Êxodo e fazem parte dessa história inesquecível. Mas também são indicadores de outra questão — algo que ao mesmo tempo emerge e transcende as regras e compõe sua essência. A ideia central é: submeta-se voluntariamente a um conjunto de regras socialmente determinadas — aquelas com alguma tradição em sua formulação — e, como consequência, surgirá uma unidade que transcende as regras. Essa unidade constitui o que você poderia ser, caso se concentrasse em um objetivo específico até alcançá-lo.

Há uma história relevante para essa ideia no Evangelho de Marcos. O trecho pertinente começa com a viagem de Cristo ao templo de Jerusalém, onde expulsa os cambistas e mercadores e se dirige à multidão com um carisma irresistível. E, segundo a história, "os escribas e principais sacerdotes ouviram *isso*, e buscavam de que modo o destruiriam, pois o temiam, porque todo o povo estava admirado da sua doutrina" (Marcos 11:18). Em consequência, eles começam a conspirar, questionando esse estranho profeta, na esperança de induzi-lo a uma declaração herética e, portanto, potencialmente fatal, enviando "alguns dos fariseus e dos herodianos, para surpreendê-lo em *suas* palavras" (Marcos 12:13). Cristo lida com maestria, para dizer o mínimo, com os questionadores, reduzindo-os a um silêncio ofendido e ressentido. O trecho termina com o que é indiscutivelmente a mais difícil e traiçoeira das perguntas, feita por um interlocutor muito astuto, mas talvez também um admirador relutante (Marcos 12:28-34):

> E vindo um dos escribas, ouvindo-os discutirem, e percebendo que lhes havia respondido bem, perguntou-lhe: Qual é o primeiro de todos os mandamentos?
>
> E Jesus respondeu-lhe: O primeiro de todos os mandamentos é: Ouve, ó Israel, o Senhor nosso Deus é o único Senhor;
>
> e tu amarás o Senhor teu Deus com todo o teu coração, e com toda tua alma, e com toda a tua mente, e com toda a tua força; este *é* o primeiro mandamento.
>
> E o segundo é semelhante, *a* este: Tu amarás o teu próximo como a ti mesmo. Não há outro mandamento maior do que estes.
>
> E o escriba lhe disse: Bem, Mestre, tu disseste a verdade; pois há um único Deus, e não há outro além dele;
>
> e amá-lo com todo o coração, com toda a compreensão, e com toda a alma, e com toda a força, e de amar ao *seu*

REGRA 7

próximo como a si mesmo, é mais do que todas as ofertas queimadas e sacrifícios.

E Jesus, vendo que havia respondido sabiamente, disse-lhe: Tu não estás longe do reino de Deus. E nenhum homem depois disso ousou fazer-lhe *pergunta alguma.*

O que isso significa? A personalidade integrada pela adesão disciplinada a um conjunto de regras apropriadas, simultaneamente (embora de modo não intencional), imita e é orientada pelo ideal mais elevado possível — precisamente aquele que constitui um elemento comum da "moral" que torna todas as regras boas, justas e necessárias. Esse ideal, de acordo com a resposta de Cristo, é algo singular (o "único Senhor"), encarnado por inteiro (amado com "todo o teu coração", "alma", "compreensão" e "força"), e então manifestado como um amor idêntico por si mesmo e por toda a humanidade.

A cultura ocidental é "inconscientemente" sustentada por um drama muito profundo, que reflete tudo isso por causa de sua origem na conceitualização judaico-cristã. Do ponto de vista psicológico, Cristo é uma representação, ou uma personificação, do domínio do dogma e do (consequente) surgimento do espírito. O espírito é a força criativa que dá origem ao que, com o tempo, se torna dogma. Ele também é aquilo que, sempre que possível, transcende essa tradição consagrada pelo tempo. É por essa razão que um aprendizado termina com uma obra-prima, cuja criação significa não apenas a aquisição da habilidade necessária, mas da capacidade de criar novas habilidades.

Embora Cristo cometa muitos atos que podem ser considerados revolucionários, como discutimos na Regra 1, Ele é, no entanto, explicitamente retratado nos Evangelhos como o mestre da tradição, e diz sobre Si mesmo: "Não penseis que eu vim destruir a lei ou os profetas; eu não vim para destruir, mas para cumprir." (Mateus 5:17, na versão King James). A Nova Versão

Internacional da Bíblia talvez seja mais compreensível: "Não pensem que vim abolir a Lei ou os Profetas; não vim abolir, mas cumprir." Cristo, portanto, se apresenta como produto da tradição e como aquilo que a cria e transforma. O mesmo padrão de conflito criativo permeia o Velho Testamento, que é, em grande parte, uma série de histórias sobre o espírito em oposição profética à corrupção inevitável do dogma atrelado ao poder. A personalidade que imita esse modelo pode ser considerada verdadeiramente ocidental, no mais profundo dos sentidos psicológicos.

Se trabalhar o máximo que puder em uma coisa, você mudará. Também começará a se tornar algo único, em vez da multiplicidade vociferante que era antes. Esse algo único, se desenvolvido de forma adequada, não é apenas a entidade disciplinada formada por meio de sacrifício, compromisso e concentração, mas aquilo que cria, destrói e transforma a própria disciplina — a própria civilização — ao expressar sua unidade de personalidade e sociedade. É a própria Palavra da verdade, de cuja função toda ordem habitável, arrancada do caos, depende eternamente.

Dedique-se ao máximo a pelo menos uma tarefa e veja o que acontece.

REGRA 8

TENTE DEIXAR UM CÔMODO DE SUA CASA O MAIS BONITO POSSÍVEL

ARRUMAR SEU QUARTO NÃO É SUFICIENTE

Fiquei conhecido por encorajar as pessoas a arrumarem seus quartos. Talvez seja porque eu fale sério sobre um conselho prosaico e porque sei que é uma tarefa muito mais difícil do que parece. A propósito, há cerca de três anos, tenho tentado, sem sucesso, manter meu "quarto" em ordem — meu escritório em casa (que geralmente mantenho em condições relativamente impecáveis). Durante esse período, minha vida foi lançada em tamanho caos pela profusão de mudanças que experimentei — controvérsias políticas, transformação de carreira, viagens intermináveis, montes de correspondência, a sequência de doenças — que simplesmente fiquei sobrecarregado. A desorganização foi agravada pelo fato de minha esposa e eu termos acabado de fazer uma enorme reforma em nossa casa, e tudo que não sabíamos bem onde colocar acabou no meu escritório.

Existe um meme que circula pela internet me acusando de hipocrisia por conta de uma imagem extraída de um vídeo que gravei em meu escritório, com um pouco de bagunça ao fundo (e não posso dizer que eu mesmo esteja em minha melhor forma). Quem sou eu para dizer às pessoas para arrumarem seus quartos antes de tentar consertar o resto do mundo quando, aparentemente, eu mesmo não consigo? E há algo diretamente sincronístico e significativo nessa objeção, pois eu mesmo não estava em devida ordem naquele momento, e minha condição, sem dúvida, encontrou seu reflexo no estado de meu escritório. Enquanto eu viajava, a bagunça se empilhava a cada dia e tudo se acumulava ao meu redor. Justifiquei a situação pelas circunstâncias excepcionais e coloquei muitas outras coisas em ordem durante o tempo em que meu escritório mergulhava no caos, mas ainda assim tenho a obrigação moral de voltar lá e arrumar tudo. E o problema não é apenas querer limpar a bagunça. Também quero deixar tudo mais bonito: meu escritório, minha casa e, então, talvez, da forma que eu conseguir, a comunidade. Deus sabe o quanto ela precisa disso.

Criar algo bonito é difícil, mas vale a pena. Se você aprender a tornar algo realmente belo em sua vida — mesmo que seja um aspecto isolado —, terá estabelecido uma relação com a beleza. A partir daí, pode começar a expandir esse relacionamento para outros elementos de sua vida e do mundo. É um convite ao divino. É uma reconexão com a imortalidade da infância e com a verdadeira beleza e majestade do Ser que você já não é mais capaz de enxergar. Isso requer ousadia.

Ao estudar arte (ou literatura, ciências humanas), você o faz para se familiarizar com a sabedoria coletiva de nossa civilização. É uma ideia muito boa — uma necessidade genuína —, pois as pessoas vêm tentando descobrir como viver há muito tempo. O que elas produziram pode ser estranho, mas também é incrivelmente rico, então por que não usá-lo como guia? Assim, sua visão será mais grandiosa e seus planos, mais abrangentes. Você considerará as outras pessoas de forma mais sensata e

REGRA 8

plena. Cuidará de si mesmo com mais eficiência. Compreenderá o presente de forma mais profunda, como algo enraizado no passado, e chegará a conclusões com muito mais cuidado. Você também passará a tratar o futuro como uma realidade mais concreta (porque terá desenvolvido uma noção de tempo mais real) e será menos provável que o sacrifique pelo prazer impulsivo. Desenvolverá profundidade, seriedade e verdadeira consideração. Falará em termos mais precisos, e as outras pessoas ficarão mais propensas a ouvir e cooperar produtivamente com você, e vice-versa. Você se tornará mais quem é e menos uma ferramenta tediosa e infeliz sujeita à pressão de pares, popularidade, moda passageira e ideologia.

Adquira uma obra de arte. Encontre uma que toque seu coração e compre-a. Se for uma produção artística genuína, ela invadirá e transformará sua vida. Uma verdadeira obra de arte é uma janela para o transcendente, e você precisa disso em sua vida, pois é finito, limitado e restrito pela sua ignorância. A menos que possa fazer uma conexão com o transcendente, não terá forças para triunfar quando os desafios da vida se tornarem assustadores. Precisa estabelecer um vínculo com o que está além de você, assim como um náufrago em alto-mar requer uma boia salva-vidas, e convidar a beleza para sua vida é um meio de fazer isso.

É por isso que precisamos entender o papel da arte e parar de pensar nela como uma opção, um luxo ou, pior, uma afetação. A arte é o alicerce da própria cultura. É a base do processo pelo qual nos unimos psicologicamente e conseguimos estabelecer uma paz produtiva com os outros. É o que diz o provérbio: "Nem só de pão viverá o homem" (Mateus 4:4). Exatamente. Vivemos pela beleza. Vivemos pela literatura. Vivemos pela arte. Não podemos viver sem alguma conexão com o divino — e a beleza é divina — porque, em sua ausência, a vida é muito curta, sombria e trágica. E devemos estar atentos, despertos e preparados para que possamos sobreviver e orientar o mundo adequadamente, e não destruir tudo, incluindo nós mesmos — e a beleza pode nos ajudar a apreciar a maravilha do Ser e nos motivar a buscar gratidão quando poderíamos, de outra forma, ser propensos a ressentimentos destrutivos.

MEMÓRIA E VISÃO

O orgulho do pavão é a glória de Deus.

A luxúria do bode é a bondade de Deus.

A fúria do leão é a sabedoria de Deus.

A nudez da mulher é a obra de Deus.

O excesso de tristeza ri; o excesso de alegria chora.

O rugir dos leões, o uivar dos lobos, o furor do mar tempestuoso e a espada destrutiva são fragmentos de eternidade grandes demais para os olhos humanos.[I]

— WILLIAM BLAKE, "PROVÉRBIOS DO INFERNO", *O Casamento do Céu e do Inferno*

Quando eu era criança, conhecia cada contorno e cada detalhe de todas as casas da minha vizinhança. Conhecia os becos, os esconderijos atrás das cercas, a localização de cada fenda na calçada e os atalhos que podiam me levar de um lugar a outro. Minha localidade geográfica não era vasta, mas eu a havia explorado exaustivamente e meu conhecimento era muito detalhado. Agora que sou adulto, não é mais assim. Morei em Fairview, a cidade em que passei a maior parte da minha infância e adolescência, por apenas nove anos, mas ainda consigo

---

I William Blake, *Poesia e Prosa Selecionadas*. Edição bilíngue. Tradução de Paulo Vizioli. Ed. Nova Alexandria. (N. da T.)

REGRA 8

me recordar da rua em que morei com muito detalhe, em alta resolução. Moro em Toronto, na mesma rua, há duas vezes mais tempo, mas ainda tenho apenas uma vaga noção das casas ao meu redor.

Não acho que seja algo positivo. Eu me sinto muito menos "em casa" por causa disso. É como se, ao andar pela rua e olhar para uma casa na vizinhança, pensasse em "casa" apenas como um ícone (porque, realmente, que diferença prática faz para mim quais particularidades caracterizam cada uma delas?) e minha atenção se desviasse para outra coisa. Não vejo a casa, com suas telhas, cores, flores e detalhes arquitetônicos específicos, apesar do interesse que poderia ter despertado em mim se eu tivesse prestado mais atenção. A essa altura da minha vida, já vi tantas casas em tantos lugares que sei o que esperar de uma ao passar por ela — o que é muito pouco. Assim, ignoro as atraentes idiossincrasias e belezas de seus detalhes — seu caráter único, seja positivo, seja negativo — e vejo apenas o suficiente para me manter orientado enquanto passo pela rua e minha cabeça continua em outro lugar. Há uma perda real nisso. E simplesmente *não estou* presente no bairro onde moro hoje, que sou adulto, da mesma forma que estava quando criança na minha cidade natal. Estou apartado da realidade do mundo. E, por causa disso, um sentimento muito profundo de pertencimento está ausente de alguma forma importante.

A minha percepção foi substituída pela memória funcional e pragmática. Isso me tornou mais eficiente, em alguns aspectos, mas o custo é uma experiência empobrecida da riqueza do mundo. Lembro-me da época em que comecei a trabalhar como professor júnior em Boston, quando meus filhos tinham cerca de 2 e 3 anos. Eu estava muito preocupado com meu trabalho, tentando não ficar para trás, tentando progredir na minha carreira, tentando ganhar dinheiro suficiente para sustentar minha família com uma única renda. Voltava para casa e fazia um passeio com

Tammy e nossos filhos, Mikhaila e Julian. Achava muito difícil ser paciente com eles. Tinha muito trabalho a fazer, sempre — ou acreditava que tinha —, e me disciplinei ao longo de anos de empenho para dar prioridade a esse aspecto de minha vida. Se saíssemos para caminhar, eu queria saber exatamente para onde estávamos indo, quanto tempo levaria para chegar lá e a que horas voltaríamos. Essa não é uma atitude a se adotar ao tentar passar um tempo prazeroso e razoável com crianças pequenas. Não se você quiser mergulhar na experiência. Não se quiser presenciar e participar do prazer que desfrutam em suas descobertas intempestivas. A menos que esteja disposto a correr o risco de perder algo de crucial importância.

Era muito difícil, para mim, relaxar, focar o presente e assistir a meus filhos pequenos seguirem sua rota sinuosa pela vizinhança, sem destino, propósito ou cronograma em mente, concentrando-se plenamente no fato de encontrarem um cachorro, inseto ou minhoca, ou em algum jogo que inventavam no caminho. De vez em quando, eu conseguia assumir brevemente esse mesmo referencial (que é uma das maravilhosas dádivas obtidas do convívio com crianças pequenas) e ver o mundo imaculado que habitavam, ainda livre de obstáculos impostos pela memória treinada e eficiente e capaz de gerar pura alegria na novidade de tudo. Mas eu ainda estava dominado por minhas preocupações com o futuro a ponto de ser involuntariamente puxado de volta para a intensa inquietação com o próximo compromisso.

Sabia perfeitamente que estava deixando de apreciar a beleza, o significado e o envolvimento, independentemente das vantagens em eficiência trazidas por minha impaciência. Eu era aplicado, perspicaz, focado e não perdia tempo, mas o preço que paguei por isso foi a cegueira exigida pela eficiência, realização e ordem. Eu não estava mais vendo o mundo. Enxergava apenas o pouco que precisava para me mover com velocidade máxima e menor custo. Nada disso era surpreendente. Tinha responsabilidades de adulto. Tinha um trabalho exigente. Precisava cuidar da minha família, e isso significava sacrificar o presente e me dedicar ao futuro. Mas ter crianças pequenas por perto e perceber sua intensa preocupação com o presente e seu fascínio pelo que está ao redor me deixou muito consciente da perda que acompanha a maturidade. Os grandes poetas estão cientes disso e fazem o possível para que o resto da humanidade também se lembre:

> Houve um tempo em que a relva, a fonte, o rio, a mata
>
> E o horizonte se vestiam
>
> De uma luz grata,
>
> — Visto que assim me pareciam —,
>
> E da opulência que nos sonhos é inata.
>
> Hoje está sendo tal como foi outrora; —
>
> Seja o que for, eu,
>
> Na luz ou breu,
>
> Eu não verei jamais o que se foi embora. [...]
>
> E vocês, Criaturas, eu escuto afinal
>
> O que dizem entre vocês
>
> E vejo o céu que frui também vossa altivez;
>
> Meu ser em vosso festival,
>
> Coroado, o total
>
> De vossa dádiva — ah!, eu sinto... Ó mal!,
>
> Fosse eu soturno enquanto
>
> A Terra se adornasse,
>
> Manhã de Maio face
>
> A qual a infância nasce
>
> No Mundo,

No vale remoto e fecundo;

Enquanto o sol nos acalora

E o Bebê sobe aos braços da Mãe: — ouço agora!

Com alegria eu ouço, eu ouço!

— Mas uma, uma Árvore existe,

Uma Planície que em minh'alma inda persiste,

Lembrando o que se foi e hoje e me deixa triste:

E o Amor-Perfeito

Diz: Que foi feito

Do vislumbre visionário?

Dos sonhos? Do esplendor vário?[II]

> — WILLIAM WORDSWORTH, "ODE: PRENÚNCIOS DA
> IMORTALIDADE DA MAIS TENRA INFÂNCIA"

Alguns, de fato, nunca perdem a visão gloriosa da infância. Isso se aplica em especial aos artistas (e, na verdade, parece uma parte vital do que os torna artistas). William Blake, o pintor, gravurista e poeta inglês, parece ter sido uma dessas pessoas. Ele habitava um mundo totalmente visionário. Blake compreendia o que o filósofo Immanuel Kant chamou de númeno — "a coisa em si"[1] — melhor do que a maioria dos mortais, relegados, como somos, a perceber o pálido reflexo de nossos arredores, proporcionado por nossas percepções cada vez mais maduras e restritas. Ele também era incrivelmente sensível ao significado metafórico ou dramático de cada acontecimento aparentemente isolado — a maneira pela qual cada evento está repleto de infinitas conotações que ecoam de forma poética:

II Tradução de Matheus Mavericco para a revista *Escamandro*. Disponível em https://edisciplinas.usp.br/mod/url/view.php?id=2544199 (N. da T.)

REGRA 8

Cada Roceiro Entende mais

Cada Pranto de Cada Face

É um Bebê que no Eterno nasce

Isto é pego por Fêmeas rútilas

E torna de volta a seus júbilos

O Uivo o Balido & Rosnado

São Brisa no Celeste Prado

Bebê que teme o seu Castigo

Nutre Ódio e Massacre consigo

Andrajo adejando Ar afora

Age no Céu e o deteriora

Soldado armado com Baioneta

Assalta o Sol mesmo perneta

Trocados valem no total

Mais que todo Ouro oriental

Ácaro nas Mãos calejadas

Terras vendidas & compradas

Ou se acaso o alto o defenda

Faz que a Nação compre & revenda

Quem escarnece a Fé da Infância

A Morte trata co' Arrogância

Quem ao Questionamento educa

Não sairá da Cova nunca

Quem respeita a Fé da Infância

Vence a Morte & sua Substância.[III]

III Tradução de Matheus Mavericco. *Revista Escamandro*. Disponível em https://escamandro.com/2015/04/08/dois-poemas-de-william-blake-por-matheus-mavericco/ (N. da T.)

— WILLIAM BLAKE, "AUGÚRIOS DA INOCÊNCIA"
(LINHAS 67-90)

A visão de um verdadeiro artista, como Blake, é de fato exagerada, pois o que está além de nossas percepções restritas à memória é exuberante. É a insondável totalidade do mundo, passado, presente e futuro unidos: cada nível conectado a todos os outros; nada existe isoladamente, tudo implica algo vital, mas que está além de nossa compreensão, e tudo isso fala do mistério irresistível do Ser. O visionário se concentra em algo que todos vemos, hipoteticamente: um vaso de flores, talvez, em toda sua complexidade e beleza, cada flor brotando do nada, antes de se desintegrar e retornar à inexistência; uma pilha de feno na primavera, e sua aparência no verão, outono e inverno, cumprindo e retratando o mistério absoluto de sua existência, com suas diferentes nuances de luz e cor, bem como a trivialidade subjacente de formas, que podemos facilmente confundir com a realidade total e incompreensível do que de fato está lá.

Como sabeis que cada Pássaro que irrompe a ventania
não abarca um imenso universo de delícias, imerso
em vossos cinco sentidos?[IV]

— WILLIAM BLAKE, DE "UMA VISÃO MEMORÁVEL",
O Casamento do Céu e do Inferno

Observar a pintura *Lírios*, de Van Gogh — da qual deriva a ilustração no início deste capítulo —, é olhar através de uma janela para a eternidade antes revelada por nossas percepções, a fim de que possamos lembrar como o mundo realmente é inspirador e miraculoso sob o disfarce da familiaridade mundana a que o reduzimos. Compartilhar a percepção do artista nos

---

IV *O Casamento do Céu e do Inferno & Outros Escritos*. Tradução de Alberto Marsicano. Editora L&PM Pocket. (N. da T.)

REGRA 8

leva ao reencontro da fonte de inspiração que pode reacender nosso encanto pelo mundo, mesmo que o trabalho enfadonho e a repetição da vida diária tenham reduzido o que vemos à mais limitada e pragmática das visões.

> Por tais afetos prévios
>
> E recordações breves, o
>
> Que vierem a ser, sejam,
>
> Pois são fontes de luz e nos clarejam,
>
> Pois são pontos de luz de nosso olhar;
>
> Guarde a estima por nós, guardando o seu poder
>
> De que a turba dos anos se encurte no Ser
>
> Da Calmaria imorredoura: o despertar
>
> P'ra vida eterna:
>
> O que a surdez e a insânia que às vezes governa,
>
> O Pai, o Filho
>
> E o que vê na alegria um odioso empecilho,
>
> Não poderão matar nem retirar o brilho![v]

— WILLIAM WORDSWORTH, "ODE: PRENÚNCIOS DA
IMORTALIDADE DA MAIS TENRA IDADE"

Tudo isso é muito assustador. É assustador perceber que nos tornamos meras carapaças de nós mesmos. É assustador vislumbrar, mesmo por um instante, a realidade transcendente que existe além. Achamos que emolduramos as grandes pinturas de forma luxuosa e ornamentada para glorificá-las, mas fazemos isso também para deixar claro que o esplendor da pintura em si está contido pela moldura. Essa limitação, esse confinamento,

---

[v] Tradução de Matheus Mavericco para a revista *Escamandro*. Disponível em https://edisciplinas.usp.br/mod/url/view.php?id=2544199 (N. da T.)

deixa o mundo com o qual estamos familiarizados confortavelmente intacto e inalterado. Não queremos que essa beleza ultrapasse as limitações que lhe são impostas e perturbe tudo o que nos é familiar.

Fazemos o mesmo com os museus — são asilos para gênios: isolamos tudo o que é grandioso, tudo o que poderia, em princípio, ser distribuído para todo o mundo. Por que cada cidade pequena não pode ter um santuário dedicado a uma grande obra de arte, em vez de todas as peças serem reunidas de uma maneira impossível para qualquer pessoa sequer conseguir absorvê-las de uma vez? Uma obra-prima não é suficiente para uma sala ou mesmo para um edifício? Dez grandes obras de arte, ou cem, em uma única sala é um absurdo, visto que cada uma é um mundo em si. Essa coleção em massa é uma degradação da particularidade única e singular e do valor daquilo que não tem preço e é insubstituível. O medo é o que nos incita a aprisionar a arte. E isso não é surpresa.

> Consideras muito mil acres? Consideras muito toda essa
>   terra?
> Praticaste muito para aprender a ler?
> Tens orgulho em saber interpretar os poemas?
> Permanece comigo este dia e esta noite e terás a origem
>   de todos os poemas,
> Terás, então, tudo o que há de bom na Terra e no Sol (há
>   milhões de sóis mais além),
> E não mais aceitarás as coisas que sejam de segunda
>   ou terceira mão, nem olharás através dos olhos dos
>   mortos, nem te nutrirás com os espectros dos livros,
> Tampouco olharás através dos meus olhos, nem
>   aprenderás as coisas comigo,

Ouvirá em todas as direções e as filtrarás por todo o teu
ser.[VI]

— Walt Whitman, "Canto de Mim Mesmo"

Pode ser avassalador nos abrirmos para a beleza do mundo que nós, como adultos, recobrimos com a simplicidade. Entretanto, ao não fazer isso — ao deixar de passear da maneira como deveríamos com uma criança pequena, por exemplo —, perdemos a noção da grandeza e do deslumbramento que o mundo sem barreiras é constantemente capaz de produzir, e reduzimos nossas vidas a uma lúgubre necessidade.

A TERRA DO QUE VOCÊ SABE, A TERRA DO QUE NÃO SABE E A TERRA DO QUE NÃO CONSEGUE SEQUER IMAGINAR

Você habita a terra do que sabe, em termos pragmáticos e conceituais. Mas imagine o que está além disso. Existe um imenso espaço de coisas que você não sabe, mas que outras pessoas podem compreender, pelo menos em parte. E, além desse reino das coisas que alguém sabe, existe o espaço das coisas que ninguém sabe. Seu mundo é um território conhecido, rodeado pelo relativamente desconhecido, cercado pelo absolutamente desconhecido — circundado, na esfera ainda mais distante, pelo absolutamente incognoscível. Juntos, eles formam a paisagem canônica e arquetípica. O desconhecido se manifesta a você em meio ao conhecido. Essa revelação — às vezes emocionante, mas muitas vezes bastante dolorosa — é a fonte de novos conhecimentos. Porém, uma questão fundamental permanece: como esse conhecimento é gerado? O que é compreendido e compreensível

---

VI Tradução de Alita Sodré. (N. da T.)

não emerge do absolutamente desconhecido para o total e nitidamente articulado de uma só vez. O conhecimento deve passar por muitos estágios de análise — uma infinidade de transformações — antes de se tornar, digamos, lugar-comum.

O primeiro estágio é o da ação pura — a ação reflexa, no mais básico dos níveis.[2] Se algo o surpreende, você reage primeiro com o corpo. Encolhe-se de forma defensiva, paralisa ou foge em pânico — tipos de representação e categorização, em sua forma incipiente. Encolher-se significa um ataque predatório. Paralisar significa ameaça predatória. Pânico significa terror que exige a fuga. O mundo das possibilidades começa a se atualizar com essa ação instintiva e corporificada, inconsciente e incontrolável. A primeira realização da possibilidade, do potencial, não é conceitual. Está corporificada, mas ainda é representativa. (Não é mais a coisa em si a que nos referimos anteriormente, mas a transmutação dessa coisa em uma resposta física proporcional. Isso é uma *representação*.)

Talvez você esteja em casa, à noite. Suponha que está sozinho. Está escuro e já é tarde. Um ruído inesperado o assusta e você paralisa. Esta é a primeira transmutação: ruído desconhecido (um padrão) acarreta a paralisação. Em seguida, sua frequência cardíaca aumenta, preparando-se para uma ação (não especificada).[3] Essa é a segunda transmutação. Você está se preparando para se mover. Em seguida, sua imaginação povoa a escuridão com o que pode ser a origem do barulho.[4] Esta é a terceira transmutação, parte de uma sequência completa e prática: respostas corporificadas (paralisação e aumento da frequência cardíaca) e, então, representação imagética e imaginativa. Esta última é parte da exploração, que pode ser ampliada ao superar o terror e a paralisia associada (presumindo que nada mais inesperado aconteça) e investigar o provável local de origem do barulho — antes, apenas um cômodo da sua casa acolhedora. Você agora está engajado na exploração ativa

REGRA 8

— um precursor da percepção direta (espero que nada muito dramático); depois, do conhecimento explícito da fonte; e então, novamente, da paz rotineira e complacente, se o barulho não se revelar nada significativo. É assim que a informação passa do desconhecido para o conhecido. (Exceto que, às vezes, o ruído não se mostra insignificante. Nesse caso, há problemas.)

Artistas são pessoas que estão na fronteira da transformação do desconhecido em conhecimento. Eles fazem sua incursão voluntária no desconhecido, pegam uma parte dele e o transformam em uma imagem. Talvez o façam por meio de coreografia e dança — representando a manifestação do mundo em uma exibição física, comunicável, ainda que de forma não verbal, a outros. Talvez o façam atuando, que é uma forma sofisticada de personificação e imitação; pintando ou esculpindo. Talvez escrevam um roteiro ou um romance. Depois de tudo isso vêm os intelectuais, com filosofia e crítica, abstraindo e articulando as representações e regras da obra.

Considere o papel que as pessoas criativas desempenham nas cidades. Elas costumam passar necessidade, pois é quase impossível ter sucesso comercial como artista, e essa ânsia pelo que falta é, em parte, o que as motiva (não subestime a utilidade da necessidade). Em sua pobreza, elas exploram a cidade e descobrem uma área degradada, reduto de criminalidade, que já teve dias melhores. Visitam, olham, sondam e pensam: "Sabe, com um pouco de trabalho, essa área pode ser legal." Então, se mudam, montam algumas galerias e colocam algumas obras de arte. Não ganham dinheiro, mas revestem o espaço de civilidade. Ao fazer isso, essas pessoas elevam e transformam algo que antes era muito perigoso em vanguarda. Então, surge uma cafeteria e talvez uma loja de roupas não convencional. E, quando você se dá conta, lá estão os gentrificadores. Eles também são tipos criativos, porém mais conservadores (menos desesperados, talvez; mais avessos ao risco, pelo menos — portanto, não são os primeiros desbravadores). Em seguida, vêm os empreendedores imobiliários. E então surgem as cadeias de lojas, e a classe média ou alta se estabelece. Aí os artistas precisam se mudar, pois não conseguem mais pagar o aluguel. É uma perda para a vanguarda, mas tudo bem, mesmo que seja cruel, porque, com toda essa estabilidade e previsibilidade, os artistas não deveriam estar mais lá. Eles precisam rejuvenescer alguma outra área. Precisam de outra paisagem para conquistar. Esse é o seu ambiente natural.

Essa fronteira, na qual os artistas estão sempre transformando o caos em ordem, pode ser um lugar muito difícil e perigoso. Vivendo ali, eles correm o risco constante de afundar no caos, em vez de transformá-lo. Mas os artistas sempre viveram nessa fronteira da compreensão humana. A arte tem com a sociedade a mesma relação que o sonho tem com a vida mental. Você é muito criativo quando está sonhando. É por isso que, quando se lembra de um sonho, pensa: "De onde diabos veio isso?" É muito estranho e incompreensível que algo possa acontecer em sua cabeça e você não tenha ideia de como surgiu ou do que significa. É um milagre: a voz da natureza se manifestando em sua psique. E isso acontece todas as noites. Assim como a arte, o sonho é o mediador entre ordem e caos. Portanto, é meio caos. É por isso que não é compreensível. É uma visão, não uma produção articulada totalmente desenvolvida. Aqueles que concretizam essas visões nascentes em produções artísticas são os que começam a transformar o que não entendemos em algo que podemos ao menos começar a ver. Este é o papel dos artistas, ocupar a vanguarda. Esse é o seu nicho biológico. Eles são os primeiros agentes civilizadores.

Os artistas não entendem muito bem o que estão fazendo. E nem poderiam, se estiverem fazendo algo genuinamente novo. Caso contrário, bastaria dizer o que pretendem criar e pronto. Não precisariam se expressar na dança, na música e na ima-

REGRA 8

gem. Entretanto, eles são guiados pelo tato, pela intuição — por sua facilidade na detecção de padrões — e tudo isso é corporificado, em vez de articulado, pelo menos em seus estágios iniciais. Ao criar, os artistas enfrentam, questionam e lutam com um problema — que talvez nem entendam completamente — e se esforçam para conseguir dar forma a algo novo. Do contrário, são meros propagandistas, revertendo o processo artístico, tentando transformar algo que já são capazes de articular em imagem e arte com o propósito de uma vitória retórica e ideológica. Utilizar elementos de grandeza superior para propósitos inferiores é um grande pecado. A subordinação da arte e da literatura à política (ou o obscurecimento proposital da distinção entre elas) é uma tática totalitária.

Os artistas precisam lutar contra algo que não entendem, ou não são artistas. Em vez disso, são meros impostores ou românticos (frequentemente, fracassos românticos), narcisistas, atores (não no sentido criativo). É provável que, quando genuínos, sejam idiossincrática e peculiarmente obcecados por sua intuição — possuídos por ela, dispostos a persegui-la mesmo diante da oposição e da probabilidade esmagadora de rejeição, crítica e fracasso prático e financeiro. Quando são bem-sucedidos, tornam o mundo mais compreensível (às vezes substituindo algo mais "compreendido", mas agora anacrônico, por algo novo e melhor). Eles aproximam o desconhecido do mundo consciente, social e articulado. E então as pessoas olham para suas obras, assistem aos dramas e ouvem as histórias, e começam a se informar por elas, mas não sabem como nem por quê. E as pessoas descobrem um grande valor nisso — mais valor, talvez, do que em qualquer outra coisa. Há uma boa razão para que os artefatos mais caros do mundo — aqueles que são literalmente, ou quase, inestimáveis — sejam grandes obras de arte.

Certa vez, visitei o Metropolitan Museum of Art de Nova York. Continha uma coleção de pinturas grandiosas e famosas da Renascença — cada uma valendo centenas de milhões de dólares, caso estivessem disponíveis para compra. A área que as abrigava era um santuário, um reduto do divino — para crentes e ateus. Ficava no mais caro e prestigioso dos museus, localizado em um imóvel da mais alta qualidade e desejabilidade, naquela que pode muito bem ser a cidade mais ativa e excitante do mundo. A coleção havia sido montada durante um longo período e com muita dificuldade. A galeria estava lotada de pessoas, muitas das quais haviam viajado para lá como parte do que deveria ser considerado, de maneira mais apropriada, uma peregrinação.

Eu me perguntei: "O que essas pessoas estão fazendo, ao vir a este lugar, com uma curadoria tão cuidadosa, depois de viajar grandes distâncias, para admirar essas pinturas? E o que elas acreditam que estão fazendo?" Uma pintura apresentava a Imaculada Conceição de Maria, em uma composição magnífica. A Mãe de Deus subia ao céu, em estado de graça, emoldurada em uma mandorla de nuvens, incrustada com rostos de *putti*. Muitas pessoas se aglomeravam em torno da obra, admirando-a, extasiadas. Pensei: "Elas não sabem o que esta pintura significa. Não entendem o significado simbólico da mandorla, ou o significado dos *putti*, ou a ideia da glorificação da Mãe de Deus. Afinal, Deus está morto — ou é o que dizem. Então, por que a pintura ainda preserva seu valor? Por que está nesta sala, neste edifício, com essas outras pinturas, nesta cidade — cuidadosamente protegida para não ser tocada? Por que esta pintura — e todas as outras — é inestimável e tão desejada por quem já tem tudo? Por que essas criações são armazenadas com tanto cuidado em um santuário moderno e visitadas por pessoas de todo o mundo, como se isso fosse um dever — quase como se fosse desejável ou necessário?"

Tratamos esses objetos como se fossem sagrados. Pelo menos é isso que nossas ações diante deles sugerem. Olhamos para eles em ignorância e deslumbramento, e lembramos o que esquecemos; percebendo, em um vislumbre muito tênue, o que não podemos mais ver (o que talvez não estejamos mais dispostos a ver). O desconhecido resplandece nas produções de grandes artistas de forma parcialmente articulada. O inefável que inspira a reverência começa a ser concretizado, mas retém uma abundância aterrorizante de seu poder transcendente. Esse é o papel da arte, e esse é o papel dos artistas. Não é à toa que mantemos suas produções mágicas e perigosas trancadas, emolduradas e separadas de tudo. E, se uma grande peça for danificada em qualquer lugar, a notícia se espalha pelo mundo. Sentimos um tremor percorrer os alicerces de nossa cultura. O sonho do qual depende nossa realidade estremece. Nós nos sentimos debilitados.

UM CÔMODO

Eu moro com minha esposa em uma pequena casa geminada, com uma sala de estar que deve ter no máximo 3,5m x 3,5m. Mas nos esforçamos para deixar esse cômodo o mais bonito possível, e tentamos fazer o mesmo com o resto da casa. Na sala de estar estavam pendurados alguns quadros grandes (que não são do agrado de todos, certamente: eram peças realistas/impressionistas soviéticas, algumas ilustrando a Segunda Guerra Mundial, outras representando o triunfo do comunismo), bem como uma variedade de miniaturas cubistas e peças sul-americanas com forte influência da tradição indígena. Antes de nossas recentes reformas, a sala tinha pelo menos 25 quadros, incluindo cerca de 15 peças menores (30cm x 30cm). Havia até um — que lembrava uma gravura medieval, embora pintado em tela — no teto, preso com ímãs. Era de uma igreja romena. O maior tinha 1,80m de altura e cerca de 2,40m de largura. (Sei perfeitamente que reunir todas essas pinturas em um espaço tão pequeno contradiz meu ponto anterior sobre dedicar uma sala ou mesmo um edifício a uma única obra de arte, mas tenho apenas uma casa, então alego questão de necessidade: se quero colecionar pinturas, elas devem ser colocadas onde é possível.) No restante da casa, usamos 36 cores diferentes e uma variedade de texturas de brilho nas paredes e nos acabamentos da construção — todas de uma paleta que combinava com uma grande pintura realista de um pátio ferroviário em Chicago na década de 1950, criado pelo mesmo artista que nos ajudou a planejar e reformar nossa casa.

Comprei as peças soviéticas no eBay, vendidas por negociantes de objetos de segunda mão, todos eles especializados em artefatos da era soviética. A certa altura, eu tinha uma rede de cerca de vinte pessoas na Ucrânia me enviando fotos de todas as pinturas resgatadas das ruínas da burocracia soviética. A maioria era horrível. Mas algumas eram incríveis. Por exemplo, tenho um quadro excelente de Yuri Gagarin, o primeiro homem no espaço, diante de um foguete e uma instalação de radar, e outro dos anos 1970 que mostra um soldado solitário escrevendo para sua mãe diante de um grande rádio. É realmente especial ver eventos relativamente modernos memorizados em óleo por artistas talentosos. (Os soviéticos mantiveram suas academias funcionando continuamente desde o século XIX e, embora grandes restrições tenham sido impostas ao que podia ser produzido, aqueles que passaram por elas se tornaram pintores altamente qualificados.)

As pinturas soviéticas acabaram tomando conta de nossa casa. A maioria era pequena e ridiculamente barata, e comprei dezenas delas. A era soviética produziu seu próprio impressionismo, muitas vezes retratando paisagens, mais severas e duras do que as versões clássicas francesas, mas que me agradam

REGRA 8

muito e me lembram do lugar onde cresci, no Oeste do Canadá. Gosto de pensar que, enquanto procurava por obras, tive contato com um número maior de pinturas do que qualquer outra pessoa na história. Durante pelo menos quatro anos, a partir de 2001, pesquisei no eBay, vendo cerca de mil pinturas por dia,[VII] em busca de uma ou duas dentre elas que tinham qualidade genuína. Na maioria das vezes, era uma paisagem russa ou soviética vendida a preço de banana — pinturas melhores do que algumas que eu já vira em galerias ou coleções de museus em Toronto. Eu as colocava em uma lista de itens de interesse — um recurso do eBay —, as imprimia, espalhava pelo chão e, em seguida, pedia à minha esposa, Tammy, para me ajudar a restringir minhas escolhas. Ela tem um bom olho e um bom treinamento como artista. Descartávamos as que considerávamos imperfeitas e comprávamos o restante. Por causa disso, meus filhos cresceram cercados de arte, e isso certamente os marcou. Muitas das minhas pinturas agora estão em suas respectivas residências. (Eles tendiam a evitar a propaganda soviética mais política, pela qual eu me interessava por causa de seu significado histórico e por causa da eterna batalha nas telas entre a arte — uma consequência do talento inegável do pintor — e a propaganda a que a arte estava fadada a servir. Posso dizer que, com o passar dos anos, a arte consegue transcender a propaganda. Isso é algo muito interessante de observar.)

Nessa época, também tentei embelezar minha sala na universidade. Depois que fui transferido de um escritório no qual já havia mexido, o mesmo artista que ajudou a redecorar o interior de nossa casa (e de quem também comprei muitos quadros grandes, que também estão nas paredes de casa) tentou me ajudar a transformar meu catastrófico novo escritório — uma sala com

---

VII São 1.000 fotos de pinturas x 300 dias por ano x 4 = 1.200.000 pinturas. Deve ter sido um recorde (não que isso importe, mas é cômico de considerar), principalmente porque não acho que teria sido possível ver tantas pinturas antes que a tecnologia da internet viabilizasse esses gigantescos bancos de dados.

iluminação fluorescente e janelas lacradas, que mais parecia um galpão de fábrica dos anos 1970 — em algo que alguém com algum bom senso pudesse ocupar por trinta anos sem querer morrer. Os docentes eram proibidos de realizar qualquer modificação importante nesses espaços, devido a exigências sindicais (ou interpretações da reitoria acerca desses requisitos). Então, meu amigo artista e eu criamos um plano alternativo.

Decidimos prender alguns ganchos niquelados no bloco de concreto — em pares com cerca de um metro de distância e dois metros acima do solo — e pendurar painéis de madeira lixados e envernizados em tom de cerejeira. *Voilà*: escritório com painéis de madeira, pelo custo de cerca de oito peças de madeira compensada de US$75 mais mão de obra. Pretendíamos instalar tudo em um fim de semana, quando não houvesse mais ninguém por perto. Em seguida, planejávamos pintar o teto rebaixado (com cuidado, pois havia amianto acima das telhas). O inferno é um lugar de tetos falsos, grades de ventilação enferrujadas e luzes fluorescentes; a feiura sombria, a monotonia e a depressão geral de espírito decorrentes desse cenário de aspecto barato, sem dúvida, são muito mais eficientes em inibir a produtividade do que o mais barato dos truques arquitetônicos e a mais funesta das iluminações são capazes de economizar dinheiro. Todo mundo parece um cadáver sob lâmpadas fluorescentes. Isso é economizar justamente nas coisas que de fato importam.

Pretendíamos pintar o teto com uma tinta chamada Hammerite, que parece metal batido quando seca. Isso teria transformado a inevitável estética industrial — que pode ser atraente se tratada com sabedoria — em algo primoroso e único. Também poderia ter sido feito por um custo mínimo. Um bom tapete, talvez persa (também muito barato no eBay), algumas cortinas de qualidade razoável e uma mesa industrial decente: um fim de semana de trabalho secreto e teríamos um escritório

REGRA 8

que uma pessoa civilizada poderia ocupar sem nutrir ressentimentos e autodesprezo.

Entretanto, cometi um erro fatal. Falei com uma das administradoras seniores do departamento de psicologia sobre meus planos. Nós havíamos conversado anteriormente sobre a tenebrosa aparência do andar ocupado pelo nosso departamento e o estado sombrio de todos os escritórios, e pensei que havíamos estabelecido um consenso de que era necessário aprimorá-lo. Presumi que ela estava de acordo. Tínhamos até conversado sobre a transformação de seu escritório. Comecei a compartilhar minhas intenções com entusiasmo. Ela parecia descontente ao invés de feliz e inesperadamente me disse: "Você não pode fazer isso." Balancei minha cabeça em descrença e pensei: "O quê? Estou planejando transformar algo extremamente feio em belo, com rapidez, sem problemas e pouquíssimo dinheiro — e sua resposta é: 'Você não pode fazer isso'?!" Eu questionei: "O que você quer dizer?" Ela respondeu: "Bem, se você fizer isso, todos vão querer fazer." Quatro respostas passaram pela minha mente: 1) "Não, não vão." 2) "Todos *poderiam* fazer, porque seria muito barato." 3) "Achei que éramos adultos sensatos tendo uma conversa produtiva sobre como melhorar algo importante em uma universidade, mas na verdade somos crianças brigando no parquinho do jardim de infância." 4) "Achei que estava falando com alguém sensato e razoável, mas é evidente que não." Ela encerrou a conversa com uma ameaça direta: "Não me pressione." Como fui burro. Pedi permissão. (Na verdade não: eu estava tentando transmitir algo motivador, bonito e empolgante. Mas tudo se resumiu a um jogo de poder.) No entanto, eu não disse nada — embora tenha ficado tentado a lhe dizer tudo que passou pela minha cabeça — e imediatamente recalibrei minha estratégia.

Meu amigo artista e eu já estávamos mais do que familiarizados com a insanidade e a intransigência inerentes às burocracias de nível intermediário, então já tínhamos concebido um plano B mais barato. Envolvia a escolha cuidadosa da tinta para as paredes (em vez da preferível madeira), com algum quadro de destaque onde fosse possível, e tapetes e cortinas combinando. Eu ainda tinha que lutar contra o governo para obter as cores precisas que havia escolhido (que combinavam com o ambiente industrial do escritório), mas venci a batalha. O plano B não era tão bom quanto o plano A, mas ainda era muito melhor do que o status quo. Mais tarde, adicionei um teto rebaixado de cobre, usando placas de plástico adesivas leves que imitam o metal decorativo com bastante exatidão, pendurei alguns quadros e acrescentei algumas estátuas apropriadas. Alunos, colegas e visitantes entram e ficam admirados. Meu escritório é um lugar de criatividade e beleza, e não um medonho galpão de fábrica com luz fluorescente. Os visitantes ficam surpresos — surpresos, aliviados e satisfeitos.

Não muito depois, descobri que o departamento agora levava potenciais novos contratados ao meu escritório para lhes mostrar quanta liberdade criativa era possível na Universidade de Toronto. Achei isso incrivelmente cômico. Pensei muito nisso tudo. A resistência que encontrei foi um tanto incompreensível em sua força. Eu refleti: "Deus, as pessoas parecem estar com medo do que estou fazendo neste escritório. Talvez haja uma razão — uma razão importante — que eu não entendo." Então me deparei com uma história do biólogo Robert Sapolsky. Era sobre gnus.[5] Os gnus são animais de rebanho e muito difíceis de distinguir uns dos outros (talvez não para outros gnus, mas certamente para aqueles que desejam estudá-los). Eles são todos iguais. Em um ponto no passado, isso representou um problema sério para os biólogos que precisavam observar animais individuais por tempo suficiente para tirar algumas conclusões sobre seu comportamento. Eles observavam um gnu, desviavam o olhar por um momento para fazer anotações e eram incapazes de localizar o mesmo animal quando olhavam de volta.

REGRA 8

Até que conseguiram encontrar uma potencial solução. Os biólogos se aproximaram do rebanho em um jipe, armados com um balde de tinta vermelha e um pedaço de pau com um pano. Eles pintaram uma mancha vermelha nas ancas de um dos gnus. Agora poderiam rastrear as atividades daquele animal em particular e, com sorte, aprender algo novo sobre o comportamento dos gnus. Mas adivinhe o que aconteceu com o gnu, agora diferenciado dos demais? Os predadores, sempre à espreita ao redor do rebanho, o abateram. Leões — a grande ameaça a esses animais — não conseguem derrubar um único gnu com facilidade, a menos que possam identificá-lo. Eles não conseguem caçar a massa de animais indistinguíveis. Não são capazes de rastrear quatro gnus de cada vez. Precisam organizar sua caça em torno de um indivíduo identificável. Assim, quando os leões vão atrás dos menores ou dos feridos, não estão abatendo os fracos, em alguma demonstração natural de altruísmo benéfico. Eles prefeririam comer um gnu saudável, delicioso e suculento do que um exemplar mirrado, velho ou doente. Mas devem ser capazes de identificar suas presas. Moral da história? Destaque-se, torne-se colorido e os leões o abaterão. E eles sempre estão por perto.

"O prego que se destaca é o primeiro a ser martelado." Esse ditado é válido em muitas culturas, como no Brasil e no Japão. A versão da língua inglesa é: "A papoula que cresce mais alto é a primeira a ser arrancada." Essa não é uma observação trivial: daí sua semelhança. O esforço artístico e criativo é de alto risco, enquanto a probabilidade de retorno é baixa. Mas a probabilidade de um retorno excepcionalmente alto existe, e o esforço criativo, embora perigoso e improvável de prosperar, também é absolutamente vital para a transformação que nos permite manter o equilíbrio. Tudo muda. O tradicionalismo puro está condenado exatamente por isso. Precisamos do novo apenas para manter nossa posição. E precisamos ver aquilo para o que nos tornamos cegos, por nossa própria destreza e especialização, para que não percamos o contato com o Reino de Deus e não morramos em meio ao tédio, ao enfado, à arrogância, à cegueira para a beleza e ao cinismo que aniquila a alma. Além disso, somos presas indefesas, que se encolhem e se protegem, se escondem e se camuflam, ou somos seres humanos?

NÃO É DECORAÇÃO

As pessoas costumam se irritar com a arte abstrata, ou com a arte que parece se dedicar a provocar reações negativas, como nojo ou horror, apenas para chocar. Tenho um enorme respeito pelos ideais de beleza tradicional e, portanto, alguma simpatia por esse tipo de reação, e não duvido que muitos que apenas desdenham a tradição mascaram esse sentimento com uma pretensão artística. No entanto, a passagem do tempo diferencia o trabalho verdadeiramente inspirado da dissimulação, mesmo de maneira imperfeita, e o que não é crucial geralmente é deixado para trás. Também é fácil cometer o erro oposto: alegar que a arte deve ser bela e de fácil apreciação, sem trabalho ou desafio — deve ser decorativa; deve combinar com a mobília da sala. Mas arte não é decoração. Essa é a atitude de um iniciante ingênuo ou de quem não permite que seu medo da arte lhe possibilite progredir e aprender.

Arte é exploração. Artistas treinam pessoas para ver. Agora, a maioria das pessoas com qualquer exposição à arte considera o trabalho dos impressionistas, por exemplo, como evidentemente belo e relativamente tradicional. Isso ocorre, em grande parte, porque todos nós percebemos o mundo agora, pelo menos parcialmente, da maneira que só os impressionistas poderiam fazer na segunda metade do século XIX. Não podemos deixar de fazê-lo, pois a estética impressionista inundou tudo: anúncios, filmes, cartazes populares, gibis, fotografias — todas as formas

REGRA 8

de arte visual. Agora todos nós vemos a beleza da luz que apenas os impressionistas poderiam perceber. Eles nos ensinaram isso. Porém, quando os impressionistas expuseram suas pinturas pela primeira vez — no Salon des Refusés de 1863, já que o tradicional Salão de Paris as rejeitara —, as peças foram recebidas com riso e desprezo. Esse modo de percepção (prestar especial atenção à luz, essencialmente, e não à forma) era tão radical que fazia com que as pessoas tivessem acessos emocionais.

Muitas vezes, fico impressionado com o quanto até mesmo os tropos do cubismo, bem mais extremos e estranhos em alguns aspectos do que o impressionismo, tornaram-se parte de nosso vernáculo visual. Já vi os rostos multidimensionais, mas achatados, típicos do gênero, até mesmo em histórias em quadrinhos. O mesmo é válido para o surrealismo, que de tão popular já é quase um clichê. Vale a pena ratificar: os artistas ensinam as pessoas a ver. É muito difícil perceber o mundo, e somos sortudos por ter gênios para nos ensinar como fazê-lo, para nos reconectar com o que perdemos e para nos iluminar para o mundo. É por essas razões psicológicas que palavras como as de Cristo podem ser proveitosas:

> Naquela mesma hora chegaram-se a Jesus os seus discípulos e perguntaram: Quem é o maior no reino do céu?
>
> E Jesus, chamando uma criancinha, colocou-a no meio deles,
>
> e disse: Na verdade eu vos digo que, se não vos converterdes e não vos tornardes como criancinhas, de modo algum entrareis no reino do céu. (Mateus 18:1-3)

A beleza o leva de volta ao que você perdeu. A beleza o faz lembrar o que permanece para sempre imune ao cinismo. A beleza o atrai de uma forma que fortalece seu objetivo. A beleza o faz recordar que existe um valor cada vez maior. Muitas coisas fazem a vida valer a pena: amor, diversão, coragem, gratidão, trabalho, amizade, verdade, graça, esperança, virtude e responsabilidade. Mas a beleza está entre as maiores delas.

> Pois muito embora a glória, que antes cintilara,
>
> Tenha tornado-se distante e coisa rara,
>
> E embora nada traga novamente a hora
>
> Do esplendor no relvado, ou da flor que vigora;
>
> Nós não vamos chorar; iremos
>
> Achar forças no que tivemos
>
> Um dia; no afeto primeiro
>
> Que ainda se mantém inteiro;
>
> No pensamento que consola
>
> E medra quando a dor desola;
>
> Na fé que enxerga além da morte[VIII]

> — WILLIAM WORDSWORTH, "ODE: PRENÚNCIOS DA IMORTALIDADE DA MAIS TENRA IDADE"

Tente deixar um cômodo de sua casa o mais bonito possível.

VIII Tradução de Matheus Mavericco para a revista *Escamandro*. Disponível em https://edisciplinas.usp.br/mod/url/view.php?id=2544199 (N. da T.)

REGRA 9

ESCREVA EM DETALHES TODAS AS VELHAS LEMBRANÇAS QUE AINDA O PERTURBAM

O PASSADO JÁ SE ESQUECEU DE VOCÊ?

Imagine que você praticou algumas ações terríveis no passado. Traiu ou magoou pessoas de forma genuinamente nociva. Prejudicou a reputação delas com fofocas e insinuações. Assumiu o crédito pelo trabalho delas. Roubou-lhes material ou espiritualmente. Enganou-as. Ou imagine, em vez disso, que você foi o alvo de algumas dessas situações — e também suponha que aprendeu o suficiente para tentar evitar a repetição da experiência. Em ambas as circunstâncias (como autor ou vítima), os eventos reais e as memórias associadas evocam medo, culpa e vergonha. Por quê?

No primeiro caso, você se traiu. Não se atentou ao jogo de médio a longo prazo de maneira adequada e está sofrendo as consequências. Você não é o tipo de pessoa que os outros escolhem ter por perto. Pode nem mesmo ser o tipo de pessoa que gostaria de ter por perto. No segundo caso, você foi terrivelmente maltratado por alguém. Em certo sentido, porém, não importa se estava sofrendo por causa de uma autotraição ou de outras pessoas. O que importa é que não deseja repetir nenhuma das situações.

Entretanto, se recorda o fato ou a memória volta sem ser convidada, acompanhada de todo o terror, vergonha e culpa, isso significa algo específico. Significa que você caiu em um buraco — um fosso, mais precisamente — ou foi empurrado para lá. E isso não é bom. O pior é que você não sabe por quê. Talvez tenha confiado em outras pessoas com muita facilidade. Talvez tenha sido muito ingênuo. Talvez fosse deliberadamente cego. Talvez tenha encontrado a maleficência genuína, da parte de outra pessoa ou de você mesmo (e essa é a pior situação e a mais difícil de superar). Mas, no âmbito da análise, se caiu ou foi empurrado, faz pouca diferença — pelo menos para os sistemas emocionais que surgiram ao longo da evolução e agora servem para protegê-lo. Eles se preocupam com uma coisa e apenas uma coisa: que você não repita um erro.

Os alarmes que esses sistemas ativam são baseados no medo (esse é um termo muito brando — baseado no terror é muito mais preciso, o tipo de terror não limitado por tempo e espaço), e tudo o que importa é lembrá-lo do perigo ainda existente. Uma parte da realidade, e uma parte perigosa, permaneceu sem mapeamento, em baixa resolução, sem detalhes suficientes — e o mesmo acontece com uma parte sua. Talvez você não seja perspicaz, alerta, perigoso, cauteloso, sábio ou gentil o suficiente — quem vai saber? — para que os sistemas de terror que o protegem confiem em sua capacidade de abrir caminho pelo mesmo labirinto, caso esse terror se manifeste novamente.

Aprenda com o passado. Ou está fadado a repetir seus horrores, em sua imaginação, indefinidamente.

Com frequência, as pessoas não reprimem acontecimentos terríveis do passado, mas se recusam a pensar sobre eles, afastando-os de sua mente ou ocupando-se com outras atividades. Elas têm seus motivos. E às vezes pessoas traumatizadas pa-

REGRA 9

recem literalmente incapazes de entender o que aconteceu com elas. Pode ser insuportavelmente difícil para crianças abusadas, por exemplo, gerar uma cosmovisão filosoficamente sofisticada o suficiente para abranger todo o espectro da motivação humana. Elas simplesmente não conseguem entender por que alguém seria capaz de atormentá-las fisicamente ou abusá--las sexualmente. Se forem jovens o bastante, é provável que nem mesmo compreendam com clareza o que está acontecendo. Compreender esses assuntos é muito desafiador, mesmo para adultos. Porém, em algum sentido infeliz e indiscutivelmente injusto, isso não importa. A recusa ou a incapacidade deixa na memória uma área geográfica inexplorada, ativa e repleta de perigos. É um truísmo psicológico dizer que algo ameaçador ou prejudicial o bastante, uma vez experienciado, não pode mais ser esquecido caso não seja compreendido.[1]

Para nos orientarmos no mundo, precisamos saber onde estamos e para onde vamos. Onde estamos: este conceito deve incluir um relato completo de nossa experiência do mundo até o momento. Se você não sabe quais estradas percorreu, é difícil avaliar onde está. Para onde estamos indo: esta é a projeção de nosso ideal final — que não é, em absoluto, apenas uma questão, digamos, de realização, amor, riqueza ou poder, mas o desenvolvimento do caráter que torna todos os resultados felizes mais prováveis e os infelizes menos prováveis. Mapeamos o mundo para que possamos nos mover de onde estamos — o ponto A — para onde estamos indo — o ponto B. Usamos esse mapa para guiar nosso movimento e encontramos êxitos e contratempos ao longo do caminho.

Os sucessos geram confiança e são estimulantes. Não estamos apenas nos movendo em direção ao nosso desejo final, mas parecemos estar fazendo isso da maneira certa (e, portanto, não apenas avançando, mas validando nosso mapa). Os obstáculos e as falhas são, em contraste, causadores de ansiedade, depressão e dor. Eles indicam nossa profunda ignorância. Indicam que não entendemos com profundidade suficiente onde estivemos, onde estamos ou para onde vamos. Indicam que algo que construímos com grande dificuldade e que desejamos, acima de tudo, proteger é defeituoso — em um grau ao mesmo tempo sério e não totalmente compreendido.

Devemos recordar nossas experiências e derivar delas sua moral. Do contrário, ficamos no passado, importunados por reminiscências, atormentados pela consciência, cínicos pela perda do que poderia ter sido, implacáveis conosco e incapazes de aceitar os desafios e as tragédias que enfrentamos. Devemos nos recuperar ou sofrer em proporção direta à nossa ignorância e evitação. Devemos reunir tudo que evitamos no passado. Devemos reavivar todas as oportunidades perdidas. Devemos nos arrepender dos erros, refletir sobre eles, adquirir agora o que deveríamos ter adquirido antes e nos recompor. E não estou dizendo que isso seja sempre possível. Já vi pessoas tão perdidas que não lhes restou força suficiente para sobreviver. A pessoa havia se tornado insignificante demais para confrontar, em sua condição atual, o que já era evitado até mesmo por sua versão de "eu" mais saudável do passado. E o cinismo sobre o futuro racionaliza a evitação e o engano. Isso é o inferno e não há limite para sua profundidade. A humildade necessária para sair desse inferno é proporcional à magnitude dos erros que permaneceram impunes no passado. E isso é o suficiente para que um calafrio de terror percorra a espinha de qualquer pessoa, mesmo parcialmente desperta. Não nos é permitido, ao que parece, evitar a responsabilidade de realizar o potencial. E, se cometemos um erro no passado e deixamos imanifesto o que poderia ser — seja qual for o motivo —, então pagamos o preço por isso na incapacidade de esquecer e na emoção que constitui as dores de consciência pelo mau comportamento do passado.

REGRA 9

Imagine que, quando você é muito jovem, o mapa do mundo usado para guiar seu "eu" imaturo é subdesenvolvido na mesma proporção, como o desenho de uma casa feito por uma criança: sempre reto e centralizado, retratando apenas a frente; sempre com uma porta e duas janelas (ou algo muito parecido); sempre com um quadrado como parede externa e um triângulo para o telhado; sempre com chaminé e fumaça (o que é uma surpresa, porque chaminés de fumaça não são tão comuns). O sol está sempre radiante — um círculo com raios emanando dele. Sempre há flores — linhas simples esboçando uma flor no topo e duas folhas na metade do "caule". É uma representação de baixíssima resolução de uma casa. É mais hieróglifo do que desenho; mais conceito do que esboço. É algo que representa a ideia de casa, ou talvez lar, genericamente, como as próprias palavras "casa" ou "lar". No entanto, quase sempre é suficiente: a criança que fez o desenho sabe que é uma casa, e as outras crianças e os adultos sabem que é uma casa. O desenho é eficaz. Ele cumpre seu propósito. É um mapa bom o suficiente.

Todavia, com muita frequência, eventos terríveis ocorrem dentro das casas. Eles não são tão fáceis de representar. Talvez a casa tenha adultos — pais, avós, tios ou tias — que dizem coisas como "Nunca — e quero dizer nunca mesmo — fale com alguém sobre o que acontece aqui". Alguns quadrados, um triângulo, um punhado de flores e um orbe solar amigável oferecem apenas uma representação inadequada dos horrores que caracterizam tal moradia. Talvez o que está acontecendo dentro de casa esteja além da tolerabilidade e da compreensão. Porém, como é possível o aterrorizante estar além da compreensão? Como é possível existir um trauma sem a compreensão? A compreensão não é, em certo sentido, um pré-requisito para a própria experiência? Todos esses são grandes mistérios. Mas nem tudo é experimentado no mesmo nível de concepção. Todos nós ficamos apavorados diante do desconhecido, embora isso pareça uma contradição de termos. Mas o corpo sabe o que a mente ainda não compreende. E ele lembra. E exige que o entendimento seja estabelecido. E simplesmente não há como escapar dessa demanda. Se algo nos acontecer — ou, talvez pior, praticarmos alguma ação — que nos congele de terror e nos cause repulsa ao lembrar, somos obrigados pelo destino implacável a transformar o horror puro em compreensão, ou sofreremos as consequências.

NÃO CAIA DUAS VEZES NO MESMO FOSSO

Tive uma cliente que começou a me contar, pouco depois de nos conhecermos, sobre o abuso sexual que sofrera na infância, de um primo mais velho, com quem morava. Ela chorou e se emocionou muito ao contar suas experiências. Perguntei a ela quantos anos tinha quando o abuso ocorreu. Ela me disse que tinha 4 anos. Descreveu seu agressor como muito maior, mais forte e mais velho. Deixei que minha imaginação vagasse livremente enquanto ela falava, fazendo as suposições que eu acreditava (ou minha fantasia presumia) serem justificadas pela natureza de sua descrição. Imaginei as maquinações nefastas, sádicas e criminosas de um adolescente mais velho ou jovem adulto. Então lhe perguntei a diferença de idade entre ela e seu algoz. "Dois anos. Ele era dois anos mais velho que eu", respondeu. Isso foi uma surpresa genuína. Mudou a imagem em minha mente quase completamente.

Contei a ela o que estava imaginando, pois queria que percebesse que tipo de suposições eu estava formulando a partir de sua história. Então eu lhe disse: "Sabe, você está crescida agora, e já faz muito tempo. Mas me contou sua história da mesma forma que poderia ter contado aos 4 anos, quando o abuso sexual ainda estava ocorrendo — ou pelo menos com muitas das mesmas emoções. E não há dúvida de que você se lembra de seu

REGRA 9

primo como muito maior, mais forte e mais velho do que você. Afinal de contas, uma criança de 6 anos tem quase o dobro da idade de uma criança de 4 anos e, da perspectiva da criança mais nova, talvez seja mais parecida com um adulto. Mas seu primo tinha 6 anos — era quase tão criança quanto você. Então, aqui está outra maneira de pensar sobre o que aconteceu. Primeiro, lembre-se das crianças de 6 anos que conhece agora. Você sabe que elas ainda são imaturas e não podem ser responsabilizadas como os adultos por suas ações, embora também possam não ser totalmente inocentes. Não estou tentando minimizar a gravidade do que aconteceu com você nem questionando a intensidade de suas emoções. Mas estou pedindo que considere a situação como se tivesse ocorrido entre duas crianças que você conhece atualmente. Crianças são curiosas. Elas brincam de médico. E se os adultos ao seu redor não prestarem a devida atenção, essas brincadeiras podem sair do controle. Seria possível considerar que você não foi molestada por uma força avassaladora e maligna — do jeito que seria se fosse estuprada hoje? Talvez, em vez disso, você e seu primo fossem crianças muito mal supervisionadas."

De alguma forma importante, as memórias que reteve de suas experiências de infância não se alteraram à medida que minha cliente amadureceu. Ela ainda experienciava o terror de uma criança de 4 anos, indefesa nas mãos de alguém com idade suficiente para ser percebida como adulta. Mas seu "eu" de 27 anos precisava atualizar essa memória. Ela não estava mais sob risco de enfrentar a mesma situação de qualquer maneira óbvia. E foi um grande alívio para ela reformular o que acontecera. Agora minha cliente podia considerar o episódio uma consequência potencial da curiosidade não impedida pela devida atenção adulta. Isso mudou sua visão de seu primo, da situação e de si mesma. Ela agora podia ver o evento da perspectiva de um adulto. Isso a libertou de grande parte do terror e da vergonha ainda associados às memórias, e com notável rapidez. Ela enfrentou os horrores do passado voluntariamente, encontrando uma explicação causal muito menos traumática — e verdadeira — que não abarcava a visão de seu primo como um transgressor maligno e poderoso e ela como a infeliz vítima dessa força. Toda essa transformação ocorreu em uma única sessão. Esse é o poder da história que cerca os acontecimentos terríveis de nosso passado.

Essa experiência me deixou com um profundo dilema filosófico. As memórias que minha cliente trouxe para o meu consultório permaneceram inalteradas por décadas. As memórias com que ela saiu eram notavelmente diferentes. Quais, então, eram reais? Pode-se argumentar que sua história original era mais precisa. Afinal, foi uma impressão o mais direta possível gravada no livro aberto da mente de uma criança de 4 anos. Não havia sido alterada (e, portanto, modificada) por qualquer intervenção terapêutica anterior. Não era, então, a verdadeira? Mas também é fato que um evento que significa uma coisa um dia pode passar a significar algo completamente diferente em outro. Afinal, é assim tão incomum entendermos melhor o que motivou o comportamento inexplicável de nossos pais, por exemplo, ao ingressarmos na paternidade? E qual memória é mais precisa: a imagem parcial da motivação adulta que temos quando crianças ou as lembranças revisadas que a maturidade possibilita? Se for a última — e isso não parece irracional (e certamente parecia verdadeiro no caso de minha cliente) —, como é que uma memória alterada pode se tornar mais precisa do que uma que guarda sua configuração original?

POSSUÍDO POR FANTASMAS

Recordo-me de outro cliente que lembrou, de maneira surpreendente, e mudou. Suas memórias estavam envoltas em um misté-

REGRA 9

rio muito mais profundo, e sua lembrança era de um tipo mais inativo, surpreendente e improvável. Ele era um jovem gay afro--americano que sofria de uma série de sintomas mentais e físicos incompreensíveis. Fazia pouco tempo que um psiquiatra o havia diagnosticado com esquizofrenia, mas sua tia, que o levou ao hospital para avaliação, acreditava que o jovem não tinha sido examinado por tempo suficiente. Ela me contatou para uma segunda opinião e o trouxe ao meu consultório. Eu o atendi sozinho.

Ele era tímido e reservado, mas estava vestido com esmero e cuidado, e parecia totalmente orientado quando comecei a reunir detalhes de sua história. Além disso, ele usava óculos — bem cuidados, não havia remendos com fitas adesivas e as lentes estavam perfeitamente limpas. Para mim, essas observações eram todas pertinentes. Como os esquizofrênicos perdem a capacidade de cuidar de si mesmos, roupas descuidadas e óculos danificados — principalmente com lentes muito borradas — são características reveladoras (não é um critério absoluto: portanto, se você é uma dessas pessoas com óculos remendados ou sujos, não precisa se considerar incluído). Ele também tinha um emprego de tempo integral de razoável complexidade (outra raridade para alguém com esquizofrenia), e era capaz de manter uma conversa sem outros problemas além da tendência à timidez. Aceitei-o como cliente e começamos a nos encontrar regularmente.

Tive de vê-lo algumas vezes antes de determinar por que o psiquiatra o diagnosticou com um distúrbio tão sério. Meu cliente começou me contando que, nos últimos quatro anos, estivera deprimido e ansioso. Não havia nada de muito incomum nisso. Seus sintomas surgiram depois de uma briga séria com o namorado e do término definitivo do relacionamento, que durara vários anos. Nada nisso era incomum também. Os dois moravam juntos. A parceria deles era importante para meu cliente, tanto em termos emocionais quanto práticos — e o fim de um relacionamento íntimo provoca infelicidade e confusão em quase todas as pessoas, podendo desencadear ansiedade e depressão mais graves e duradouras em pessoas com essa predisposição. No entanto, a duração desses eventos era incomum. As pessoas normalmente juntam os cacos e seguem em frente em menos de um ano. Essa não é uma regra rígida, mas quatro anos é muito tempo. Isso despertou minha curiosidade. Ele também revelou algo muito fora do comum. Disse que experienciava movimentos corporais estranhos e convulsivos — todas as noites — enquanto tentava dormir. Seu corpo se contorcia em posição fetal e seus braços se cruzavam sobre o rosto. Então ele relaxava, e os movimentos se repetiam. E era assim por horas. Além de ser preocupante por ser incompreensível, estava interferindo muito em seu sono. Isso vinha acontecendo há quase o mesmo tempo que a ansiedade e a depressão; e a falta de sono, além dos próprios movimentos involuntários, certamente era um fator contribuinte. Perguntei o que ele achava que estava acontecendo. Meu cliente respondeu, rindo: "Minha família pensa que estou possuído e não tenho certeza se eles estão errados."

A origem familiar do meu cliente era um tanto incomum. Seus pais — que imigraram do Sul dos Estados Unidos para o Canadá — eram muito ignorantes, supersticiosos e religiosos, e aparentemente falavam sério quanto à crença de que espíritos haviam possuído o filho. Perguntei a ele: "Você por acaso contou ao psiquiatra sobre estar possuído?" Ele respondeu que sim. Pensei comigo: "Bem, isso explica o diagnóstico de esquizofrenia." Essa explicação, combinada com os estranhos sintomas físicos, teria sido suficiente, em minha experiência.[1] No entanto,

---

[1] Um conselho para quem procura ajuda de saúde mental em uma clínica de cidade grande, onde o psiquiatra que consultá-lo pode levar apenas quinze minutos para avaliar sua vida e determinar a natureza de sua doença: não mencione casualmente quaisquer experiências ou crenças estranhas. Você pode se arrepender. É preciso muito pouco para obter um diagnóstico de esquizofrenia nas condições que prevalecem em um sistema de saúde mental sobrecarregado — e, uma

REGRA 9

após atender a esse homem por várias sessões, ficou claro para mim que a causa de seu tormento, independentemente do que fosse, não era esquizofrenia. Ele estava perfeitamente racional e lúcido. Mas o que raios poderia estar causando esses estranhos espasmos noturnos, semelhantes a convulsões? Nunca tinha visto nada parecido. Minha primeira hipótese era que ele sofria de uma forma muito grave de paralisia do sono, uma condição razoavelmente comum. Em geral ocorre quando as pessoas estão dormindo de costas (o que ele costumava fazer). Uma pessoa com paralisia do sono desperta parcialmente, mas não o suficiente para interromper o sonho nem se livrar da incapacidade de se mover característica da fase de movimento rápido dos olhos (REM). Quando você está sonhando, as mesmas áreas do cérebro que governam o movimento ativo quando está acordado são estimuladas (o que resulta na sensação de se mover durante o sonho). Você não se move em sincronia com a ativação do cérebro, pois sua musculatura voluntária é desligada, fisiologicamente, por um mecanismo neuroquímico especializado que tem exatamente essa função.[2] Do contrário, você sairia da cama, encenaria seu sonho e sem dúvida se meteria em encrenca.

Durante um episódio de paralisia do sono, o paciente acorda em um estado de semiconsciência do mundo real, mas ainda está em paralisia REM e sonhando. Todos os tipos de experiências estranhas podem ocorrer em tal estado. Muitas pes-

---

vez que o diagnóstico tenha sido estabelecido, é muito difícil negá-lo. É difícil, do ponto de vista pessoal, não levar a sério uma descrição médica. É mais difícil do que você imagina não acreditar em um psiquiatra qualificado (que deveria, afinal, saber do que está falando), principalmente se você estiver experienciando sintomas estranhos. É difícil do ponto de vista prático também, pois, uma vez que tal diagnóstico passa a fazer parte de seu prontuário médico permanente, não é nada fácil modificá-lo. Qualquer coisa fora do comum em você, a partir de então, atrairá atenção indevida (até de você mesmo), e qualquer demonstração de normalidade será minimizada. Bem, digo tudo isso sabendo muito bem que algumas pessoas com crenças estranhas são de fato esquizofrênicas — mas, em geral, um pouco de investigação é feita para estabelecer esse diagnóstico, e psiquiatras ocupados em hospitais públicos raramente têm tempo para investigações cuidadosas.

soas, por exemplo, alegaram ter sido abduzidas e examinadas clinicamente por alienígenas.[3] Esse fenômeno noturno inexplicável (exceto a existência de extraterrestres curiosos e fãs de cirurgia) é o responsável pela condição de imobilidade e pelas fantasias bizarras e assustadoras que a acompanham.[4] Ele era muito inteligente, letrado e curioso, então lhe dei um livro chamado *The Terror That Comes in the Night*[5] ["O Terror que Surge no Meio da Noite", em tradução livre], que explica os fenômenos estranhos que podem acompanhar a paralisia do sono. O autor, David Hufford, descreve o terror noturno a que o título se refere como uma variante da experiência da "Old Hag" [bruxa velha] — um termo do folclore. Aqueles que tiveram tal experiência (até 15% da população) descrevem medo e paralisia, sensações de sufocamento e encontros com entidades malignas. Meu cliente leu o livro, mas me disse que não acreditava que a descrição de Hufford caracterizava com precisão sua experiência. Ele pensava o mesmo em relação à hipótese da paralisia do sono de maneira mais geral. Primeiro porque os espasmos ocorriam antes de ele adormecer; segundo porque não experimentava a incapacidade de se mover.

Aprendi muito mais sobre meu cliente à medida que continuamos a nos encontrar. Fiquei sabendo, por exemplo, que ele havia se graduado em história. Descobri que seus pais foram excepcionalmente rígidos com ele durante sua infância e adolescência. Nunca permitiram que passasse a noite na casa de seus amigos e monitoraram seu comportamento de perto até o momento em que foi para a universidade. Ele também contou um pouco mais sobre a briga ocorrida imediatamente antes do término de seu último relacionamento. Meu cliente e o namorado haviam retornado ao apartamento em que moravam após tomarem alguns drinques e discutirem em público. Em casa, a briga se transformou em conflito físico. Eles começaram a se empurrar, com violência crescente. Depois de um empurrão especialmente agressivo, meu cliente caiu no chão da sala.

REGRA 9

Enquanto estava caído, deu uma rasteira no namorado. Depois se levantou e se dirigiu para a porta. Voltou vários dias depois, quando sabia que o parceiro não estaria em casa, para empacotar seus pertences e se mudar. Esse foi o fim de sua existência como casal.

Porém, havia um elemento nada óbvio de sua personalidade em jogo nesse conflito. Em consequência, meu cliente foi profundamente atingido pela agressão de seu namorado. Enquanto narrava essa sequência de eventos, ele me falou que não acreditava que as pessoas fossem capazes de violência. Eu disse: "O que você quer dizer com isso? Você se formou em história. Obviamente leu sobre os horrores e as atrocidades do passado da humanidade. Você assiste ao noticiário..." Ele disse que, na verdade, não assistia ao noticiário. "É justo", afirmei, "mas e tudo o que você aprendeu na universidade? Não o ensinou que a agressão humana é real e extraordinariamente comum?". Ele respondeu: "Eu li os livros, mas simplesmente coloquei tudo o que aprendi em um compartimento e não pensei mais a respeito." Achei essa resposta surpreendente, principalmente aliada à outra informação. "Quando eu era criança", relatou, "assimilei a ideia de que as pessoas eram boas. Meus pais me ensinaram que os adultos são anjos". Perguntei: "O que você quer dizer com isso? Que os adultos nunca fizeram nada de ruim ou errado?" Sua resposta foi: "Não, você não entende. Meus pais ensinaram a mim e a meus irmãos que os adultos eram literalmente anjos de Deus e que só eram capazes de ser bons." Indaguei: "Você acreditou nisso?" Ele respondeu que acreditava profundamente — em parte porque fora muito protegido; em parte porque seus pais foram muito insistentes nisso; e em parte, é claro, porque era reconfortante.

Sugeri que algo precisava ser feito a respeito de sua ingenuidade. Não lhe estava fazendo bem. Ele era maduro e inteligente demais para manter a crença em um sonho tão infantil.

244   ALÉM DA ORDEM

Discutimos isso em detalhes, falando sobre os eventos horríveis do século XX e os fuzilamentos em massa e outros terrores do passado mais recente. Pedi-lhe que explicasse tais ocorrências e prestasse mais atenção a quaisquer amostras de sua própria raiva e hostilidade. No entanto, ele negou sentir qualquer hostilidade e não conseguiu formular uma explicação convincente para a raiva.

Então, indiquei a leitura de *Ordinary Men* ["Homens Comuns", em tradução livre].[6] Esse livro detalha de maneira excruciante como um grupo de policiais comuns da Alemanha se transformaram em algozes de sangue frio na Polônia durante a ocupação nazista. Chamar o relato de arrepiante não chega nem perto da verdade. Eu disse a ele, com toda a seriedade, que deveria ler o livro como se realmente tivesse acontecido e, mais ainda, como se ele e as pessoas que conhecia fossem capazes dos mesmos atos hediondos. Era hora de crescer. Já havíamos estabelecido um relacionamento profissional muito sólido a essa altura, e quando eu lhe disse que sua visão cor-de-rosa do mundo era um perigo capaz de destruir sua vida, ele me levou a sério. Uma semana depois, em nossa sessão seguinte, ele havia terminado o livro. Seu rosto havia endurecido. Parecia mais velho e mais sábio. Eu via isso acontecer com frequência em minha prática clínica, quando as pessoas incorporavam seus lados mais sombrios, em vez de — digamos — compartimentalizá-los. Elas deixavam de ter a aparência habitual de um animal assustado. Pareciam pessoas com poder de decisão, em vez de pessoas para quem as coisas simplesmente aconteciam. Então lhe pedi para ler *The Rape of Nanking*[7] ["O Massacre de Nanquim", em tradução livre], que aborda as atrocidades cometidas pelo Japão na China em 1937, episódio conhecido como o Massacre de Nanquim. É um livro horrível. A autora cometeu suicídio. Mesmo assim, ele leu e nós conversamos sobre o assunto. Meu cliente saiu mais triste, porém mais sábio. No entanto, seus sintomas noturnos não diminuíram.

REGRA 9

Contudo, seus comentários sobre considerar "adultos como anjos", suas alegações sobre compartimentalizar seu conhecimento do mal e a existência de espasmos inexplicáveis acionaram alguns mecanismos nos recessos distantes do meu cérebro. Muitos anos antes, tive outra cliente (uma jovem, como costuma ser o caso) que tinha histeroepilepsia — um caso clássico de histeria freudiana, em que os sintomas corporais expressavam problemas psicológicos. Ela havia sido criada no Meio-oeste rural, em uma atmosfera fundamentalista cristã muito repressiva e vitoriana. Uma de suas "convulsões" ocorreu em meu consultório — do tipo tônico-clônica ou grande mal. Presenciei a tudo friamente. Observei impassível enquanto ela se debatia e convulsionava violentamente por vários minutos, os olhos revirados. Não me preocupei. Não senti pena dela. Não senti nada. Pensei: "Por que isso não está me afetando? Minha cliente está tendo, de acordo com todas as evidências, um grave episódio convulsivo." Não chamei uma ambulância. Quando acordou e se sentou, atordoada, eu disse a ela que, apesar de sua convulsão ser totalmente crível, não reagi, nem física nem emocionalmente, como se fosse real. Em outro episódio, após fazer acrobacias semelhantes (eram conscientes? Inconscientes? Alguma mistura dos dois?), ela quase acabou internada em uma ala psiquiátrica, além de correr o risco de receber um diagnóstico de psicose e a prescrição de um medicamento para a condição. Tivemos algumas conversas muito sérias sobre o que ela estava fazendo. Deixei muito claro que não acreditava em sua epilepsia — que eu a havia experienciado como falsa, embora parecesse bastante real para ela. (A propósito, minha cliente tinha feito exames para detectar a epilepsia, e os resultados foram inconclusivos.)

Portanto, era plausível que se tratasse de um caso de "somatização" ou representação física de sintomas psicológicos. Freud observou que tal somatização era frequentemente simbólica — que a maneira pela qual a deficiência física ou a estranheza se manifestava tinha alguma relação significativa com o trauma que a provocou. Sua histeroepilepsia parecia originar-se de sua ambivalência e ignorância sobre sexo, um grau substancial de imaturidade infantil e alguns jogos perigosos de sua parte. Avançamos muito em nossas discussões. Ela estava longe de ser pouco inteligente, e a parte mais sensata preponderou. Suas convulsões cessaram, e, junto com elas, o drama igualmente perigoso. Melhor ainda, ela conseguiu evitar a ala psiquiátrica e continuou sua carreira universitária. A experiência serviu para me mostrar que a histeria freudiana existia, pois eu acabara de testemunhá-la.

Comecei a supor que meu cliente estava sofrendo, de maneira semelhante, de um transtorno de somatização. Eu sabia sobre a briga que pôs fim ao seu último relacionamento, pouco antes do início dos sintomas. Talvez os seus estranhos movimentos estivessem de alguma forma associados a esse evento. Por meio de seus relatos, eu sabia que ele costumava compartimentalizar — que colocava as coisas em um canto de sua mente e não pensava nelas novamente. Eu não tinha muita experiência com hipnose, mas sabia que as pessoas capazes de compartimentalização tendiam a ser altamente suscetíveis a ela, que havia sido usada com algum sucesso (embora muitos anos atrás) em transtornos de somatização. Freud utilizava a hipnose para tratar clientes histéricos, aparentemente numerosos durante o período vitoriano, pelo menos na classe alta, que apresentavam fixação sexual, teatral e dramática.[8] Então, pensei em tentar a hipnose para tratar meu cliente.

Eu costumava usar técnicas de relaxamento guiado com os meus clientes: eles se sentavam confortavelmente nas poltronas em meu escritório e eu pedia que se concentrassem em diferentes partes do corpo, começando pela sola dos pés e, então, passo a passo, subindo pelas pernas e pelo torso — com um breve desvio para os braços — até o topo da cabeça, concentrando-se na respiração e no relaxamento. Depois de sete ou oito minutos das

REGRA 9

instruções de relaxamento, eu contava de dez a um, pedindo, a cada contagem ou duas, que relaxassem mais profundamente. Era um tratamento bastante razoável e rápido para agitação, ansiedade e insônia. Como a hipnose emprega essencialmente a mesma técnica, decidi começar dessa forma, acrescentando perguntas sobre traumas anteriores ou outras questões relevantes assim que atingisse o estado de relaxamento. A eficácia varia substancialmente de pessoa para pessoa.[9] (É por isso que os artistas de palco que usam hipnose em pessoas da plateia chamam vinte delas, repassam as sugestões hipnóticas iniciais e, então, seguem adiante com apenas as poucas que são obviamente responsivas.) Em todo caso, eu disse ao meu cliente que poderia ser útil hipnotizá-lo e falarmos sobre a noite em que ele brigou com o namorado. E lhe expliquei o motivo (sugerindo que seus movimentos noturnos pudessem estar associados a esse evento). Então descrevi exatamente como faríamos e afirmei que ele era livre para recusar ou concordar. Eu pararia sempre que me pedisse, se pedisse; e ele se lembraria de tudo quando terminássemos.

Ele concordou em tentar, então comecei: "Sente-se confortavelmente. Apoie as mãos nos braços da poltrona ou no colo — onde se sentir mais confortável. Feche os olhos. Ouça atentamente os ruídos ao seu redor e, em seguida, volte a sua atenção para a sua respiração. Inspire e prenda a respiração. Segure o ar. Expire. Desloque a sua atenção para a extremidade inferior do seu corpo, gradualmente, da respiração para as coxas, a parte inferior das pernas e os pés. Deixe os seus pés repousarem pesadamente no chão. Preste atenção nos dedos dos pés, nas solas dos pés e nos tornozelos e lembre-se de respirar lenta, regular e profundamente. Deixe toda a tensão fluir para fora dos seus pés. Não se esqueça de respirar lenta, regular e profundamente. Preste atenção às suas panturrilhas e canelas" e assim por diante, em todo o corpo. De modo geral.

Antes de irmos além dos pés, meu cliente entrou espontaneamente em um transe hipnótico profundo. Sua cabeça pendeu pesadamente. Perguntei se ele podia me ouvir. "Sim", respondeu, quase inaudível. Tive de aproximar minha cadeira e colocar meu ouvido a centímetros de sua boca para entender o que ele dizia. Perguntei se sabia onde estava. "No seu consultório", afirmou. Isso era bom. Eu disse: "Estamos retornando ao momento em que você brigou com o seu namorado, antes de se mudar. Conte-me o que aconteceu." Ele respondeu: "Havíamos acabado de voltar ao nosso apartamento. Tínhamos bebido. No bar, brigamos por questões financeiras e do nosso futuro. Nós dois ficamos com raiva. Entramos pela porta da nossa casa — ali." Ele fez um quase gesto com o braço, que ainda estava praticamente inerte, assim como o resto de seu corpo. Eu via seus olhos dispararem para frente e para trás, tal como os de alguém em sono REM, sob as pálpebras semicerradas. "Eu estava andando para trás. Nós nos dirigíamos à sala de estar. Eu o empurrei para longe. Então ele me empurrou de volta. Eu o empurrei novamente. Ele me empurrou para trás, sobre nossa mesa de centro, e caí no chão. Ele pegou o nosso abajur e o segurou sobre a cabeça. Olhei diretamente nos olhos dele. Nunca tinha visto uma expressão tão hostil. Eu me encolhi em posição fetal e cruzei os braços sobre o rosto para me proteger." Ele falava muito devagar, gesticulando de maneira desajeitada e quase imperceptível o tempo todo, apontando na direção da área do apartamento que imaginava. Parecia que estava revivendo a experiência em tempo real. Olhei para o relógio na parede. A explicação, a preparação, o relaxamento e a lenta recontagem nos levaram até a marca de uma hora — a duração normal de nossa sessão. Falei: "Não quero forçá-lo demais. Estamos ficando sem tempo. Quando estiver pronto e confortável, abra os olhos e desperte totalmente. Podemos continuar na próxima semana." Ele não respondeu. Sua cabeça continuou a pender para a frente e seus olhos continuaram a se mover. Chamei seu nome. Nada.

REGRA 9

Para ser sincero, fiquei preocupado. Eu nunca tinha ouvido falar de alguém que não conseguisse sair de um transe quando solicitado. Não sabia bem o que fazer. Felizmente, porém, ele era o último cliente do dia, então eu tinha algum tempo. Pensei: "Bem, ele está em um transe profundo e realmente imerso nesta história. Talvez ele precise terminá-la. Vamos continuar e ver o que acontece. Quando ele concluir o relato, tento trazê-lo de volta." Fui até o corredor para falar com a tia, que o esperava, e informei que precisávamos de um pouco mais de tempo.

Voltei ao meu consultório e me sentei perto dele, como antes. Perguntei: "E então o que aconteceu?" Ele respondeu: "A expressão em seu rosto — eu nunca tinha visto alguém assim antes. Fui forçado a perceber que meu namorado poderia querer me machucar; que uma pessoa — mesmo sendo adulta — poderia de fato desejar ferir outra. Foi a primeira vez que realmente descobri que isso era possível." Ele começou a chorar, mas continuou seu relato: "Eu dei uma rasteira nele, me levantei e comecei a correr. Ele me perseguiu para fora da sala de estar, pelo corredor da nossa casa e pela porta da frente. Corri mais rápido do que ele e me distanciei. Eram mais ou menos quatro da manhã. Ainda estava escuro. Eu estava apavorado. Me afastei o suficiente para me esconder atrás de alguns carros próximos. Ele não conseguiu me achar. Eu o observei me procurar por um longo tempo. Então ele desistiu e voltou para casa." Nesse momento, meu cliente estava soluçando. "Quando tive certeza de que ele tinha ido embora, fui até a casa da minha mãe e fiquei lá. Não conseguia acreditar no que tinha acontecido. Ele podia ter me matado, e faria de propósito. Não aguentei. Afastei isso da minha mente e tentei nunca mais pensar sobre o ocorrido."

Ele ficou em silêncio. Chamei seu nome. Ele respondeu. Perguntei: "Você sabe que está no meu consultório, sentado na poltrona de sempre?" Ele assentiu. "Terminou de me contar sua história?" Sua resposta foi afirmativa. Falei: "Você foi bem. Foi muito corajoso da sua parte passar por tudo isso. Está pronto para abrir os olhos?" Ele assentiu. Eu disse: "Não tenha pressa. Quando estiver pronto, volte, totalmente desperto, devagar. Você vai se sentir relaxado e bem. Vai se lembrar de tudo que acabou de me contar e de tudo o que aconteceu aqui." Ele assentiu. Alguns momentos depois, abriu os olhos. Perguntei o que havia acontecido — do que se lembrava. Ele relatou brevemente os eventos da noite, incluindo nossa discussão inicial sobre a hipnose. Então, chamei sua tia e expliquei que ele precisava descansar em casa, com alguém presente, pois a sessão tinha sido intensa. Os adultos não eram anjos, e as pessoas não só são capazes de ferir umas às outras, como também de desejar essa dor de todo o coração. Mas meu cliente não sabia o que fazer com esse conhecimento, protegido como estava, iludido como estava por seus pais — cego como se permitia permanecer com sua "compartimentalização". Isso não impediu os elementos inarticulados de seu ser de se esforçarem para encenar, de modo dramático, e de lhe trazerem à consciência tanto o fato do dano intencional quanto tudo mais remotamente maligno que tal intenção implicava. Ele se viu compelido a reproduzir com precisão os movimentos corporais defensivos que fizera durante a briga com o namorado.

Na semana seguinte, meu cliente não apareceu. Pensei: "Ah, Deus. Talvez eu tenha lhe causado algum dano sério." No entanto, na outra semana, ele chegou no horário. Desculpou-se por ter faltado à última sessão, mas disse que havia ficado extremamente chateado e confuso demais para comparecer ou mesmo entrar em contato comigo. Perguntei o motivo e ele me disse: "No dia seguinte ao nosso último encontro, eu estava sentado em um restaurante no centro da cidade e vi meu antigo namorado!" Foi uma coincidência inquietante. "Me abalou muito, sabe", continuou, "mas foi só isso, e me acalmei em um ou dois dias. E adivinha? Eu só tive espasmos uma noite esta semana! E duraram apenas alguns minutos!". Eu disse: "Isso é ótimo! É realmente ótimo. Que alívio! O que você acha que mudou?" Sua resposta foi: "O que de fato me afetou naquela briga não foi nossa discordância sobre o que desejávamos para o futuro. Não foi o contato físico — os empurrões e as agressões. Foi o fato de ele ter realmente me desejado o mal. Eu podia ver em seu rosto. O olhar dele me apavorou de verdade. Não consegui lidar com isso. Mas posso entender melhor agora."

Perguntei se eu poderia hipnotizá-lo de novo. "Obviamente você está melhor", expliquei, "mas quero ter certeza de que terminamos". Meu cliente concordou e começamos. Ele entrou em transe com a mesma facilidade, mas, dessa vez, a história era mais condensada. Ele concluiu o relato em quinze minutos, ao contrário dos noventa exigidos anteriormente. Ele havia extraído o que era importante: o fato de estar em perigo; o fato de que alguém queria machucá-lo; o fato de que se defendeu com sucesso — o fato de que o mundo era um lugar habitado tanto por demônios quanto por anjos. Quando pedi para que saísse do transe, da mesma forma que eu fizera antes, ele abriu os olhos quase de imediato e permaneceu calmo e totalmente consciente.

A mudança em sua condição foi notável. Na semana seguinte, ele disse que seus sintomas haviam desaparecido completamente. Sem espasmos — e sem a crença na bondade imaculada da humanidade. Ele cresceu e enfrentou a realidade de sua própria experiência, bem como a natureza do mundo. E foi algo incrível de testemunhar. A aceitação consciente da presença da maleficência curou-o de anos de sofrimento. Ele agora entendia e reconhecia o suficiente os perigos potenciais que o cercavam para desbravar seu caminho pelo mundo com razoável segurança. Não era mais necessário que aquilo que havia aprendido, mas se recusava a reconhecer, se impusesse sobre ele de maneira dramática e corporificada. Ele integrou esse conhecimento à sua personalidade — ao mapa que, de agora em diante, o guiaria em suas ações — e se libertou dos fantasmas que o possuíam.

MALEFICÊNCIA INCOMPREENDIDA

Tive outro cliente, um jovem que sofreu um terrível bullying em seu primeiro ano de curso técnico profissionalizante. Quando veio me ver pela primeira vez, ele mal conseguia falar e estava tomando uma alta dose de medicamento antipsicótico. Ao se sentar na cadeira em frente à mesa em meu consultório, girava a cabeça e os ombros para frente e para trás de uma forma muito anormal e mecânica. Quando eu perguntava o que estava fazendo, ele respondia que estava tentando fazer as formas desaparecerem. Ao que parece, via imagens geométricas de algum tipo à sua frente e se sentia compelido a manipulá-las. Nunca entendi exatamente o que isso significava, exceto que ele vivia em um mundo próprio.

Passei vários meses trabalhando com esse cliente e o fiz de maneira mais estruturada do que antes — tendo, nesse ínterim, desenvolvido as ferramentas para fazer isso. No início do nosso trabalho em conjunto, ele mal conseguia se comunicar, mas era o suficiente para começar. Uma garota do curso revelou ter uma queda por ele, que foi sincero e lhe disse que esse interesse romântico não era correspondido. Ela se tornou extremamente vingativa e decidiu tornar a vida dele um inferno. Espalhou boatos sobre seus hábitos sexuais. Incitou alguns de seus amigos a ameaçá-lo fisicamente na escola. Mobilizou pessoas para humilhá-lo constante e impiedosamente no percurso de ida e volta. Diante da aflição do rapaz, os pais alertaram a instituição, mas nada foi feito para impedir o tormento contínuo. Incapazes ou não dispostos a tolerar a crescente pressão dos colegas, os amigos que fizera há pouco tempo começaram a evitá-lo e depois o abandonaram por completo. O jovem começou a sucumbir e, à medida que seu comportamento se tornou mais estranho, seu status de pária foi consolidado. E ele entrou em colapso.

REGRA 9

Pedi a ele que me contasse exatamente o que acontecera — e que voltasse bastante no tempo antes de formular sua resposta. Eu queria entender o que o tornava vulnerável à situação em que se encontrava, se é que havia alguma coisa, e o que exatamente aconteceu quando ele estava sendo atormentado por sua admiradora rejeitada. Estruturei o processo de modo que ele pudesse escrever e falar (para ser mais exato, para que pudesse falar sobre o que estava escrevendo). Meus colegas e eu desenvolvemos um exercício de redação online[II] a fim de fornecer uma estrutura útil para aqueles que pretendem investigar e compreender seu passado. Sugeri ao meu jovem cliente que experimentasse. Como ele estava com a motivação e os pensamentos muito prejudicados para concluir o processo em casa, pedi que escrevesse em meu consultório. Eu o coloquei no meu computador e solicitei que lesse cada pergunta do exercício em voz alta para mim antes de escrever sua resposta e lê-la em voz alta também. Se eu não conseguisse entender algo que ele havia

---

II O Past Authoring Program, www.selfauthoring.com [conteúdo em inglês]. O Dr. James W. Pennebaker, da Universidade do Texas em Austin, e um grupo de colaboradores que trabalham com ele tanto de forma direta quanto independente demonstraram que escrever reduz a incerteza existencial (não há maneira mais simples de explicar isso), diminui a ansiedade e melhora a saúde mental, além de aumentar a função imunológica. Todos esses efeitos parecem associados a uma diminuição geral no estresse induzido pela complexidade e nos hormônios produzidos em decorrência desse estresse — prejudiciais quando em excesso. Pennebaker demonstrou, por exemplo, que os alunos que escreveram por três dias consecutivos sobre os piores eventos de suas vidas experimentaram, primeiro, um declínio no humor (sem dúvida provocado pela evocação de tais memórias), mas uma melhora significativa em sua condição ao longo dos meses seguintes. Outros pesquisadores mostraram efeitos semelhantes quando os alunos escreveram sobre o futuro. Inicialmente, Pennebaker presumiu que era algo semelhante à expressão emocional, ou catarse (de acordo com Freud), que produzia esses efeitos positivos — a oportunidade de expressar raiva, arrependimento ou tristeza —, mas descobriu, como resultado de uma análise semântica cuidadosa, que o fator curativo era o desenvolvimento de uma compreensão cognitiva e causal da motivação dos eventos e de seu significado. Os efeitos de escrever sobre o futuro pareciam semelhantes, na medida em que os planos geravam incertezas reduzidas e apresentavam uma estrutura mais simples e bem definida em torno do que, semanas e meses mais tarde, poderia vir a ser algo intoleravelmente inespecífico. Veja J. W. Pennebaker e J. F. Evans, *Expressive Writing: Words that heal* (Enumclaw, Wash.: Idyll Arbor Inc., 2014).

escrito ou achasse que eram necessários mais detalhes, sugeria que esclarecesse os pontos escrevendo mais e lesse suas revisões para mim.

Primeiro, o exercício pedia que ele dividisse sua vida em épocas-chave — seções de seu passado autobiográfico que se prestavam naturalmente à categorização como uma unidade ou um tema. Pode ser, digamos, dos 2 anos de idade até o jardim de infância, a escola fundamental, o ensino médio, a faculdade etc. —, embora algumas pessoas sejam mais propensas, sobretudo à medida que envelhecem, a agrupar suas experiências de acordo com as várias relações das quais fizeram parte. Após subdividir seu passado da maneira que escolheu, o exercício pedia que ele identificasse experiências-chave durante cada uma dessas épocas: eventos que acreditava, em retrospecto, que o moldaram como pessoa, para melhor ou para pior. Obviamente, os eventos do último tipo tendem a ser marcados na memória por emoções negativas, como ansiedade, raiva ou desejo de vingança — e, talvez, por uma forte tendência de evitar lembrar e sequer pensar sobre isso.

Meu cliente dividiu sua vida em épocas que pareciam relevantes para ele e, em seguida, identificou os principais eventos, positivos e negativos, que caracterizavam cada período. Em seguida, fez uma análise causal e conseguiu entender por que algumas coisas haviam corrido bem, enquanto outras degringolaram tanto. Ele se concentrou mais no que deu origem aos eventos mais perturbadores do passado — avaliou detalhes de seu próprio comportamento, motivações de outras pessoas e características de tempo e lugar. Considerou os efeitos produzidos, para o bem e para o mal (porque podemos aprender coisas com experiências difíceis), e refletiu sobre o que poderia ter acontecido ou sido feito de forma diferente. A consequência de tudo isso, pelo menos em princípio, foi a exploração de experiências pas-

REGRA 9

sadas em busca de seu verdadeiro significado perceptivo e comportamental, e uma atualização de seu mapa autobiográfico.

À medida que seu relato progredia da creche ao ensino médio — meu cliente dividiu sua vida em seções definidas pelo ano escolar —, ele se tornava cada vez mais articulado. Lembrar-se de sua vida estava ajudando-o em sua recuperação. À medida que ele escrevia, lia o que escrevera e respondia às perguntas que eu lhe fazia durante o processo, seu relato do passado tornava-se mais detalhado e sua compreensão, mais profunda. Discutimos atos indesejáveis que as crianças praticam umas com as outras, e isso nos levou ao tópico da maleficência e do mal — também no mundo adulto. Ele era muito ingênuo sobre isso. Expressou a convicção de que as pessoas eram universalmente boas (mesmo tendo experiências que lhe mostravam o contrário). Ele não tinha uma teoria da motivação para destruição, crueldade e desejo de ferir.

Percorremos sua vida, desenvolvendo um relato bastante detalhado sobre tudo que meu cliente havia sofrido nas mãos de sua algoz. Ele se tornou sofisticado o suficiente para articular uma compreensão inicial das motivações da jovem. Ela havia sido rejeitada e, consequentemente, ficou magoada, envergonhada e irritada. Ele não havia percebido quanto impacto sua rejeição poderia causar ou mesmo quanto impacto a rejeição pode ter nas pessoas em geral. Além disso, ele não parecia compreender que tinha o direito de se defender. Conversamos sobre o que ele poderia ter feito, ou o que poderia fazer de diferente no futuro, para se proteger. Ele percebeu que havia tolerado insultos demais na escola sem pedir ajuda. Poderia ter informado à administração o que estava acontecendo. Poderia ter confrontado sua algoz de forma direta e pública, no início dos ataques, e exigido que ela parasse. Poderia ter contado aos colegas que o único motivo de estar sendo atormentado era porque havia recusado um encontro, e que ela era tão frágil e sensível que não conseguia lidar com a rejeição e estava inventando mentiras por vingança. No extremo, ele poderia tê-la acusado de assédio criminoso e calúnia difamatória. Pode ser que nenhuma dessas estratégias funcionasse, mas valeria a pena tentar e certamente eram justificadas e necessárias nas circunstâncias.

Enquanto meu cliente trabalhava nas memórias de seu último mês na escola, seus sintomas psicóticos diminuíram drasticamente. Em cada sessão, ele estava mais lúcido. Parou de manifestar seus comportamentos estranhos. Matriculou-se no curso de verão e se formou. Foi uma recuperação quase milagrosa.

POTENCIAL EM REALIDADE

Não é nada incomum que as pessoas se preocupem, às vezes em um nível que beira o insuportável, com o que está por vir. Essa preocupação é tanto uma consequência quanto uma investigação dos múltiplos caminhos que se abrem do presente até o futuro. As preocupações se alinham, muitas vezes de maneira involuntária, para ser analisadas: complicações no trabalho, problemas com amigos e entes queridos, questões práticas de sobrevivência econômica e material. Cada preocupação requer várias decisões: quais problemas devem ser resolvidos? Em que ordem a ação deve prosseguir? Qual estratégia deve ser empregada? Tudo isso demanda algum tipo de escolha — livre escolha, livre arbítrio. E a escolha de agir parece voluntária; é fácil (embora muito insatisfatório do ponto de vista psicológico) sucumbir à paralisia da vontade.

Em contrapartida, decidir voluntária e livremente é difícil e exige muito. Não se parece em nada com os processos automáticos de vias reflexivas ou habituais que nos fazem agir sem grandes ponderações. Não somos movidos pelo passado, de alguma maneira fundamentalmente determinística, como um relógio

REGRA 9

mecânico no qual a mola aciona as engrenagens que giram os ponteiros e indicam as horas. Em vez disso, quando decidimos, enfrentamos ativamente o futuro. Parece que estamos destinados a enfrentar algo semelhante a um potencial não formado e a determinar o que surgirá como o presente — e se tornará o passado.

Nós literalmente transformamos o mundo no que ele é, a partir das muitas coisas que percebemos que poderia ser. Isso talvez seja o ato primordial do nosso ser, e talvez do próprio Ser. Enfrentamos uma infinidade de perspectivas — de realidades múltiplas, cada uma quase tangível — e, ao escolher um caminho em vez de outro, reduzimos essa infinidade à existência singular da realidade. Ao fazer isso, transformamos o mundo da possibilidade no do Ser. Este é o mais profundo dos mistérios. O que é esse potencial que nos confronta? E o que constitui nossa estranha habilidade de moldar essa possibilidade e de criar o que é real e concreto a partir do que começa, em certo sentido, como meramente imaginário?

Há outro aspecto de igual importância aliado a isso, por mais impossível que pareça, dada a impropriedade do papel que parecemos desempenhar na formação da realidade. Não só nossas escolhas desempenham um papel determinante na transformação da multiplicidade do futuro na realidade do presente, mas a ética de nossas escolhas, mais especificamente, também desempenha esse papel. As ações baseadas no desejo de assumir responsabilidades; de melhorar as coisas; de escapar da tentação e enfrentar o que preferiríamos evitar; de agir de forma voluntária, corajosa e verdadeira tornam o que surge no mundo do Ser muito melhor — de todas as formas, para nós e para os outros — do que aquilo que nasce como consequência da evitação, do ressentimento, da busca por vingança ou do desejo de ferir. Isso significa que, se agirmos com ética, no mais profundo e universal dos sentidos, a realidade tangível que emerge do potencial enfrentado será boa, ao invés de terrível — ou pelo menos tão boa quanto pudermos torná-la.

Todo mundo parece saber disso. Somos universalmente atormentados por nossa consciência devido ao que sabemos que deveríamos ter feito, mas não fizemos. Somos igualmente atormentados pelo que fizemos, mas sabemos que não deveríamos ter feito. Essa não é uma experiência universal? Será que alguém consegue escapar das crises de consciência que chegam às quatro horas da manhã após agir de maneira imoral ou destrutiva, ou deixar de agir quando a ação era necessária? E qual é a fonte dessa consciência inescapável? Se fôssemos a fonte de nossos próprios valores e senhores de nossos reinos, poderíamos agir ou deixar de agir como quiséssemos e não sofrer as dores do arrependimento, da tristeza e da vergonha. Mas nunca conheci alguém capaz dessa proeza. Mesmo as pessoas mais psicopatas pareciam motivadas pelo menos a mascarar sua má-fé com uma camada de mentiras (com a profundidade dessa camada proporcional à gravidade da impropriedade em questão). Mesmo o mais malévolo dos seres, ao que parece, deve encontrar justificativa para sua maldade.

Se fracassarmos em atender ao padrão de responsabilidade, outras pessoas nos considerarão carentes de ética e integridade. E não termina aí. Assim como responsabilizamos as pessoas (incluindo nós) pelos erros que cometeram ou pelo bem que não praticaram, também acreditamos (ou pelo menos agimos de acordo com essa suposição) que alguém que tomou uma boa decisão livremente merece todo o benefício que resulte dela. Por isso acreditamos que cada pessoa deve receber com justiça o fruto do seu trabalho honesto e voluntário. Parece existir algo natural e inevitável nesses julgamentos; algo que age internamente e que é universal e inescapável, tanto psicológica quanto socialmente. O que tudo isso significa é que todos — a criança, o adulto, o "eu", os outros — se rebelarão contra serem tratados como uma engrenagem de uma roda, incapazes de escolha e desprovidos de liberdade; significa também que (da mesma forma) é praticamente impossível estabelecer um relacionamento positivo com qualquer outra pessoa (ou mesmo com nosso "eu" privado) sem essa atribuição de agência pessoal, livre arbítrio e responsabilidade.

A PALAVRA COMO SALVADORA

Enquanto indivíduos soberanos, todos somos, primeiro, participantes voluntários do próprio ato da criação e, segundo, fatores determinantes da qualidade dessa criação, por meio da ética de nossas escolhas — essas ideias encontram reflexo em uma miríade de maneiras dentro de nossos relacionamentos privados e públicos. Elas também estão encapsuladas e representadas nas narrativas, as narrativas fundamentais, que integram a base de nossa cultura. Essas histórias — qualquer que seja seu significado metafísico final — são, pelo menos em parte, uma consequência do nosso ato de nos observarmos agir ao longo de eras da história humana, e de como destilamos dessa observação os padrões essenciais de nossas ações. Somos cartógrafos, criadores de mapas; geógrafos, preocupados com a configuração do terreno. Mas também somos, com mais precisão e acurácia, os mapeadores de percursos, marinheiros e exploradores. Lembramos os lugares de onde partimos, as posições que ocupávamos quando nossas histórias começaram. Lembramos as armadilhas passadas, para evitá-las, e os sucessos que já tivemos, para repeti-los. Para fazer isso, precisamos saber onde estivemos, onde estamos atualmente e em que direção estamos indo. Reduzimos esse relato à sua estrutura causal: precisamos saber o que aconteceu e por quê, e precisamos saber da maneira mais simples e prática possível.

É por essas razões que somos tão cativados por contadores de história habilidosos — que conseguem compartilhar suas experiências de forma concisa e precisa e que vão direto ao ponto. Esse ponto — a moral da história — é o que eles aprenderam sobre quem eram e são, onde estavam ou estão, e para onde estão indo e por quê. Essas informações são irresistíveis para todos nós. É como (e por que) extraímos sabedoria dos riscos assumidos por aqueles que nos antecederam e que viveram para contar a história: "A vida era assim naquela época. Isso é o que queríamos e por quê. Isso é o que imaginamos e como criamos estratégias, planejamos e agimos. Às vezes, conseguimos e realizamos nossos objetivos. Mas, muitas vezes (e isso é o crucial para uma grande história), relatamos como aconteceu o inesperado; como nos desviamos do caminho; as tragédias que encontramos e os erros que cometemos — e eis como consertamos o mundo (ou deixamos de fazê-lo)." Valorizamos tais histórias particularmente se elas alcançaram o auge da generalização, representando, como tal, batalhas heroicas com o desconhecido ou a dissolução da ordem tirânica em revivificação do caos e o (re)estabelecimento de uma sociedade benevolente.[10] Isso pode ser visto em todos os lugares onde as pessoas contam e ouvem avidamente histórias: ou seja, literalmente em todos os lugares.[11]

As histórias mais fundamentais do Ocidente podem ser encontradas, para o bem ou para o mal, no corpus bíblico. Essa coleção de livros antigos e eminentemente influentes se inicia com o próprio Deus, em Seu aspecto paternal, retratado como a entidade ordenada que enfrenta o caos e, em consequência, cria uma ordem habitável:

> E a terra era sem forma e vazia; e *havia* trevas sobre a face do abismo. E o Espírito de Deus se movia sobre a face das águas. (Gênesis 1:2)

REGRA 9

A ausência de forma, o vazio, as trevas e a água (uma coleção confusa de atributos) são consequência da tradução de uma frase bíblica em hebraico, *tohu wa-Bohu* (תֹהוּ־רָבֹהוּ), composta de duas palavras, *tohu* e *bohu*. A palavra *tohu* é ainda mais complicada do que a mera falta de forma etc.; também significa "aquilo que é destruído", "vaidade" (que pode ser considerada algo suscetível a ser destruído, em termos psicológicos) e "deserto" (que é inabitável e vazio).[12] Também está associada a outra palavra hebraica, *tehom* (תהום), que significa "o abismo", "as profundezas", e a um termo sumério anterior, Tiamat,[13] que é a grande deusa mãe/dragão (habitante da água salgada) que cria o mundo com seu consorte, Apsu, no mito mesopotâmico da criação *Enuma Elish*.

De acordo com o relato de Gênesis, existe algo — um potencial, digamos — associado simbolicamente ao abismo, às profundezas do oceano, mas também ao deserto, aos dragões, à maternidade/ao matriarcado, ao vazio, à ausência de forma e à escuridão.[14] Tudo isso é uma tentativa por parte da poesia e da metáfora de dar forma conceitual, inicial e ordenada ao amorfo. O abismo é o que apavora, o que há nos confins da terra, o que contemplamos ao vislumbrar nossa mortalidade e fragilidade e o que devora a esperança. A água é a profundidade e a fonte da própria vida. O deserto é um lugar de abandono, isolamento e solidão, assim como o interregno entre a tirania e a terra prometida. O dragão é a antiga imagem do predador como tal — árvore-felino-cobra-pássaro que cospe fogo[15,III] —, eternamente à espreita na floresta, além dos limites familiares da tribo e da aldeia. É também o Leviatã escondido na água salgada, nas profundezas — o terrível monstro que Jeová diz vencer em Jó 41:25–34 e em muitas outras partes do Velho Testamento.[16]

III Segundo a teoria de que a figura onipresente do dragão como predador resulta da junção das noções, arraigadas ao longo da evolução, dos perigos que nos cercam, geralmente representados por elementos que devemos evitar. (N. da T.)

Deus usa um atributo — uma Pessoa, uma faculdade ou uma ferramenta alternativa — que O auxilia ou de que Ele se vale para confrontar a possibilidade e o vazio. Da perspectiva cristã, é a Palavra; seja qual for a estrutura religiosa — judaica ou cristã —, é a capacidade de falar. Em Gênesis, há uma insistência contínua na importância da palavra. O ato de criação, a cada dia, começa com a frase "e disse Deus" (com ênfase adicional no ato de nomear: "e chamou Deus"). Os sete dias da criação começam assim:

> E disse Deus: Haja luz; e houve luz.
>
> E viu Deus a luz, que isto era bom; e Deus separou a luz das trevas.
>
> E chamou Deus à luz Dia, e às trevas ele chamou Noite.
> E houve a tarde e a manhã, o primeiro dia. (Gênesis 1:3-5)

Quase imediatamente após revelar a Si mesmo, Suas ações criativas e a criação inicial (quase instantaneamente após sermos apresentados a Ele), Deus cria os seres humanos. Três características dessa criação se destacam, além de sua imediatez: a insistência de que o homem deve ter domínio[IV] sobre o resto da criação; a chocante e incompreensível insistência moderna e de perspectiva igualitária de que Deus criou o homem e a mulher, indistintamente, à sua própria imagem (afirmado duas vezes; Gênesis 1:27); e a igualmente improvável e miraculosa insistência de que a criação da humanidade foi, tal como o resto da Criação, boa. Se Deus está acima de tudo, como Ele é inicialmente descrito, isso implica que os homens e as mulheres criados à Sua imagem compartilham com Ele algo importante — ou, mais pre-

---

IV Responsabilidade, administração, serviço; não da força física (Cambridge Bible for Schools and Colleges); o poder de governar e controlar; porém, o mais importante, o mesmo domínio que Deus tem sobre ou para o homem.

cisamente, compartilham um destino, uma necessidade ou uma responsabilidade análoga.

A Palavra — a ferramenta que Deus usa para transformar as profundezas do potencial — é verdadeira. No entanto, para que a própria realidade possa surgir, a palavra parece necessariamente aliada à coragem de confrontar a possibilidade não realizada em todo o seu terrível potencial. Talvez essa Verdade e essa Coragem devam, por sua vez, ser agrupadas sob o princípio mais amplo do Amor — amor pelo próprio Ser, apesar de sua fragilidade, sua tirania e sua traição; amor que tem por objetivo o que há de melhor em tudo. O Ideal é composto da combinação de Verdade, Coragem e Amor, e sua encarnação — que age dentro de cada indivíduo — se depara com o potencial do futuro e faz o melhor possível. E quem se negaria a isso? Ninguém ensina um filho amado a se encolher de terror e covardia diante de algo que o confronta. Ninguém ensina a uma filha amada que a falsidade consertará o mundo e que qualquer ação que atinja o resultado deva ser praticada, honrada e imitada. E ninguém diz a alguém estimado que a resposta adequada ao Ser é o ódio e o desejo de causar dor, sofrimento, destruição e catástrofe. Assim, a partir da análise de nosso próprio comportamento, podemos presumir que sabemos a diferença entre o caminho do bem e o do mal, e que acreditamos acima de tudo (apesar de nossa resistência consciente e contestação motivada pelo orgulho) na existência de ambos. Mas não é só isso: a insistência de Deus na bondade da criação refletia o fato de que Verdade, Coragem e Amor foram reunidos em Sua ação criadora. Assim, há uma reivindicação ética profundamente enraizada no relato da criação em Gênesis: tudo o que emerge do reino da possibilidade no ato da criação (seja divino, seja humano) é bom na medida em que a motivação de sua criação é boa. Não creio que haja argumento mais ousado em toda a filosofia ou teologia do que este: acreditar nessa reivindicação, colocá-la em prática, é o ato fundamental de fé.

Há um argumento apresentado muito mais tarde na narrativa bíblica, no Novo Testamento. Cristo diz as seguintes palavras aos Seus seguidores. É uma explicação de como preencher o que falta em sua vida, recuperar o que perdeu — ou até descobrir o que não sabia que estava lá:

E eu vos digo: Pedi, e dar-se-vos-á; buscai, e encontrareis; batei, e abrir-se-vos-á.

Porque todo aquele que pede, recebe; e o que busca, encontra; e ao que bate, se abrirá.

Se um filho pedir pão a qualquer um de vós que é pai, acaso lhe dará uma pedra? Ou *se ele* pedir um peixe, lhe dará por peixe uma serpente?

Ou se ele pedir um ovo, lhe dará um escorpião?

Então, se vós, sendo maus, sabeis dar boas dádivas aos vossos filhos; quanto mais o *vosso* Pai celeste dará o Espírito Santo aos que lhe pedirem? (Lucas 11:9-13)

Essa não é uma declaração casual. Não é ingênua. Não se trata de pedir um presente não merecido. Deus não concede desejos casuais.[V] É uma questão, em primeiro lugar, de Pedir com verdade. Significa estar disposto a abrir mão de tudo que não esteja de acordo com o desejo. Caso contrário, não é Pedir. É apenas um capricho e um desejo imaturo e, muitas vezes, ressentido: "Ah, se eu pudesse ter o que quero, sem fazer o que é necessário." Isso não será suficiente. Então, pedir, buscar e bater é fazer tudo o que é preciso para retomar o que ficou inacabado e concluí-lo, agora. E pedir, buscar e bater é, também, determinar o que deve ser solicitado. E o pedido tem que ser algo digno de Deus. Por qual outro motivo seria concedido? De que outra forma poderia ser concedido?

V Talvez seja por essa razão que Cristo insiste: "Também está escrito: 'Não ponha à prova o Senhor, o seu Deus'." (Neste caso, prefiro Mateus 4:7 da Nova Versão Internacional ao mesmo versículo da Versão King James.)

REGRA 9

Imagine por um momento que recebeu tudo de que precisa. Existe dentro de você uma possibilidade à espera do pedido adequado para se libertar. Há também tudo o mais que está ao seu redor, esperando para instruí-lo e ensiná-lo. Mas tudo isso é necessário — o bom, o ruim e o insuportável. Você sabe que, quando algo não vai bem, é preciso analisar o problema, resolvê-lo, pedir desculpas, arrepender-se e transformar. Um problema não resolvido raramente fica parado, estagnado. Ele cria novas cabeças, como uma hidra. Uma mentira — um ato de evitação — gera a necessidade de mais. Um ato de autoengano gera a necessidade de reforçar essa crença autoenganosa com novos delírios. Um relacionamento devastado, sem solução, prejudica sua reputação — prejudica, igualmente, sua fé em si mesmo — e diminui a probabilidade de um relacionamento novo e melhor. Assim, sua recusa ou mesmo sua incapacidade de aceitar os erros do passado alimenta a fonte de tais erros — expande o desconhecido que o cerca, transforma esse desconhecido em algo cada vez mais predatório.

E, durante esse processo, você fica mais fraco. Você é menos do que poderia ser, porque não mudou. Não se tornou quem poderia ter se tornado como consequência dessa mudança — e pior: agora aprendeu, por seu próprio exemplo, que esse afastamento é aceitável e, portanto, é mais provável que cometa o mesmo erro no futuro. E o que deixou de encarar fica maior. Esse não é o tipo de processo causal, o tipo de ciclo de feedback positivo, no qual é desejável se envolver. Então, você deve confessar, pelo menos para si mesmo; arrepender-se, pelo menos internamente; e precisa mudar, porque estava errado. E deve pedir, buscar e bater com humildade. E essa é a grande barreira para a iluminação, a elucidação, que está, em princípio, ao alcance de todos. Isso não significa que a coragem necessária para enfrentar todos os horrores da vida seja fácil de reunir. Mas a alternativa é pior.

É nosso destino transformar o caos em ordem. Se o passado não foi ordenado, o caos que ele ainda constitui nos assombra. Há informações — vitais — que repousam nas memórias que nos afetam negativamente. É como se parte da personalidade ainda estivesse latente, no mundo, manifestando-se apenas quando há uma perturbação emocional. Um evento traumático que não pode ser explicado indica que o mapa-múndi que orienta nossa navegação é insuficiente de alguma maneira crucial. É necessário compreender o negativo bem o suficiente para que possa ser contornado à medida que avançamos para o futuro, se não quisermos permanecer atormentados pelo passado. E não é a expressão da emoção associada a eventos desagradáveis que tem poder curativo. É o desenvolvimento de uma sofisticada teoria causal: por que eu estava em risco? O que havia no mundo que o tornava perigoso? O que eu estava fazendo ou não para contribuir para minha vulnerabilidade? Como posso mudar a hierarquia de valores que habito para levar em conta o negativo e, assim, ser capaz de vê-lo e entendê-lo? Quanto do meu mapa antigo tenho que deixar morrer — com toda a dor que o tecido necrótico causa — antes de poder mudar o suficiente para levar em consideração toda a minha experiência? Tenho fé para deixar para trás aquilo que precisa morrer e permitir que minha nova personalidade, mais sábia, emerja?

Em certo grau, somos nossas suposições. São elas que estruturam o mundo para nós. Quando os axiomas básicos da fé são desafiados ("As pessoas são essencialmente boas"), a base estremece e as paredes desmoronam. Temos todos os motivos para evitar enfrentar a verdade amarga. Mas torná-la — a de hoje e a do passado — clara e totalmente compreendida só pode nos proteger. Se você está sofrendo por lembranças que não param de atormentá-lo, existe a possibilidade — possibilidade esta que pode ser a sua salvação — à espera para ser descoberta.

Escreva em detalhes todas as velhas lembranças que ainda o perturbam.

REGRA 10

PLANEJE E SE ESFORCE PARA MANTER O ROMANCE EM SEU RELACIONAMENTO

ENCONTRO INSUPORTÁVEL

Não sou terapeuta de casais. Mas às vezes, ao atender um cliente, é necessário incluir seu parceiro íntimo em uma ou mais sessões. Faço isso apenas quando me pedem diretamente. Também deixo claro que o casal deve procurar um especialista em aconselhamento conjugal se esse for seu objetivo central. No entanto, se um dos principais problemas que meu cliente está tratando é a insatisfação no casamento, muitas vezes é contraproducente falar com apenas um dos membros do casal. É comum (e nada surpreendente, na verdade) que o cônjuge em questão não confie no terapeuta de sua cara-metade — eu — e uma reunião com os três pode ajudar muito a corrigir isso.

Antes de conversar com o casal, discuto com meu cliente algumas regras básicas para melhorar o relacionamento. Digamos que ele tenha decidido reservar um tempo para o romance: quatro horas por semana ou algo assim (estou falando de adultos com sua carga plena de responsabilidades). Talvez consiga esse tanto. Talvez seja possível até mais. Mas não há muito tempo em sete dias, e a situação precisa ser configurada de forma correta e cuidadosa. E, quando tudo isso for colocado em prática pela primeira vez — toda essa negociação e encenação consciente —, será feito de maneira errada e estúpida, com toda a dor, o ressentimento e o desejo de vingança que o acompanha. E então essa emoção negativa pode ser alimentada e o relacionamento, prejudicado — às vezes para sempre.

Talvez o cliente e seu cônjuge já tenham se afastado um do outro ao longo de vários anos antes de começarmos a discutir sua situação. Eles não são felizes e me odeiam — talvez até mais do que um ao outro. Sentam-se ali, distantes, braços cruzados e caretas (espero que não, pois caretas são um mau sinal).[1] Eles não cedem nem um pouco. Pergunto quando fizeram algo romântico pela última vez; quando saíram juntos pela última vez. Eles riem com tristeza, se as coisas ainda não foram longe demais, ou zombam abertamente. Não obstante, sugiro que tentem sair juntos; ou, mais que isso, que transformem os encontros em uma prática regular. A primeira sugestão é considerada ruim; a segunda, intolerável. A resposta é: "Não vamos sair em um maldito encontro. Namoramos antes de nos casarmos, quando era apropriado. Além disso, tudo o que vamos fazer é brigar."

E minha opinião sobre essa resposta raivosa, amarga e superficial é a seguinte: "A teoria apresentada é que, em toda a sua vida de casados, vocês nunca sairão em encontros. (Quem dirá romance e intimidade.) Em vez disso, apenas desistirão. Então, por que não arriscar? Convidem um ao outro para ir a um lugar legal. Ouse colocar o braço no ombro ou a mão no joelho do seu cônjuge (e não no seu). Sei que estão com raiva um do outro, e provavelmente por um bom motivo. Conversei com ambos: entendo por que se sentem assim :-). Mas apenas ten-

REGRA 10

tem. Não precisam gostar. Não precisam esperar ser bons nisso, abandonar a raiva ou se divertir. Só precisam tolerar."

Os dois saem furiosos comigo por sugerir uma ideia tão irritante. Mas concordam com relutância e, na sessão seguinte, me dizem: "Aconteceu exatamente como falamos, passamos um tempo péssimo. Brigamos antes de sair, enquanto estávamos fora e, novamente, quando voltamos para casa. Com certeza não vamos arriscar um outro encontro." Eles costumam demonstrar um certo orgulho em chegar a tal conclusão, visto que ambos já haviam decidido de antemão que a ideia toda era inútil. Então eu pergunto: "Esse é o plano, não é? Vocês ficarão casados por sessenta anos. Fizeram um pequeno esforço relutante para ter um encontro. Já não estavam se dando bem, então havia uma probabilidade insignificante de que tivessem algum prazer nisso. Além disso, como ficaram irritados comigo por causa de minha sugestão ingênua, estavam motivados a garantir que fosse horrível, e foi o que aconteceu. Então, desistiram. E agora decidiram que é assim que vão se comportar ao longo das décadas que se comprometeram a ficar juntos: com despeito e amargura, em vez de consideração mútua?

"Em vez disso, vamos tentar pensar da seguinte forma: nenhum de vocês tem habilidade para o romance. Portanto, uma tentativa será insuficiente. Talvez sejam necessários quinze encontros — ou quarenta —, porque perderam o jeito, precisam praticar e devem desenvolver o hábito e a boa vontade. Talvez nenhum de vocês seja muito romântico; ou, se um dia foi, isso ficou no passado. Essa é uma habilidade que devem aprender, não um presente imerecido do Cupido."

Suponha que você seja casado — ou equivalente. Suponha também que tenha, ou poderia ter, um interlúdio romântico duas vezes por semana. Pode ser menos, pode ser mais: porém, manteremos essa média. Significa cem vezes por ano. Vamos imaginar que permanecerá casado por mais trinta anos. Trinta vezes cem são três mil vezes. Não existe a possibilidade de você dedicar uma fração de todo esse tempo a aperfeiçoar sua técnica, sedução, comunicação e a forma como faz amor? Portanto, que diferença faz se você tem quinze encontros infelizes antes de conseguir um que beire o aceitável? São 15 vezes em um total de 3 mil. Representa 0,5% do tempo romântico que poderiam passar juntos. Talvez seja possível ousar ainda mais e determinar se as coisas podem se ajustar entre vocês. Por que você presumiria que algo tão complexo como manter um casamento pode ser administrado sem compromisso, prática e esforço?

"Então, talvez o primeiro encontro seja horrível e infeliz. Vocês nunca mais querem repeti-lo, mas repetem, pois preferem salvar seu casamento a desistir de uma vez. E talvez o próximo seja 5% melhor. E talvez, após algumas tentativas, cada um de vocês se lembre, pelo menos por um breve momento, do motivo que o levou a gostar da pessoa com quem se casou. Talvez consiga algo um pouco mais empolgante do que colocar o braço em torno do ombro dela e receba de volta uma reação de alguém que realmente se importa com você em algum lugar do coração, agora frio e árido. E se vocês pretendem que seja duradouro, como declararam em seus votos matrimoniais, talvez se esforcem para acertar."

E talvez o casal tenha bom senso suficiente para fazer os cálculos e contemplar todo aquele tempo perdido, bem como a amargura, o ressentimento e a apatia da vida sem romance, e concordem com outro encontro, ou dois, ou três, ou dez — e, na décima tentativa, eles venham me ver, sorrindo, e me digam que se divertiram muito. E então teremos uma discussão ainda mais séria sobre o que é preciso para manter o amor e o respeito e invocar o desejo e a resposta. Como encontrar mistério na outra pessoa no longo prazo? Você consegue reunir a disposição, a imaginação romântica e a diversão para fazer isso toda vez que estiverem juntos intimamente, pelas próximas 3 mil ocasiões? Isso exigirá algum esforço cuidadoso.

Pois cada pessoa é, na verdade, um enigma insondável. Com cuidado, você pode continuar redescobrindo, na pessoa que escolheu, mistério residual suficiente para manter o espírito que primeiro os uniu. Com cuidado, pode evitar guardar o outro em uma caixa de tamanho conveniente, com a punição a postos caso ele ouse emergir, assim como o desprezo pela decorrente previsibilidade que ambos enfrentam agora, sempre à espreita bem perto da superfície. Se tiver sorte, poderá reacender a centelha de quando se sentiram atraídos um pelo outro, de como seria sua vida se fossem melhores do que são. É o que acontece quando duas pessoas caem no feitiço do amor. Por um tempo, ambas se tornam melhores do que eram e percebem isso, mas então a magia desaparece. Ambas recebem essa experiência como um presente. Ambas têm os olhos abertos e conseguem ver o que não é visível para mais ninguém. Esse amor é um vislumbre do que poderia ser se o relacionamento continuasse verdadeiro. É entregue inicialmente como um presente do destino, mas requer um enorme esforço para ser realizado e mantido. E, assim que isso é entendido, o objetivo se torna claro.

A PEDRA FUNDAMENTAL

Com frequência, o aspecto sexual de um relacionamento pode nos dizer muito sobre o todo, mas nem sempre. Conheci casais que brigavam feito cão e gato e que tinham uma vida sexual extremamente satisfatória (pelo menos em curto prazo), e outros casais cujas pessoas eram bem adequadas uma para a outra graças ao temperamento, mas uma delas não conseguia encontrar a faísca. As pessoas e seus relacionamentos são complexos demais para serem reduzidos a um único aspecto — mas ainda é razoável notar que um bom casamento é acompanhado pelo desejo mútuo, correspondido de forma recíproca. Infelizmente, não é possível lidar com o desejo de modo isolado: "Vamos consertar nossa vida sexual" é uma resolução de ambição muito estreita para cumprir seu objetivo.

Deve ser adotada uma estratégia mais ampla e abrangente para manter o romance com seu cônjuge ao longo do tempo. Seja qual for essa estratégia, o sucesso dependerá de sua capacidade de negociação. Para negociar, você e a pessoa com quem está negociando devem, primeiro, saber o que cada um precisa (e deseja) — e, em segundo lugar, estar dispostos a discutir esses aspectos com franqueza. Existem muitos obstáculos sérios tanto para saber o que você precisa e deseja quanto para discutir o assunto. Se você se permitir saber o que deseja, também saberá exatamente quando não estiver sendo atendido. Você se beneficiará, é claro, pois também conseguirá identificar quando for bem-sucedido. Mas talvez você falhe, e pode muito bem ficar assustado o suficiente com a possibilidade de não conseguir o que precisa (e quer) a ponto de manter seus desejos vagos e não especificados. E a chance de obter o que deseja, caso não se esforce para identificá-lo, é muito pequena.

A falta de especificidade é provavelmente um problema para você. Se tem um cônjuge, o problema pode se agravar. É improvável que a pessoa que escolheu conheça mais a seu respeito do que você, exceto em casos menores (e, na verdade, é provável que fique ainda mais às escuras em relação aos seus desejos mais íntimos). Se você não especificar seus desejos, seu infeliz amante terá de adivinhar o que o agrada ou desagrada, e provavelmente será punido de alguma forma por errar. Além disso, considerando todas as coisas que você poderia querer — e o que não deseja —, é praticamente certo que seu amante se equivocará. Como consequência, você será motivado a culpá-lo, pelo menos de modo implícito, não verbal ou inconsciente, por não

REGRA 10

se importar o bastante para perceber o que você mesmo não está disposto a notar. "Se realmente me amasse", pensará — ou sentirá, sem pensar —, "eu não teria que lhe dizer o que me deixaria satisfeito". Essa não é uma abordagem prática para um casamento feliz.

Isso já é ruim o suficiente, mas há um segundo problema igualmente grave à espreita no caminho. Se resolveu o impasse de saber o que quer, admitiu para si mesmo de uma forma verbalizável e permitiu que outra pessoa conhecesse seus desejos, você lhe concedeu uma perigosa fonte de poder. A pessoa que se tornou seu confidente está agora em posição de realizar seus desejos, mas poderia igualmente privá-lo do que deseja, envergonhá-lo por querer o que deseja ou feri-lo de alguma outra maneira, pois agora você se tornou vulnerável. Pessoas ingênuas têm a ilusão de que todos são bons e que ninguém — em especial alguém amado — seria motivado a causar dor e sofrimento, seja por vingança, como consequência da cegueira, seja simplesmente pelo prazer de fazê-lo. Mas as pessoas que amadureceram o suficiente para transcender sua ingenuidade aprenderam que podem ser magoadas e traídas por si mesmas e por outras pessoas. Então, por que aumentar as chances de ser ferido ao permitir que alguém quebre essa barreira? É para se defender contra essa traição que a ingenuidade é frequentemente substituída pelo cinismo, e devemos dizer, com toda a verdade, que o cinismo é uma melhoria em relação à ingenuidade. Porém, essa substituição não é a última fase da sabedoria, e graças a Deus por isso. A confiança, por sua vez, supera o cinismo, e a verdadeira confiança não é ingenuidade. A confiança entre pessoas que deixaram de ser ingênuas é uma forma de coragem, porque a traição é sempre uma possibilidade e porque essa questão é compreendida de modo consciente. Isso se aplica com mais força dentro dos limites de um relacionamento íntimo. Confiar é convidar o que há de melhor em seu cônjuge a se manifestar, com você e sua confiança livremente concedida como o atrativo. É um negócio arriscado, mas a alternativa é a impossibilidade da verdadeira intimidade, e o sacrifício do que poderiam ter sido duas mentes em diálogo, colaborando para resolver os difíceis problemas da vida em nome de uma única mente que luta na solidão.

O romance requer confiança — e, quanto mais profunda a confiança, mais profunda é a possibilidade de romance. Entretanto, a confiança também tem seus requisitos, além da coragem exigida dos indivíduos sábios o suficiente para desconfiar, mas corajosos o bastante para arriscar colocar sua fé em um cônjuge. O primeiro desses requisitos é a verdade. Você não pode manter a confiança em si mesmo se mentir. Da mesma forma, não pode manter a confiança em si mesmo se agir de um modo que exigiria uma mentira caso fosse descoberto. Analogamente, não pode manter a confiança em seu cônjuge se ele mentir ou traí-lo em ação ou em silêncio. Portanto, o voto que torna um casamento capaz de preservar seu componente romântico é, antes de mais nada, a decisão de não mentir para o cônjuge.

Também há imensas vantagens práticas nisso, desde que feito corretamente. Chegará um momento em sua vida em que você fará algo que não deveria, ou deixará de fazer algo que deveria ter feito. Pode precisar de conselhos. Pode precisar de apoio. Pode precisar exatamente do que seu cônjuge poderia fornecer, se ao menos você ousasse permitir que o ajudasse. E em algum momento ele acabará na mesma posição. A vida é muito difícil de encarar sozinho. Se contar a verdade ao seu cônjuge e se esforçar para agir de forma que possa contar a verdade sobre como você age, então terá alguém em quem confiar quando o mar ficar turbulento e seu navio ameaçar naufragar. Isso pode ser literalmente uma questão de vida ou morte. Em um relacionamento no qual o romance permanece intacto, a verdade deve reinar.

REGRA 10

CRISTO NA VELA

Tenho um amigo de ascendência escandinava, embora seja canadense. Ele se casou com uma canadense, também de ascendência escandinava. Decidiram se casar na Suécia, em homenagem à sua ancestralidade comum. Como ambos eram, ou pelo menos se declaravam, cristãos, fizeram uma cerimônia que refletia essa crença. Durante a troca de votos, a noiva e o noivo seguraram uma vela acesa entre eles. Passei muito tempo pensando sobre o significado desse ritual.

Há um conceito antigo no livro de Gênesis (2:21–22) de que Eva foi criada a partir de uma costela de Adão. A mulher a partir do homem: isso apresenta uma espécie de mistério, revertendo, como acontece, a sequência biológica normativa, em que os machos emergem das fêmeas no nascimento. Também deu origem a uma linha de especulação mitológica que tenta explicar a estranheza desse ato criativo, baseada na suposição de que Adão, o homem original produzido por Deus, era hermafrodita — metade masculino e metade feminino — e só mais tarde separado em dois sexos. Isso implica não apenas a divisão de uma unidade divinamente criada, mas a incompletude do homem e da mulher até que cada um seja unido ao outro.[2] O fato de a vela ser segurada em conjunto indica a ligação dos dois celebrantes. O fato de a vela ser mantida no alto, acesa, implica que algo mais elevado — algo superior — está representando ou realizando a união. Luz, luz nos céus, luz nas trevas, iluminação. Antes da invenção das modernas lâmpadas elétricas, as velas eram utilizadas para esse fim. As plantas de folhas perenes, a escolha-padrão para árvores de Natal, representam a vida interminável, já que não "morrem" anualmente da mesma forma que as de folhas decíduas. Essas árvores, portanto, simbolizam a Árvore da Vida, que serve como a base do cosmos.[3] Então, iluminamos a Árvore da Vida, por volta do dia 21 de dezembro, a época mais escura do ano, pelo menos no Hemisfério Norte.[4] É por isso que o Natal acontece nessa época específica; o reaparecimento da luz está associado ao nascimento do Salvador Universal — significando o eterno ressurgimento da luz na escuridão estigial.

Cristo tem sido considerado o segundo (e aperfeiçoado) Adão e, assim como houve especulação sobre a natureza hermafrodita do primeiro Adão antes da criação dos sexos separados por Deus, há uma linha de especulação sobre a perfeição espiritual de Cristo como uma consequência do equilíbrio ideal dos elementos masculinos e femininos.[1,5] É muito difícil que as pessoas unidas em um casamento se tornem desesperadas o suficiente para deixar de lado a fuga e a evitação — vivam a verdade —, e se curem na luz irradiada por sua existência conjunta. É por essa razão que os cônjuges fazem o temível voto de permanência ("Portanto, o que Deus ajuntou, nenhum homem o separe" [Mateus 19:6]). "Eu me uno a você", afirma uma das partes do acordo. "E eu a você", diz a outra, e ambas pensam, se tiverem algum bom senso, que cada uma deve transformar a si mesma e a outra, para evitar qualquer sofrimento desnecessário. Então, qual é o princípio supremo ao qual ambos os cônjuges devem se curvar? Não é a iluminação como mera abstração verbal. Não é que eles devam apenas pensar e falar a verdade. Eles devem agir. E essa é a ideia ancestral de que a Palavra se tornará carne.

Os indivíduos que formam um casal podem muito bem se engajar em uma disputa constante quanto a uma única questão inadequadamente conceituada: "Quem é subordinado a quem no casamento?" Afinal, cada um pode pensar, como é natural das pessoas, que tal acordo é um jogo de soma zero, com um vencedor e um perdedor. Mas um relacionamento não tem que

---

I A mesma ideia emergiu de forma constante nos séculos da literatura alquímica, que tendia predominantemente a representar a pessoa perfeita (o possuidor, em um sentido espiritual ou psicológico, da pedra filosofal) como consequência do casamento místico entre os elementos feminino e masculino da psique. Discutimos isso com alguns detalhes na Regra 2: "Imagine quem você poderia ser e mire esse alvo com determinação", no que diz respeito à figura do Rebis.

REGRA 10

ser e não deve ser uma questão de apenas um vencedor, ou mesmo de cada um alternando nesse status, em uma versão mais assemelhada à equidade. Em vez disso, o casal pode decidir que cada um e ambos estão subordinados a um princípio, um princípio de ordem superior, que constitui sua união no espírito de iluminação e verdade. Essa figura fantasmagórica, a união ideal do que há de melhor em ambas as personalidades, deve ser constantemente considerada como a governante do casamento — e, de fato, como algo tão próximo do divino quanto poderia no que se refere a indivíduos falíveis. É isto o que a cerimônia da vela representa: nenhuma das partes governa a outra. Em vez disso, ambas se curvam ao princípio da iluminação. Nessa circunstância, não é que uma deva obedecer ao que a outra deseja (ou vice-versa), e sim que ambas devem ser orientadas para o futuro mais positivo possível e concordar que falar a verdade é o melhor caminho a seguir. Essa orientação e veracidade produzirão um diálogo transformador, verbal e não verbal, se os parceiros nesse acordo se comprometerem a respeitar as consequências do diálogo. A subordinação voluntária a esse princípio de iluminação de ordem superior tanto unifica quanto revitaliza.

Imagine que você acabou de participar de tal cerimônia. O que isso significa? Você *acredita* nas ideias que acabou de colocar em prática? Acredita que o homem e a mulher já estiveram unidos, como um único ser, foram separados e devem ser restaurados como unidade? Você pode acreditar nisso de forma dramática, poética e metafórica, em vez de meramente racional e mecânica, e isso pode levá-lo a verdades profundas. Quer encontrar sua alma gêmea? Obviamente esse é um tropo romântico, mas existem razões profundas para a existência de ficções românticas. Talvez você leve alguém para assistir a um filme romântico. E ambos assistam ao herói e à heroína encontrarem suas almas gêmeas na tela. Se tiver sorte, enquanto observa, pensará: "Bem, talvez esta pessoa ao meu lado seja a única para mim também." Na melhor das situações, é isso que seu par está esperando. Talvez seja esperar demais na vida real. Mas, mesmo assim, o romântico dentro de você anseia por isso.

Em nossa natureza, há um anseio inevitável pela completude que outra pessoa é capaz de nos fornecer. Caso contrário, haverá uma sensação de que você está perdendo alguma coisa, e que somente a união romântica adequada fornecerá o que falta. Isso também é verdade — você realmente está perdendo alguma coisa. Se não estivesse, o sexo nunca teria evoluído. Todo o curso biológico de nosso destino, desde que a reprodução progrediu além da mera divisão das células, parece impulsionado pelo fato de que era melhor que duas criaturas diferentes se unissem para produzir uma versão comparativamente nova de si mesmas do que simplesmente clonar sua atual incorporação. Você tem suas idiossincrasias, seus pontos cegos, seus vieses. Alguns deles implícitos. Muitas vezes eles estão ligados de forma inextricável aos seus talentos únicos: você raramente ganha uma vantagem sem uma desvantagem análoga; você é uma pessoa singular, com atributos singulares. Se está sozinho, é inevitavelmente assimétrico, unilateral. Isso geralmente não é o melhor.

Na instituição conjugal, há uma utilidade irrealizada sobre a qual nos tornamos cínicos — como consequência de nossa imaturidade e ingenuidade. O casamento é um voto e há uma razão para isso. Vocês anunciam conjunta e publicamente: "Não vou deixá-lo, na saúde ou na doença, na pobreza ou na riqueza — e você não vai me deixar." Na verdade, é uma ameaça: "Não vamos nos livrar um do outro, aconteça o que acontecer." Estão acorrentados um ao outro, como dois gatos furiosos dentro de um barril fechado. Em princípio, não há como escapar. Se você tem algum senso (além do otimismo de um novo amor), também pensa: "Ah, Deus. Esta é uma possibilidade horrível." A sua parte que afirma desejar a liberdade (mas, na verdade, deseja evitar

REGRA 10

qualquer responsabilidade permanente e, portanto, aterrorizante) quer um alçapão pelo qual fugir, se e quando for necessário. Isso parece conveniente — e é verdade que existem casamentos insuportáveis —, mas é uma opção com perigos extremos. Você quer mesmo continuar se perguntando pelo resto da sua vida — já que sempre há a opção de ir embora — se fez a escolha certa? O mais provável é que não tenha feito. Existem 7 bilhões de pessoas no mundo. Pelo menos 100 milhões (digamos) poderiam ser bons parceiros para você. Certamente você não teve tempo para analisar todas, e a probabilidade de encontrar a pessoa teoricamente ideal é próxima de zero. Porém, não se trata só de *encontrar*, mas, sim, de *fazer*, e se não sabe disso está mesmo enrascado. Além disso, se tiver uma rota de fuga, não haverá pressão suficiente na câmara em que está preso para catalisar a mudança necessária em você e no seu cônjuge — o amadurecimento, o desenvolvimento da sabedoria —, pois esses aspectos requerem um certo grau de sofrimento, e sempre podemos escapar do sofrimento enquanto houver uma saída.

Você não se dará bem com seu cônjuge — não sem esforço, a menos que concorde em ser tiranizado e permanecer calado (e mesmo assim você se vingará) —, pois ambos são pessoas diferentes. Ninguém consegue se dar bem logo de cara, exatamente por causa disso. E não só você é diferente de seu cônjuge, mas está repleto de inadequações, assim como ele. E, como se não bastasse, há também o fato de que mesmo pessoas de boa vontade e caráter unidas no matrimônio enfrentarão o mundano, o cotidiano, o monótono, o trágico e o terrível juntas, pois a vida pode ser — e certamente será em algum momento — difícil a ponto de se tornar impossível. Será árduo. Mesmo que vocês se esforcem para se recompor, e consigam de forma admirável, haverá momentos brutais e não necessariamente breves. Talvez a vida seja melhor se ficarem juntos — essa é a esperança e a probabilidade, pelo que posso dizer —, mas os momentos brutais ainda hão de existir. O que os fará lidar voluntariamente com suas diferenças e estabelecer um acordo genuíno, um consenso verdadeiro? Vocês terão que negociar de boa-fé, continuamente, para chegar a algum tipo de conciliação pacífica e produtiva. E se não quiserem? Viverão em uma luta mortal por sessenta anos.

Na prática clínica, tenho visto famílias inteiras nessa situação. Imagine cinco pessoas em um círculo. Imagine ainda que cada uma está com as mãos em torno do pescoço da pessoa à sua frente. Todas estão apertando com força suficiente para matar a outra daqui a algumas décadas. Esta é a decisão, formulada ao longo de anos de discussão tácita e recusa em negociar: "Eu vou matá-lo. Só que levará a vida inteira." É muito possível que você tenha alguém em sua família que gostaria de estrangular lentamente, ou que está fazendo isso com você. Talvez não, espero que não (talvez você não admita mesmo que saiba que é verdade), mas é bastante comum. Se você não negociar a paz com seu cônjuge, acabará nessa situação. Existem três estados fundamentais do ser social: tirania (você faz o que eu quero), escravidão (eu faço o que você quer) ou negociação. A tirania obviamente não é boa para a pessoa escravizada, mas também não é boa para o tirano — porque ele se torna um tirano, e não há nada enobrecedor nisso. Não há nada além de cinismo, de crueldade e do inferno da raiva e da impulsividade descontroladas. A escravidão também não é boa, tanto para o escravo quanto para o tirano. Os escravos são infelizes, miseráveis, irritados e ressentidos. Eles aproveitarão toda e qualquer oportunidade disponível para se vingar de seus tiranos, que, em consequência, serão amaldiçoados e prejudicados por seus escravos. Não é fácil extrair o melhor que alguém tem a oferecer com ameaças de punições arbitrárias, principalmente se o objetivo da pessoa é fazer algo de bom (e esse enfraquecimento do espírito é o truque mais cruel do tirano). Mas os aspirantes a tiranos podem ter certeza de que seus escravos se vingarão sempre que possível, mesmo que isso signifique ser muito menos do que poderiam ser.

Minha esposa me contou uma história terrível sobre um casal que ela observou quando trabalhava como voluntária em uma enfermaria de cuidados paliativos. O marido estava morrendo e a esposa aparava as unhas dele — curtas demais. A cada corte saía sangue, pois ela cortava rente o suficiente para feri-lo. Você vê algo assim, e seu bom senso conclui a terrível verdade: "Eu sei *exatamente* o que está acontecendo ali." Esse é o estágio final de um relacionamento incrivelmente dissimulado e brutal. É sutil. Não se autodenuncia a plenos pulmões como mortal. Ninguém sabe, exceto o casal (embora talvez lute com todas as suas forças, dadas as circunstâncias, para não saber) e o observador atento, que vê um homem moribundo e uma esposa que decidiu, por quaisquer motivos, tornar sua morte um pouco pior. Esse não é um resultado desejável. Você não quer acabar nessa situação, ou algo parecido. Você quer negociar. A questão é: "O que vai deixá-lo desesperado o suficiente para querer negociar?" E esse é um dos mistérios que devem ser resolvidos se você deseja manter o romance vivo em seu relacionamento.

NEGOCIAÇÃO, TIRANIA OU ESCRAVIDÃO

A negociação é incrivelmente difícil. Já discutimos os problemas associados a determinar o que você quer e, depois, reunir coragem para contar para alguém. E há os truques que as pessoas usam para evitar negociações. Talvez você pergunte a seu cônjuge o que ele deseja — quem sabe durante uma situação difícil. A resposta comum é "eu não sei" (frequente entre crianças e, mais ainda, entre adolescentes). Entretanto, ela não é aceitável em uma discussão que não pode ser evitada, ao menos não de boa-fé. Às vezes, "eu não sei" tem exatamente o significado que deveria — a pessoa está genuinamente perdida —, porém, com frequência, significa: "Não quero falar sobre isso, então vá embora e me deixe em paz." Muitas vezes essa resposta vem acompanhada de irritação ou raiva direta, suficiente para deter o questionador. Isso interrompe a discussão, que pode, então, acabar adiada para sempre. Talvez isso tenha se repetido uma, duas ou dezenas de vezes, então você — o questionador, neste caso — já se cansou da recusa de seu cônjuge, ou decidiu que não quer mais ser um covarde ou a vítima de sua própria compaixão equivocada e não aceitará mais "eu não sei" como resposta. Em consequência disso, você persiste em perseguir seu alvo. Pode dizer: "Bem, *dê um palpite,* dê uma pista, pelo amor de Deus. Qualquer coisa, mesmo que esteja errada, é pelo menos um começo." "Não sei" significa não só "Vá embora e me deixe em paz", mas com frequência também quer dizer: "Por que você não vai embora, faz todo o trabalho necessário para descobrir o que está errado, volta aqui e me diz — já que é tão inteligente" ou "É rude e intolerável de sua parte se recusar a permitir que eu permaneça em minha ignorância deliberada ou perigosa, visto que obviamente me incomoda muito pensar sobre meus problemas". Mas não é rude — e, mesmo que seja, você precisa saber o que seu cônjuge quer, e ele também. E como é possível que um ou ambos descubram, se você não é capaz nem de iniciar a conversa? Não é rude. É um ato cruel de amor.

A persistência é crucial nessas condições, é uma necessidade terrível, semelhante à cirurgia. É difícil e dolorosa, porque é preciso coragem e até alguma imprudência para continuar uma discussão depois que seu cônjuge lhe diz, em termos inequívocos, para ir embora (ou coisa pior). No entanto, é uma coisa boa — um ato admirável —, pois é provável que uma pessoa incomodada com algo sobre o qual não deseja falar fique internamente dividida devido ao assunto em questão. A parte que deseja evitar é a que fica com raiva. Enquanto outra quer falar e

REGRA 10

resolver a questão. Mas fazer isso exige muito do ponto de vista cognitivo, é eticamente desafiador e emocionalmente estressante. Ademais, requer confiança, e as pessoas testam essa confiança, sobretudo manifestando raiva quando abordadas sobre algo delicado, apenas para determinar se aquele que ousa abordar a questão se preocupa o suficiente para superar um, dois, três ou dez obstáculos sérios para chegar à terrível verdade. E a evitação seguida de raiva não é o único truque usado.

Outro obstáculo importante são as lágrimas. Elas são facilmente confundidas com a angústia gerada pela tristeza, e são muito eficazes em fazer com que pessoas de coração terno desistam, movidas por uma compaixão equivocada. (Por que equivocada? Porque, se você deixar a pessoa em paz por causa das lágrimas, ela parará de sofrer na hora, mas continuará com o problema não resolvido até que decida resolvê-lo, o que pode ser nunca.) Todavia, as lágrimas são tanto de raiva (talvez com mais frequência) quanto de tristeza ou angústia. Se, além de chorar, a pessoa sob interrogatório está com o rosto vermelho, por exemplo, então é provável que esteja com raiva, e não magoada (este não é um sinal infalível, mas é bastante comum). As lágrimas são um mecanismo de defesa eficaz, pois é preciso ter um coração de pedra para resistir a elas, mas tendem a ser o último recurso da evitação. Se conseguir superar as lágrimas, pode ter uma conversa de verdade, mas é preciso um interlocutor muito determinado para evitar os insultos e a mágoa gerados pela raiva (primeira defesa) e a pena e a compaixão evocadas pelas lágrimas (segunda defesa). Requer alguém que integrou sua sombra — seu lado sombrio (a teimosia, a crueldade e a necessária capacidade para ser implacável e desapegado de emoção) — e que consiga usá-la para um benefício de longo prazo. Não confunda, ingenuamente, "gentil" com "bom".

Lembre-se das opções discutidas anteriormente: negociação, tirania ou escravidão. Dessas, a negociação é a menos terrível, mas não pense que é fácil; no curto prazo, talvez ela seja a mais difícil das três, pois exige que você lute agora, e só Deus sabe o quão fundo terá que cavar, quanto tecido doente terá que remover. Ao que parece, você está lutando contra o espírito da avó de sua esposa, que foi terrivelmente maltratada pelo marido alcoólatra, e as consequências desse abuso não resolvido e da desconfiança gerada em relação ao sexo oposto ecoam há gerações. As crianças são imitadoras incríveis. Aprendem muito do que sabem de maneira implícita, muito antes de poderem usar a linguagem, e imitam tanto o bom quanto o mal. É por essa razão que a Bíblia diz que os pecados dos pais incidirão sobre os filhos até a terceira e a quarta geração (Números 14:18).

A esperança, é claro, pode nos guiar pela dor da negociação, mas ela não é suficiente. É preciso desespero também, e isso é parte da utilidade da declaração "até que a morte nos separe". Se o compromisso for verdadeiro, vocês estão presos um ao outro — do contrário, ainda são imaturos demais. Este é o objetivo dos votos: a possibilidade de salvação mútua, ou o mais próximo que se pode conseguir aqui na Terra. Um casamento maduro de verdade, se sua saúde permitir, chegará aos sessenta anos já mencionados, tal como Moisés no deserto em busca da Terra Prometida, e há muitos problemas a serem resolvidos — todos — antes de a paz ser estabelecida. Assim, você amadurece quando se casa e busca a paz como se sua alma dependesse dela (e talvez seja mais sério do que se fosse sua vida), e dá um jeito de fazer funcionar ou sofrerá miseravelmente. Você será tentado pela evitação, pela raiva e pelas lágrimas, ou atraído a fugir pelo alçapão do divórcio para não ter que enfrentar o que deve ser enfrentado. Mas seu fracasso irá persegui-lo enquanto você estiver furioso, chorando ou em processo de separação, bem como em seu próximo relacionamento, já que todos os seus problemas permanecerão intactos e as suas habilidades de negociação, desaprimoradas.

REGRA 10

Você pode guardar a possibilidade de fuga no fundo de sua mente. Pode evitar o compromisso de permanência. Mas, assim, não conseguirá alcançar a transformação, que pode exigir tudo que conseguir arregimentar. Todavia, a dificuldade, que está implícita na negociação, traz consigo uma promessa tremenda, que é parte fundamental de uma vida radicalmente bem-sucedida: *você pode ter um casamento feliz.* Você pode fazê-lo funcionar. Isso é uma conquista — uma conquista tangível, desafiadora, excepcional e improvável. Não existem muitas conquistas genuínas dessa magnitude na vida; se conseguirmos quatro, já será bastante razoável. Talvez, caso se esforce, você tenha um casamento sólido. Essa é a *primeira* conquista. Por causa disso, edificou um lar estável, confiável, honesto e divertido ao qual pode ousar incluir filhos. Assim, pode ter filhos e um casamento sólido que funcione para você. Essa é a *segunda* conquista. Em seguida, você assume mais responsabilidades que exigirão o seu melhor. Terá novos relacionamentos da mais alta qualidade, se for afortunado e cuidadoso. Terá netos e estará cercado por novas vidas quando a sua começar a desaparecer. Em nossa cultura, vivemos como se fossemos morrer aos 30 anos. Mas não é assim. Vivemos muito tempo. Apesar disso, tudo acaba em um piscar de olhos, e você deveria concretizar o que os seres humanos realizam quando vivem uma vida plena. Casamento, filhos, netos e todos os problemas e os desgostos que os acompanham representam muito mais do que metade da vida. Ignore tudo isso por sua conta e risco.

Conhecemos pessoas, em geral jovens, insensatas, mas cheias do cinismo indevido que substitui a sabedoria na juventude, e elas dizem, categoricamente — até com certo orgulho: "Eu não quero filhos." Muitos jovens de 19 anos afirmam isso, e é aceitável, em certo sentido, porque eles têm apenas 19 anos, e muito tempo, e o que sabem com essa idade, afinal? E algumas pessoas de 27 anos dizem isso, embora em menor número, sobretudo se forem mulheres e minimamente honestas consigo mesmas. E certos adultos de 45 anos afirmam o mesmo, no pretérito, e alguns talvez estejam dizendo a verdade; mas a maioria está comemorando ter fechado a porta do celeiro depois que o gado fugiu. Ninguém falará a verdade sobre essa questão. Perceber abertamente que mentimos para as jovens, em especial, sobre o que elas tendem a desejar na vida é tabu em nossa cultura, com sua estranha e incompreensível insistência de que a satisfação primária na vida de uma pessoa típica é encontrada na carreira (uma raridade em si, já que a maioria das pessoas tem empregos, não carreiras). Em minha experiência clínica e profissional, independentemente de inteligência, talento, educação, disciplina, desejo de maternidade, ilusão juvenil ou lavagem cerebral cultural, é raro ver uma mulher que não faria qualquer sacrifício necessário para trazer uma criança ao mundo aos 29, 35 ou, pior, aos 40 anos.

Eis um caminho para a infelicidade que recomendo fortemente evitar, em especial às mulheres que leem este livro (embora namorados e maridos sábios devam prestar igual atenção). Decidir somente aos 29 ou 30 anos que deseja filhos e não conseguir: eu não recomendaria isso a ninguém. Você não vai se recuperar. Somos muito frágeis para brincar com o que a vida pode nos oferecer. Todos pensam, quando são jovens e inexperientes: "A gravidez é uma coisa garantida." Isso só é verdade quando você não quer filhos de jeito nenhum nem deveria engravidar e faz sexo no banco de trás de um carro aos 15 anos. Então, com certeza, acabará em apuros. Porém, uma gravidez bem-sucedida não é, nem de longe, um resultado óbvio. Você pode adiar a tentativa de ter filhos para quando for mais velho — e muitas pessoas são encorajadas ou se encorajam a fazer exatamente isso —, mas até 30% dos casais têm problemas para engravidar.[6]

Vemos o mesmo tipo de problema — isto é, a imprudência com o que a vida oferecerá ou não — quando as pessoas cujos

REGRA 10

casamentos estagnaram começam a desenvolver a ilusão de que um caso amoroso atenderá às suas necessidades não satisfeitas. Quando tive clientes considerando essa opção — ou talvez de fato envolvidos em um caso —, tentei trazê-los de volta à terra. "Vamos pensar nas consequências, em todas elas. Não apenas nesta semana ou neste mês. Você tem 50 anos. Está com uma garota de 24 anos e ela está disposta a acabar com seu casamento. O que ela pensa? Quem deve ser? O que sabe?" "Bem, estou realmente atraído por ela." "Sim, mas ela tem um transtorno de personalidade. Sério, por que diabos ela está com você e por que está disposta a destruir seu casamento?" "Bem, ela não se importa se eu continuar casado." "Ah, entendo. Então, essa garota não quer ter um relacionamento real, com um grau de permanência de longo prazo. E isso vai funcionar bem para você, não é? Apenas reflita. Será um pouco desagradável para sua esposa. Haverá muitas mentiras. Você tem filhos — como eles reagirão quando tudo isso vier à tona? O que certamente acontecerá. E o que você acha dos dez anos de batalhas judiciais que o aguardam, que lhe custarão um terço de 1 milhão de dólares e o lançarão em uma disputa de custódia que ocupará todo o seu tempo e a sua atenção?"

Vi pessoas enfrentarem batalhas por custódia tão sangrentas que teriam seriamente preferido o câncer. Não é fácil se envolver com a perigosa máquina do judiciário. Você passa a maior parte do tempo desejando estar morto. Então esse é o seu "caso amoroso", pelo amor de Deus. É ainda mais delirante do que isso, pois, é claro, se você é casado, muitas vezes convive com o pior lado do seu cônjuge, já que compartilha as verdadeiras dificuldades da vida com ele. E guarda as partes mais amenas para o seu parceiro de adultério: nenhuma responsabilidade, apenas restaurantes caros, noites emocionantes e sem regras, preparação cuidadosa para o romance e a ausência geral de realidade que acompanha o privilégio de fazer uma pessoa pagar pelos problemas reais da existência enquanto a outra se beneficia da ilusória ausência de problemas. Você não divide a vida com alguém com quem tem um caso. Desfruta apenas das sobremesas (pelo menos no começo), e tudo o que precisa fazer é tirar o chantilly e devorá-las. É isso. Vocês se veem nas melhores condições possíveis, com nada além de sexo em suas mentes e nada mais interferindo em suas vidas. Assim que isso se torna um relacionamento que tem alguma permanência, uma grande parte do caso imediatamente se transforma no que o incomoda em seu casamento. Um caso não ajuda e as pessoas acabam terrivelmente feridas. Em especial os filhos — e é a eles que você deve lealdade primordial.

Não estou tentando ser irracionalmente categórico sobre casamento e família. Não se pode esperar que todas as instituições sociais funcionem para todos. Às vezes, seu cônjuge pode ser um psicopata cruel, um mentiroso congênito e incorrigível, um criminoso, um alcoolista, um sádico (e talvez os cinco ao mesmo tempo). E você deve escapar. Mas isso não é usar um alçapão. É fugir de uma catástrofe, de um furacão, e você deve sair do caminho. Você pode ficar tentado a concluir: "Bem, que tal vivermos juntos, em vez de nos casarmos? Vamos fazer um teste. É o mais sensato a se fazer." Mas o que exatamente significa convidar alguém para morar com você, em vez de firmarem um compromisso? E sejamos severos e realistas sobre nossa avaliação, em vez de fingir que estamos levando um carro usado para um test drive. Eis o que isso significa: "Você servirá, por enquanto, e presumo que sinta o mesmo por mim. Caso contrário, nos casaríamos. Porém, em nome do bom senso que falta a ambos, vamos nos reservar o direito de trocar um ao outro por uma opção melhor a qualquer momento." E, se discorda que viver junto signifique isso — em uma declaração ética totalmente articulada —, tente formular algo mais plausível.

Você pode pensar: "Olha, doutor, isso é muito cínico." Então, por que não contemplamos as estatísticas, em vez de minha

REGRA 10

opinião, já que posso ser injustamente considerado antiquado? A taxa de separação entre pessoas que não são casadas, mas vivem juntas — ou seja, casadas em todos os aspectos, menos no sentido formal —, é substancialmente mais alta do que a taxa de divórcio entre casados no papel.[7] E mesmo que você se case e faça de seu cônjuge uma pessoa decente, como se diz, ainda assim terá muito mais probabilidade de se divorciar do que se nunca tivesse morado junto.[8] Então, sabe a ideia de fazer um teste? Parece atraente, mas não funciona.

Claro, como substituição ou adição ao fato de que morar junto não funciona, é possível que as pessoas com maior probabilidade de se divorciar, por motivos de temperamento, também sejam aquelas com maior chance de preferir morar juntas, antes ou sem intenção de se casar. Não é simples separar os dois fatores causais. Mas, na prática, não importa. A coabitação sem promessa de compromisso permanente — anunciado no convívio social, efetivado em cerimônia, seriamente considerado — não produz casamentos mais robustos. E não há nada de bom nisso — em especial para as crianças, que se saem muito pior em famílias com apenas um dos genitores (em geral, sem a presença do pai).[9] Ponto-final. Então, eu simplesmente não vejo a coabitação como uma alternativa social justificável. E digo isso como alguém que morou com a esposa antes de se casar. Não sou inocente nessa questão. Mas isso não significa que eu estava certo. E há outra coisa que está longe de ser trivial. Você simplesmente não tem tantas chances na vida para fazer um relacionamento íntimo dar certo. Talvez demore dois ou três anos para encontrar a pessoa ideal, e mais dois ou três para avaliar se ela é de fato quem você pensa que é. São cinco anos. Você envelhecerá muito mais rápido do que imagina, não importa quantos anos tenha agora, e a maior parte do que é capaz de construir em termos de família — casamento, filhos e assim por diante — vai dos 20 aos 35 anos. Portanto, quantas oportunidades — com cinco anos de duração — você tem de fato? Três? Quatro, se tiver sorte?

Isso significa que quanto mais você espera, mais suas opções diminuem, ao invés de aumentar. Se é viúvo ou viúva, e precisa voltar ao cenário do namoro aos 40 ou 50, que seja. Isso é fruto de uma tragédia, e assim é a vida. Mas tenho visto amigos passarem por essa experiência, e não é um destino que eu desejaria a alguém que amo. Continuemos a ser razoáveis sobre isso: todos os jovens de 16 a 18 anos têm muito em comum. Eles ainda não estão formados. São maleáveis. E isso não é uma ofensa. É um fato. É também por isso que conseguem ir para a faculdade e, em um único semestre, se tornar amigo de um colega de quarto para o resto da vida (sem qualquer tipo de cinismo). Entretanto, aos 40 anos — se de fato viveu —, você se torna uma pessoa singular e única. Conheci pessoas nessa época da minha vida que, mesmo uma década ou mais depois, ainda considero novas amigas. Essa é a função pura da complexidade do aumento da idade. E é mera amizade, não amor — não é uma vida conjunta nem a união de duas famílias diferentes.

E assim você tem seu casamento e seus filhos, e tudo está bem, porque você é teimoso e apavorado o suficiente com o inferno que aguarda qualquer um que falhe em negociar pela paz e em fazer os sacrifícios necessários para estabelecê-la. Você está, sem dúvida, mais preparado agora para sua carreira — ou, o mais provável, seu trabalho. Essa é a *terceira* das quatro conquistas que poderá realizar, com boa sorte e um espírito destemido, no breve lampejo de sua existência. Você aprendeu como estabelecer uma harmonia produtiva nos confins de seus relacionamentos mais íntimos e privados, e parte dessa sabedoria transborda em seu local de trabalho. Você é um mentor para os jovens, um colega prestativo e um subordinado de confiança e, em vez da confusão que poderia facilmente fazer com o local em que mora, você o aperfeiçoa. Se todos fizessem isso, o mun-

REGRA 10 293

do seria um lugar muito menos trágico e infeliz. Talvez até fosse um lugar manifestamente bom. E talvez você aprenda a fazer bom uso de seu tempo longe da família e do trabalho — seu momento de lazer —, tornando-o significativo e produtivo. Essa é a *quarta* conquista — que, assim como as outras, pode ser desenvolvida. Talvez você fique cada vez melhor em trabalhar na solução de problemas cada vez mais difíceis e se torne motivo de orgulho, à sua maneira, para o próprio espírito da humanidade. E essa é a vida.

Retomemos o assunto casamento. Como planejar e manter diligentemente o romance em seu relacionamento? Bem, você tem que decidir: "Quer um pouco de romance em sua vida ou não?" Se realmente refletir, sem ressentimentos — sem a alegria de privar seu cônjuge, agora alienado, do prazer que pode advir de tal tentativa —, a resposta geralmente é sim. Romance sexual: a aventura, o prazer, a intimidade e a excitação que as pessoas fantasiam vivenciar quando sentem necessidade de um toque divino. Você quer isso. As alegrias da vida são raras e preciosas, e você não deseja abandoná-las sem um motivo adequado. Como conseguir o romance? Com sorte, ele acontecerá entre você e alguém de quem gosta; com mais sorte e comprometimento suficiente, ele acontecerá entre você e alguém que ama. Quase nada disso é fácil. Se criar um lar com alguém, terá que fazer muitas negociações para manter o "gostar" e o "amar" bem vivos.

ADMINISTRAÇÃO DOMÉSTICA

Eis algumas considerações práticas. Elas podem parecer muito alheias ao assunto do romance. No entanto, a discussão é necessária, pois transcendemos — ou perdemos — nossos papéis tradicionais e não formulamos substitutos para eles.

Antes disso — talvez antes da invenção da pílula anticoncepcional, que foi uma revolução biológica —, os homens faziam tarefas masculinas, e as mulheres, tarefas femininas, sejam lá quais fossem. Os papéis tradicionais são muito mais úteis do que tendem a perceber as pessoas modernas, que superestimam a tolerância de sua liberdade e escolha. Em uma sociedade que muda mais devagar, todos têm algum senso de seus respectivos deveres. Isso não elimina a tensão (nada elimina), mas pelo menos existe um gabarito. Se não houver um modelo para o que cada um deve fazer quando mora com alguém, então será preciso conversar — ou negociar —, caso você seja bom nisso, o que provavelmente não é. Poucas pessoas são.

Se você vai constituir uma família em paz com alguém que ama e, com sorte, gosta — e deseja continuar amando e gostando —, terá de determinar de alguma forma quem fará o quê. Isso é a substituição de papéis. Quem faz a cama? Quando deve ser arrumada? Em que nível de perfeição deve estar para ser mutuamente aceitável? E se isso não for bem conduzido, a conversa torna-se rapidamente contraproducente: "Eu fiz a cama." "Bem, você não fez um trabalho muito bom." "Nada é bom o suficiente para você. Se acha que não fiz um bom trabalho, talvez eu deva parar, e você mesmo pode arrumar a cama!" "Bem, talvez você devesse elevar um pouco seus padrões, e não apenas sobre a cama!" Levará dias para resolver isso — se for resolvido; e essa situação envolve apenas a cama. Apenas os primeiros dez minutos da manhã. Portanto, talvez a cama permaneça desarrumada ou feita de qualquer jeito ou com amargura ao longo dos próximos sessenta anos (lá vem o mesmo período de novo), e há muito mais questões domésticas para resolver do que apenas a cama. Porém, se isso não for resolvido, se tornará um problema todas as manhãs de todos os dias de todas as semanas, meses e anos e todos viverão com raiva, pelo menos debaixo da fina superfície, assim que acordarem ou cada vez que entrarem no

REGRA 10

quarto e outros aspectos começarem a ficar fora de ordem. Isso não é nada bom.

Qual carreira terá prioridade? Quando e por quê? Como as crianças serão educadas e disciplinadas, e por quem? Quem faz a limpeza? Quem põe a mesa? Leva o lixo para fora? Limpa o banheiro? Como as contas bancárias são configuradas e gerenciadas? Quem compra mantimentos? Roupas? Móveis? Quem paga o quê? Quem assume a responsabilidade pelos impostos? Et cetera, et cetera, et cetera. A administração adequada de uma casa abarca infinitos detalhes — um problema tão complexo quanto administrar uma empresa, com a dificuldade adicional de tentar fazê-lo junto com um membro da família —, e grande parte das tarefas precisa ser repetida todos os dias. Afinal, sua vida é composta sobretudo de ações que se repetem rotineiramente. Ou você negocia a responsabilidade sobre cada um desses deveres ou entra no jogo de empurrar com a barriga para sempre, enquanto enfrenta uma batalha não verbal, com teimosia, silêncio e tentativas indiferentes de "cooperação". Isso não ajudará em nada a sua situação romântica. Dessa forma, é de crucial importância fundamentar a parte da administração doméstica em terreno firme.

É um conjunto de problemas incrivelmente difícil de resolver, pois significa que você deve ordenar de forma consciente a hierarquia de responsabilidades entre os parceiros da casa. É obrigado a negociar cada maldito detalhe aparentemente trivial (mas a aparente trivialidade é uma ilusão): quem prepara as refeições? Quando devem ser preparadas? Quanto isso vale em termos de compensação com outras tarefas? Como você agradece a alguém por ser eficiente na condução da cozinha? Quem enche a máquina de lavar louça? Quem lava a louça? Com que rapidez os pratos devem ser tirados da mesa após a refeição? Quais pratos serão usados? O que vamos comer? Que papel as crianças devem desempenhar? Nós nos sentamos juntos?

Teremos refeições regulares? Cada uma dessas questões pode se tornar uma guerra sangrenta. As pessoas têm pensamentos divergentes, e sabe-se lá quem tem razão. Então, é preciso lutar contra isso e chegar a um consenso. É difícil. Talvez signifique centenas de batalhas. Certamente significa dezenas. Mas são batalhas com um propósito, e esse propósito é lutar até que surja uma solução, para que os conflitos em torno dessa questão não sejam mais necessários. É transformar a paz em objetivo, e ela não pode ser estabelecida exceto por meio de negociação, que, por sua vez, requer um compromisso forte o suficiente para resistir a conflitos sérios e profundos.

A próxima coisa que você precisa fazer — sei disso por experiência clínica e conjugal (trinta anos de cada) — é realmente conversar com seu cônjuge por cerca de noventa minutos por semana, apenas sobre assuntos práticos e pessoais. "O que está acontecendo com você no trabalho?" "O que está acontecendo, sob seu ponto de vista, com as crianças?" "O que precisa ser feito em casa?" "Há algo que o incomoda e que possamos resolver?" "O que temos que fazer para cobrir os gastos da próxima semana?" Comunicação pura e prática: em parte porque você tem uma história, seu cônjuge tem uma história e vocês têm uma história conjunta. Para conhecer sua história, é preciso contá-la e, para que seu cônjuge a conheça, ele deve ouvi-la. É necessário que essa comunicação aconteça de forma contínua. Não precisa ser noventa minutos de uma vez. Talvez quinze minutos por dia. Mas mantenha essas linhas de comunicação pragmática abertas para saber onde a outra pessoa está e vice-versa. Se não mantiver ao menos noventa minutos por semana, criará um acúmulo e sua história mútua começará a desalinhar. Em algum ponto, esse acúmulo será tão grande que você não saberá quem é, e certamente não saberá quem é seu cônjuge, e ambos se tornarão mutuamente alienados. Seu relacionamento perderá a coerência. Essa é uma situação terrível.

REGRA 10

Quando estou ajudando alguém a consertar o casamento, digamos, foco assuntos muito mundanos. Não estou interessado em férias, ocasiões especiais ou qualquer acontecimento incomum. Não é que esses eventos não sejam importantes, mas não são vitais no mesmo sentido que as rotinas diárias. São elas que devem ser corrigidas. Quero saber quais são as interações que constituem a maior parte de um dia típico. Talvez vocês acordem juntos; comam juntos. Coisas que fazem diariamente. Talvez acordar, se preparar e comer representem cinco horas do dia. É um terço do seu tempo de vigília e, portanto, um terço da sua vida. São 35 horas a cada 7 dias — uma semana inteira de trabalho; uma carreira inteira. Faça direito. Pergunte a si mesmo e ao outro: como queremos que esses horários sejam estruturados? Como podemos tornar o despertar matinal agradável? Podemos tratar um ao outro educadamente e com interesse, e talvez sem distrações eletrônicas, enquanto comemos? Podemos tornar as refeições deliciosas e o ambiente acolhedor? Pense no momento em que volta para casa à noite. Digamos que essa rotina leve dez minutos. Representa mais uma hora por semana; cinquenta horas por ano — uma semana e meia de trabalho. Você passa uma semana e meia de trabalho por ano sendo saudado assim que entra pela porta. É uma fração considerável de sua existência. Alguém o recebe e manifesta certo grau de felicidade em vê-lo; você é ignorado porque todos estão usando seus smartphones; ou é soterrado por uma ladainha de reclamações? Como gostaria de organizar isso, para não temer o momento de chegar em casa? Há coisas que vocês fazem juntos que são mundanas; que se repetem todos os dias. Mas elas representam sua vida inteira. Organize essas situações e você se estabelecerá com muito mais eficácia do que imagina. Se conseguir ter êxito na guerra para instaurar harmonia na administração doméstica, ambos conquistarão uma grande vitória. E só então será possível se concentrar no que pode acontecer durante umas férias românticas em um hotel boutique, na casa de seus pais, em um resort ou em uma viagem de aventura — ou durante aqueles dois encontros semanais já mencionados e que ambos estão bastante relutantes em tentar.

Comece organizando essas situações e veja o que acontece. Assim, você terá refeições tranquilas, por exemplo, e não morrerá de frustração ou pressão alta. Mas terá que lutar por essa conquista. O que importa não é lutar (porque essa parte é obrigatória), mas conseguir alcançar a paz como consequência. Alcançar a paz é chegar a uma solução negociada. E você deseja e precisa chegar a uma solução negociada para todas as responsabilidades e oportunidades que compartilham como casal — e para todos os obstáculos que encontrarem. Pelo menos assim você terá alguém com quem conversar quando sua vida ficar complexa, o que inevitavelmente acontecerá. E terá a vantagem de ter duas cabeças pensando, mesmo que elas discordem. O que tudo isso significa é que os problemas relacionados a saber o que você quer e discutir o assunto com seu cônjuge devem ser resolvidos, para que o romance em seu relacionamento possa ser mantido.

As outras pessoas nos mantêm sãos. Em parte, é por esse motivo que casar é uma boa ideia. Por quê? Bem, você é meio insano, e seu cônjuge também (quer dizer, talvez não meio — mas bastante). Felizmente, não costuma ser a mesma metade. De vez em quando, você encontra casais em que ambos têm a mesma fraqueza, e acabam agravando essa falha um no outro. Talvez os dois gostem muito de vinho, por exemplo, e juntos caiam no alcoolismo. Para evitar esse destino, pode ser bom que só uma pessoa do casal goste de álcool, e não as duas. Isso causará uma certa quantidade de conflito de curto prazo, em situações em que há ou haverá bebida, mas as consequências de longo prazo (evitar que qualquer uma das duas se torne alcoolista) provavelmente serão benéficas. A pessoa que não bebe tomará uma ou duas doses em uma ocasião social, apenas para evitar

REGRA 10 299

ser muito rígida e desagradável, e a que gosta de beber receberá, espera-se, uma repreensão salutar caso não exerça o controle adequado.

Em geral, é um feliz acaso que, provavelmente, suas idiossincrasias sejam distribuídas de forma um tanto aleatória e que, ao se unir a outra pessoa, você encontre um ponto forte para equilibrar um ponto fraco e vice-versa. Ao se unir com outra pessoa para recriar aquele ser original — essa é a ideia simbólica —, vocês têm uma chance de criar um ser sensato e são. Isso é bom para ambos, melhor ainda para seus filhos (que agora têm uma chance de lutar para se adaptar ao que constitui um comportamento geralmente são), e também é bom para a amizade e para o mundo em geral.

Muito desse movimento em direção à unidade funcional é consequência do diálogo e da comunicação. Se você já não é tão jovem, sabe que as pessoas são terrivelmente machucadas. Quando somos jovens e inexperientes, é provável que façamos duas suposições, de uma maneira bastante inquestionável e implícita, que não são verdadeiras. A primeira é que existe alguém perfeito. É provável que você até encontre essa pessoa hipoteticamente perfeita, a qual enxerga assim como fruto da ilusão, e se apaixone de forma desesperada e tola (tola porque você está apaixonado por sua projeção de perfeição, e não pela pessoa — algo que é muito confuso para o alvo do seu afeto). A segunda é que existe alguém que é perfeito *para você*. A partir dessas suposições, você está cometendo ao menos três erros, o que é uma bela proeza, visto que fez apenas duas suposições.

Para começar, não existe ninguém perfeito. Só pessoas avariadas — com feridas profundas, embora nem sempre irreparáveis, e uma bela dose de idiossincrasia individual. Além disso, se houvesse alguém perfeito, olharia para você e sairia correndo gritando. A menos que consiga enganar alguém, como acabaria com uma pessoa melhor do que você? Na verdade, deveria ficar apavorado com o fato de ela aceitar sair em um encontro. Alguém sensato pensaria de seu potencial parceiro romântico: "Ah, meu Deus! Ele é cego, desesperado ou tão avariado quanto eu!" A ideia de se envolver com alguém ao menos tão problemático quanto você é apavorante. Não é tão ruim quanto ficar sozinho consigo mesmo, mas ainda assim é trocar a espada pelo fogo — a diferença é que, pelo menos, a exposição ao fogo é capaz de transformá-lo. Assim, você se casa, se tiver coragem — se tiver visão de longo prazo e capacidade de fazer os votos e de assumir responsabilidades; se tiver alguma maturidade — e ambos começam a se tornar uma só pessoa razoável. E participar de um processo tão duvidoso transforma o casal em uma pessoa razoável com possibilidade de algum crescimento. Então, vocês conversam. Sobre tudo. Não importa o quão doloroso. E estabelecem a paz. E, se conseguirem, agradecem à providência, porque o conflito é condição-padrão.

FINALMENTE: O ROMANCE

Não fazia muito sentido falar sobre romance logo no início do capítulo — pelo menos não sobre como preservá-lo. Romance é um jogo, e não é fácil jogá-lo quando surgem problemas de qualquer tipo. Esse jogo requer paz, que, por sua vez, exige negociação. E, mesmo assim, você terá sorte se conseguir jogá-lo.

A questão do romance conjugal — intimidade e sexo — é complexa, com um dragão à espreita em cada pergunta. Por exemplo: qual o dever sexual entre o casal envolvido em um casamento? A resposta não pode ser "nada de sexo". Essa não é a resposta, porque parte do arranjo contratual é organizar sua vida romântica de maneira mutuamente satisfatória. É uma pré-condição implícita para a estabilidade do casamento. Provavelmente não é sexo quinze vezes por dia, assim como também não deve ser

REGRA 10

301

sexo relutante uma vez por ano. É algo entre os dois extremos, e é nesse ponto que você deve começar a negociar.

De acordo com minha observação, o casal adulto típico — quando as pessoas têm um emprego, filhos e a administração doméstica que acabamos de discutir, além de todas as preocupações e responsabilidades — pode conseguir um interlúdio romântico razoável uma ou duas vezes por semana, ou até três (menos provável). Essa frequência, se bem negociada, parece funcionar de forma aceitável para ambos os parceiros. Tenho observado que duas vezes é melhor do que uma, mas uma vez é muito melhor que zero. Zero é ruim. Se o casal chegar a zero, então um dos dois está agindo como tirano e o outro está se submetendo. Se chegar a zero, um dos dois terá um caso — físico, emocional, imaginário ou alguma combinação dos três. Não digo isso de forma leviana. Alguém tem que ceder; quando o romance desaparece e a frequência da intimidade sexual atinge o fundo do poço, em algum ponto, deve ter havido um *não*, deve ter existido um forte indício de que "isso não é bom o bastante". Não estou recomendando um caso, mas é para isso que está se preparando se sua vida sexual desaparecer. Talvez você queira seguir esse caminho e facilitar o caso, pois quer bancar o mártir: "Minha esposa me deixou para ter um caso e coitado de mim." E por que ela fez isso? "Bem, talvez nossa vida sexual não fosse tudo o que poderia ter sido" (e esta é uma resposta que pode exigir um pouco de investigação). "O que exatamente você quer dizer com 'não foi tudo o que poderia ter sido'?" "Bem, não fazíamos amor há dois anos, e então ela teve um caso."

Isso não é um choque. Você deve começar assumindo que seu parceiro é um ser humano relativamente normal, e que existe um certo nível de satisfação sexual que é um requisito razoável — digamos, duas vezes por semana, ou uma vez por semana, sob condições de intensa atividade. Nos primeiros dias do casamento, pode não ser problema expressar interesse romântico

302 ALÉM DA ORDEM

por seu parceiro, mas a vida exige tanto de nós. Encontros amorosos são aflitivos, mesmo quando se é solteiro. Estou ciente de que também guardam muita aventura, mas a maior parte só existe nos filmes, e não em sites de namoro, em trocas de mensagens de texto, cafés, restaurantes e bares, onde ocorrem os primeiros encontros desajeitados. Encontros são trabalhosos, e você fará esse esforço se for solteiro, pois está sozinho, faminto por atenção e desesperado por intimidade física. (Pessoas solteiras fazem, em média, muito menos sexo do que pessoas casadas, embora eu suponha que uma pequena porcentagem tenha uma vida sexual muito movimentada. Mas não consigo enxergar vantagem nem mesmo para os bem-sucedidos.)

Uma pessoa solteira se esforçará em encontros porque está solitária e carente, mas não é uma questão simples. É preciso abrir espaço em sua vida para isso. É preciso planejar. Usar a imaginação, gastar dinheiro, encontrar um parceiro aceitável e, como dizem, beijar muitos sapos para encontrar um príncipe (ou uma princesa). As pessoas muitas vezes ficam aliviadas quando se casam, pois não precisarão mais fazer todo esse esforço que costuma ser tão contraproducente. Mas isso não significa de forma alguma que agora se está isento; que se pode simplesmente relaxar vestindo suas roupas íntimas e meias brancas desgastadas e presumir que todos os prazeres hipotéticos vividos por Hugh Hefner se manifestarão automaticamente em sua casa. Ainda é necessário muito esforço, a menos que deseje que o romance desapareça. É preciso conversar sobre isso. Você tem que ter aquela conversa difícil e constrangedora: "Como vai ser, amor? Terças e quintas? Quartas e sextas? Segundas e sábados?" Você pode pensar: "Ah, Deus. Isso é tão meticuloso. Tão monótono e planejado. É tão programado, previsível, burguês, antirromântico e robótico. É humilhante e constrangedor e só transforma o sexo em dever. Cadê a diversão? Onde está a espontaneidade, o jazz suave, os drinques e a excitação da atração repentina e inesperada? Onde está o smoking e o vestidinho pre-

REGRA 10

to?" É isso que você esperava, ainda que de forma inconsciente, em suas fantasias tolas? Com que frequência aconteceu assim quando estava namorando? Nunca? E (lembre-se, estamos entre adultos) você quer dois empregos (duas carreiras, duas rendas), dois filhos, um padrão de vida razoável — e espontaneidade? E não vai "se contentar" com nada menos?

Boa sorte! Isso não vai acontecer — não de acordo com minha experiência clínica (e pessoal) —, não sem muito esforço. O que acontecerá é que as necessidades absolutas da vida, inexoravelmente, começarão a ter prioridade sobre as necessidades desejáveis. Talvez haja uma lista de dez coisas que você fará em um dia e o sexo seja a décima primeira. Não é que você não ache o sexo importante, mas nunca passa do quinto item da lista. É preciso criar o espaço e o tempo e, pelo que posso dizer, deve fazê-lo de modo consciente. Pode pensar: "Como seria passar algum tempo com essa pessoa por quem fui romanticamente atraído?" É preciso pensar nisso. Talvez você só tenha tempo para assistir a meia hora de um programa de TV antes de se deitar. Talvez tenha uma hora e meia, ou uma hora, porque a vida é muito agitada. Não seria uma ideia tão ruim tomar um banho. Passar um pouco de batom — pode ser útil. Perfume. Vestir roupas atraentes e eróticas. Se for homem, compre lingerie para sua esposa; se for mulher, vista-a, com ousadia. Talvez você, homem, possa encontrar algo razoavelmente sexy para vestir em uma loja masculina ou um lugar que venda roupas eróticas que não sejam muito extremas, que não demonstrem mau gosto e que não acabem gerando uma intensa e inoportuna timidez. E um ou dois elogios quando toda essa coragem é manifestada não é uma ideia tão ruim. Elogie toda vez que isso acontecer durante o ano. A intenção é construir uma relação de confiança. Experimente uma iluminação suave — talvez algumas velas (alguém tem que comprar as velas, e deve ser encorajado a fazê-lo; e o cinismo deve ser mantido ao mínimo, se não quiser destruir de uma vez algo que já é frágil). Eis a regra: nunca castigue seu parceiro por fazer algo que você deseja que ele continue fazendo. Em especial se exigiu um pouco de coragem real — ir além do mero senso de dever.

Que tal tentar criar um cenário da maneira romântica que imaginaria se estivesse tendo um caso? Porque esse é o tipo de coisa que as pessoas pensam quando fantasiam um caso (se não lhes faltar criatividade). Experimente ter um caso com sua esposa ou seu marido. O homem pode preparar o quarto enquanto a mulher está se arrumando no banheiro. Já falei das velas. Que tal uma musiquinha? Que tal se certificar de que o quarto está limpo e — se Deus quiser — esteticamente atraente? Pode ser um começo. E talvez vocês dois não se tornem velhos e gordos, doentes e hipocondríacos o mais rápido possível só para ofender um ao outro, o que muitos casais certamente fazem. E então, talvez, ambos possam ter o que precisam e talvez até o que desejam. Mas você teria que admitir seus desejos e negociar com seu cônjuge. Do que você gosta? Do que ele gosta? Vocês compartilharão suas preferências um com o outro? Correrão o risco de não se sair bem? Aprenderão alguns truques novos, mesmo que se sintam bobos ao tentar pela primeira vez?

Nada disso é fácil. As pessoas fazem coisas umas com as outras das quais preferem não falar, o que não ajuda muito quando se é casado. Pode ser que, se estiver disposto a negociar e abordar o assunto com boa vontade, você consiga decidir do que precisa e o que deseja e chegar ao acordo ideal. Pode se perguntar: "Como fazer isso de modo que eu aumente a probabilidade de continuar romanticamente interessado em meu cônjuge pelos próximos vinte anos, e de modo que eu não me perca e não faça algo estúpido como muitos fazem? Qual é o meu pré-requisito mínimo para a satisfação erótica?" Você pode tentar se convencer de que isso não é necessário; de que é capaz de suportar o que tem, mesmo que seja nada. Mas não

REGRA 10

é verdade. Não se tiver respeito próprio ou bom senso. Sempre há algo que se deseja e precisa. Se você comunicar abertamente o que é esse algo, e ao mesmo tempo se abrir para a mesma comunicação vinda de seu cônjuge, é possível que ambos obtenham não só o que querem um do outro, mas até mais do que esperam.

Combine alguns encontros e depois crie o hábito de cumpri-los até se tornar um especialista. Negocie e pratique isso também. Permita-se tomar consciência do que você quer e precisa e tenha a decência de contar esse segredo ao seu cônjuge. Afinal, para quem mais contaria? Dedique-se ao ideal mais elevado do qual obrigatoriamente depende um relacionamento honesto e corajoso, e faça isso com a seriedade que manterá sua alma intacta. Respeite seus votos matrimoniais, de modo que esteja desesperado o suficiente para negociar com honestidade. Não deixe seu cônjuge desprezá-lo com alegações de ignorância ou recusa em se comunicar. Não seja ingênuo e não espere que a beleza do amor se mantenha sem todo o esforço de sua parte. Distribua as necessidades de sua casa de uma forma que ambos considerem aceitável e não tiranize ou se sujeite à escravidão. Decida o que precisa para se manter satisfeito, tanto na cama quanto fora dela. E talvez — apenas talvez — você continuará a ter o amor da sua vida, um amigo e confidente, e esta rocha fria em que vivemos em um dos extremos do cosmos será um pouco mais quente e reconfortante do que seria de outra forma. E você vai precisar disso, porque sempre surgirão tempos difíceis, e é melhor ter algo para combatê-los ou o desespero virá para ficar.

Planeje e se esforce para manter o romance em seu relacionamento.

REGRA 11

NÃO PERMITA QUE VOCÊ SE TORNE RESSENTIDO, DISSIMULADO OU ARROGANTE

O IMPORTANTE É A HISTÓRIA

Você tem motivos para ser ressentido, dissimulado e arrogante. Enfrenta, ou enfrentará, forças terríveis e caóticas, e às vezes será derrotado. Ansiedade, dúvida, vergonha, sofrimento e doença; a agonia da consciência; o abismo de tristeza que destrói a alma; sonhos arruinados e decepção; a concretude da traição; a sujeição à tirania do ser social; e a ignomínia de envelhecer até morrer — como não degenerar, se enfurecer, pecar e passar a odiar até a própria esperança? Quero que você saiba como resistir a esse declínio, essa degeneração para o mal. Para tanto — para entender sua própria personalidade e a tentação das trevas —, é preciso saber contra o que está lutando. Você precisa entender suas motivações para o mal — e, pelo que fui capaz de formular, a tríade de ressentimento, dissimulação e arrogância é um bom resumo dos elementos que constituem o mal.

É possível entender o mundo de uma forma que viabilize proteção contra a tentação de tomar o pior dos caminhos? É um axioma da sabedoria humana que uma formulação mais clara e uma compreensão mais profunda de um problema são salutares. Tentaremos fazer exatamente isso com uma mudança conceitual — que é difícil e confusa para nós, que hoje somos materialistas ferrenhos. Primeiro, uma pergunta: *de que é feito o mundo?* Para respondê-la, precisaremos considerar a realidade — o mundo — como se fosse totalmente experimentada por alguém vivo e desperto, com toda a riqueza do subjetivo deixada intacta — sonhos, experiências sensoriais, sentimentos, impulsos e fantasias. Esse é o mundo que se manifesta para sua consciência individual única — ou, melhor, com o qual ela se depara.

Considere o ato de acordar pela manhã. Se lhe perguntassem o que você percebe, naquele exato momento, poderia muito bem mencionar os mesmos objetos concretos que qualquer outra pessoa veria se acordasse na cama ao seu lado. Pode descrever tudo o que está ao seu redor no quarto — a escrivaninha, as cadeiras, as roupas (bagunçadas ou bem arrumadas, dependendo de seu temperamento e preferência e, talvez, de sua condição na noite anterior). É provável que você responda dessa maneira muito objetiva e realista, declarando, essencialmente, que vê a mobília no cenário. É claro que há alguma verdade em sua resposta, embora você possa prestar menos atenção às coisas familiares ao seu redor do que pensa. Por que perder tempo e energia percebendo o que pode simplesmente lembrar?

No entanto, os móveis e outros itens em seu quarto *não* são o que você verdadeiramente percebe ao acordar. Você já está familiarizado com o lugar onde dorme e o que ele contém. Não há razão para continuar a apreender com esforço e consciência o que já entende. Em vez disso, você está fadado a perceber seus arredores *psicologicamente.* Começa a considerar como se comportará no cenário que inevitavelmente ocupará e o que acontecerá em consequência. O que vê ao acordar é uma série de pos-

REGRA 11

309

sibilidades, muitas delas relativas ao dia que se inicia, outras associadas às semanas, aos meses e aos anos que virão. O que realmente o preocupa ao acordar é a resposta para a pergunta: "O que devo fazer com as possibilidades — que podem ser complexas, preocupantes, emocionantes, maçantes, restritas, ilimitadas, afortunadas ou catastróficas — que vejo diante de mim?"

Lá fora, no potencial, está tudo o que você poderia ter. É o reino das possibilidades não realizadas e ninguém conhece a extensão total dele. Em princípio, parece não haver limite para o que pode ser feito a partir do que ainda não se manifestou. Tudo o que ainda pode ser habita esse reino. Você poderia muito bem considerar o que ainda não foi descoberto como uma eterna câmara do tesouro ou uma cornucópia (que são, na verdade, duas dentre as representações). Mas isso é apenas metade da história (e aí está o problema). Se o potencial diante de você se manifestar de maneira inadequada (por exemplo, por causa de um erro de sua parte ou da absoluta arbitrariedade do mundo), então você acabará em terríveis apuros. É lá fora, no desconhecido — no futuro, aquilo que você de fato confronta quando sua consciência redesperta —, que o aguarda tudo de bom, mas também tudo de terrível, doloroso, infernal e mortal. Portanto, seja o que for esse *potencial*, ele não segue as regras simples da lógica material. Objetos que respeitam as regras do jogo e que consideramos reais (quando supomos que algo que é real também é lógico) só podem ser uma coisa de cada vez, e certamente jamais poderão ser, ao mesmo tempo, o que são e o seu oposto. No entanto, o potencial não é assim. Não é categorizável dessa maneira. É tragédia, comédia, bem e mal, e tudo mais ao mesmo tempo. Também não é tangível, no sentido de que algo que consideramos deve ser tangível. O potencial nem sequer existe — exceto como *o que poderia vir a ser*. Talvez seja mais bem explicado como a estrutura da realidade, antes que esta se manifeste concretamente no presente, onde ela parece existir de forma mais evidente. Mas criaturas como nós não confrontam o presente. Portanto, existe a possibilidade de o presente não ser o mais real — pelo menos no que diz respeito à nossa consciência. Temos que lutar para "estar aqui agora", esse é o conselho dos sábios. Deixados por conta própria, direcionamos nossas mentes à investigação do futuro: *o que poderia ser?* A vida é a tentativa de responder a essa pergunta. Esse é o verdadeiro encontro com a realidade. *O que é?* consiste no passado morto, já realizado. *O que poderia ser?* consiste na emergência de um novo ser, de uma nova aventura, produzida pela conjunção da consciência viva com a grande expansão da possibilidade paradoxal.

Então, se a possibilidade é o mais real, e não a realidade (como evidenciado pelo fato de que é com a possibilidade que estamos destinados a lutar), sua investigação é a mais importante de todas. Mas como investigamos algo que não está aqui, ou lá, ou em lugar algum? Como examinamos o que ainda não se manifestou; exploramos o que apenas poderia ser, mas ainda não é? E como podemos nos comunicar uns com os outros de maneira inteligível sobre essa tentativa, trocar informações sobre as conceitualizações, abordagens e estratégias mais eficazes? A resposta, pelo que posso dizer, é transmitir, por meio de histórias, o que é e também o que poderia ser. E isso implica que, se a possibilidade é o último elemento da realidade com o qual lutamos, então as histórias que contêm a sabedoria são as que mais precisamos conhecer.

Pensamos, de modo espontâneo, em nossas vidas como histórias e comunicamos nossa experiência da mesma forma. Dizemos às pessoas automaticamente onde estamos (para definir o cenário) e para onde vamos, a fim de que possamos criar o presente a partir da possibilidade que surge à medida que caminhamos em direção ao nosso destino. Ninguém acha um relato como esse fora do comum. Porém, estamos fazendo mais do que retratar nossas vidas e as de outras pessoas como uma sequência de eventos. É algo mais profundo. Quando narra as ações

REGRA 11

de uma pessoa no mundo, você descreve como ela percebe, avalia, pensa e age — e, ao fazer isso, uma história se desenrola (e, quanto melhor você for nessas descrições, mais seus relatos parecerão histórias). Além disso, experimentamos o mundo como um lugar povoado por figuras que representam exatamente aquilo com que devemos lutar. O desconhecido, inesperado e novo — o mundo das possibilidades — é representado de forma dramática, assim como o mundo que desejamos e nos esforçamos para criar, e nós mesmos, como atores confrontados com o desconhecido e o previsível. Usamos a história para representar tudo isso.

Será que nos comunicamos por meio de histórias (e todos as entendem) porque o que estamos fazendo no mundo *é* fundamentalmente uma história? Poderia significar que o mundo da experiência é, na verdade, algo percebido inextricavelmente como uma história — e não poderia ser representado em formato mais preciso? Estamos, em princípio, adaptados ao mundo — adaptados às suas realidades. Assim, se construirmos naturalmente o mundo como uma história, talvez ele seja interpretado de modo mais preciso, ou pelo menos mais factível, na forma de história (e *preciso* e *factível* não são aspectos tão fáceis de distinguir). Você pode contra-argumentar que a visão científica do mundo é mais precisa, em certo sentido, e que ela não é fundamentalmente uma história. Mas, até onde sei, ela ainda está *aninhada* em uma história: algo como "a busca cuidadosa e imparcial da verdade tornará o mundo um lugar melhor para todas as pessoas, ao reduzir o sofrimento, prolongar a vida e produzir riqueza". Caso contrário, por que praticar a ciência? Por que alguém enfrentaria as dificuldades e os rigores do treinamento científico sem essa motivação? Existem maneiras mais eficazes de ganhar dinheiro, por exemplo, se você tiver a inteligência e a disciplina para se tornar um pesquisador genuíno. E, em termos de motivação intrínseca, o amor pela ciência não é exatamente um aprendizado desinteressado. Os grandes pesquisadores e escritores científicos que conheci são apaixonados por sua busca. Algo emocional os move. Eles esperam que seu aprendizado (por mais desinteressado que possa ser de início, visto que não há objetivo específico, exceto o de aprender) terá algum resultado genuinamente positivo: tornar o mundo um lugar melhor. Isso confere a toda a busca um elemento narrativo, o motivo que acompanha qualquer bom enredo e a transformação do personagem que compõe o melhor das histórias.

Conceitualizamos o que experimentamos na forma de história. Essa história é, em termos gerais, a descrição do lugar em que estamos agora, bem como do lugar para onde estamos indo, das estratégias e aventuras que implementamos e vivenciamos ao longo do caminho, e de nossas quedas e reconstituições durante essa jornada. Você se percebe e age dentro de uma estrutura assim o tempo todo, pois está sempre em um lugar, indo para outro, e está sempre avaliando onde está e o que está acontecendo em relação ao seu objetivo. Parte desse racional nas histórias reflete nossa tendência de ver o mundo como uma seleção de personagens, cada um dos quais representa onde estamos ou para onde estamos indo, as ocorrências inesperadas que podemos encontrar ou nós mesmos nos papéis de atores. Vemos intenções animadas em todos os lugares[1] — e certamente apresentamos o mundo dessa forma para nossos filhos. É por isso que Thomas, o Trem, tem um rosto e um sorriso, e o sol tem um rosto e um sorriso. É por isso que — mesmo entre os adultos — há um homem na lua e divindades espalhadas pelas estrelas. Tudo é animado. Isso é um reflexo de nossa tendência a tratar as coisas como se fossem personalidades com um propósito, independentemente do que sejam, independentemente de serem animadas ou inanimadas. É por isso que você não vê problemas em imaginar um rosto no seu carro (na frente, no lugar apropriado), o que sem dúvida imagina.

REGRA 11

Agimos (percebemos, pensamos, reagimos) dessa forma porque cada membro da espécie humana faz quase tudo, para o bem ou para o mal, na presença de outras pessoas. E tem sido assim desde sempre. Praticamente tudo com que nos deparamos na longa ascensão biológica à nossa forma atual foi social. Se não estávamos interagindo com pessoas, era com animais. Caçando, pastoreando ou brincando com eles, depois de domesticados — ou talvez fossem eles que nos caçavam e precisávamos entendê-los para escapar ou nos defender. Toda essa interação tribal, intertribal e entre espécies moldou nossos cérebros, configurou nossas categorias fundamentais, tornando-as sociais, e não objetivas — não como as categorias da ciência. Não nascemos com um instinto para a tabela periódica dos elementos. Não. Só conseguimos criá-la há algumas centenas de anos, e levou muito tempo e esforço consciente para formulá-la. Além disso, embora tenham sido outras pessoas que fizeram o trabalho terrivelmente árduo e necessário para estabelecer esse notável sistema de categorias químicas, é difícil aprendê-lo. Não é tão interessante, intrinsecamente (pelo menos para a maioria das pessoas), porque não há uma história associada. Sem sombra de dúvida, consiste em uma representação precisa e útil da realidade objetiva daquilo que é, mas dominar a percepção desse tipo abstrato de realidade exige esforço.

Por outro lado, se alguém está lhe contando uma história, ela atrai sua atenção de imediato. Pode ser uma história complicada e cognitivamente difícil — algo que requeira horas de concentração. Pode até ser a história de como a tabela periódica dos elementos foi descoberta e dos triunfos e das dificuldades que acompanharam o processo. Não importa. Se for bem contada, será emocionante e, provavelmente, lembrada. Se quiser ensinar algo a uma criança e fazer com que ela participe, conte uma história. Ela pedirá que você faça isso repetidamente. Ela não agarra a perna da sua calça e implora: "Ah, papai, leia mais uma linha da tabela periódica para eu dormir!" Mas está sempre muito motivada para ouvir uma história — às vezes até a mesma todas as noites. Esta é uma indicação da profundidade e da importância das histórias. Você pode pensar que a história é simples, mas seu filho, ao ouvi-la com atenção, processa os vários níveis de significado representados em qualquer narrativa decente — significados dos quais você mesmo dificilmente está ciente —, se a história que está contando for tradicional e profunda.

Somos todos humanos. Isso significa que, em nossa experiência, há algo em comum. Do contrário, nem todos seríamos humanos. Nem mesmo seríamos capazes de nos comunicar. Para nos comunicar, paradoxalmente, deve haver coisas sobre você e outras pessoas que não precisam ser ditas. Imagine que você fale para alguém: "Fiquei muito zangado esta manhã." Se houver qualquer indicação de que deseja que a conversa continue, e a pessoa estiver de acordo, ela pode perguntar por quê; mas não é provável que pergunte: "O que você quer dizer com 'zangado'?" Ninguém faria essa pergunta porque já sabe, por experiência própria, o significado de "zangado", que pode ser presumido, em vez de explicado. Na verdade, a única razão pela qual conseguimos conversar é por existir alguns conceitos que não necessitam de explicação. Você pode simplesmente presumir que são entendidos. Por exemplo, sabemos que existem conjuntos básicos de emoções compartilhadas por todos os humanos — e por muitos animais[2] —, não importa o lugar do mundo. Todo ser humano entende uma mãe ursa rosnando para defender seus filhotes, os dentes à mostra para que todos possam ver. São as coisas que não precisamos explicar que nos tornam humanos, que constituem a essência, por mais que ela permaneça mutável pelas ações da sociedade e do meio ambiente.

Então, vamos à história — ou, melhor, à história da história. Conheceremos os personagens cuja existência estrutura universalmente nossa compreensão do potencial do mundo. E, com sorte, ao conhecê-los, começaremos a entender bem o suficiente sua relação com o ressentimento, a dissimulação e a arrogância, para que esse entendimento nos ofereça alguma proteção.

OS ETERNOS PAPÉIS DO DRAMA HUMANO

O DRAGÃO DO CAOS

Quando meu filho, Julian, tinha cerca de 4 anos, assistia ao filme *Pinóquio* obsessivamente — em especial à parte que a baleia, Monstro, se transforma em um dragão cuspidor de fogo. Deve ter visto cinquenta vezes. E não ficava claro se gostava. Ele nitidamente tinha medo da cena emblemática. Dava para ver em seu rosto. E havia boas razões para tanto. Nessa parte, os personagens com os quais ele passou a se identificar correm grande risco. Há um forte tema de perigo e sacrifício. Mesmo assim, era a cena que mais o fascinava.

O que diabos ele estava fazendo ao assistir ao filme várias vezes? Principalmente quando a emoção gerada era medo? Por que uma criança se sujeitaria voluntariamente a isso? Julian estava usando todas as faculdades de sua mente recém-formada, tanto racionais quanto inconscientes, para processar as relações em tal história. *Pinóquio* e contos similares são densos, com muitas camadas, e complexos de maneiras que capturam a imaginação das crianças e não a deixam escapar. Isso não é acidental. As crianças são pequenas e jovens e, de certa forma, não sabem nada, pois têm pouquíssima experiência pessoal. Mas, ao mesmo tempo, em certo sentido, são criaturas ancestrais e de forma alguma estúpidas ou desatentas. O fato de ficarem fascinadas por contos de fadas e histórias como *Pinóquio* é uma indicação de quanta profundidade elas percebem nessas narrativas, mesmo que você, como um observador adulto, não tenha mais essa percepção.

A baleia Monstro é o Dragão do Caos. É a representação simbólica do potencial, da possibilidade, para o bem e para o mal. As representações dessa figura aparecem em todos os lugares e as crianças as percebem, mesmo que não tenham ideia do que significam. Por exemplo, no clássico da Disney *A Bela Adormecida*, a Rainha Má, Malévola, aprisiona o príncipe Felipe. Ela o acorrenta na masmorra do castelo e narra para ele uma espécie de conto de fadas fascinante. Ela se delicia ao descrever como ele será um homem velho e arruinado seis ou sete décadas depois, quando ela se dignar a libertá-lo de sua cela. Malévola o retrata como um reles arremedo de herói, e se diverte fazendo isso. Depois tranca a porta da cela ao sair, sobe as escadas de volta ao palácio e ri, maquiavélica, o tempo todo. É a clássica mãe edipiana devoradora, que impede o filho de realizar seu destino ao se recusar a permitir que ele saia de casa.

O príncipe escapa da masmorra, com a ajuda do feminino positivo: três fadas prestativas, que são claramente as contrapartes míticas de Malévola. A Rainha Má o vê montar em seu cavalo e abrir caminho perigosamente por seu exército, atravessar passarelas que desmoronam e pontes levadiças que se fecham e pegar a estrada que o leva para fora da pretensa armadilha que é o castelo. Tomada pela ira, Malévola sobe até o topo da torre. Enfurecida, ela invoca o próprio fogo do inferno e se transforma em um dragão gigante cuspidor de fogo. Todos que assistem ao filme aceitam a transformação como natural: "Claro que a Rainha Má vira um dragão. Não há problema algum nisso." Por que é algo universalmente aceitável? Por si só, a transformação não faz sentido. Em um momento, ela está de pé, uma Rainha Má perfeitamente compreensível, embora furiosa. Em seguida, ela gira algumas vezes e — puf! — é um réptil gigante cuspidor de fogo. Talvez você esteja pensando ao ler isto: "Por que bater nesta tecla? Até meu filho de 4 anos entende!" Não tenho problema com uma Rainha Má que se transforma em dragão. É algo tão evidente que pode acontecer até mesmo no meio de um filme

REGRA 11

popular e ser aceito pelo valor aparente — é tão evidente que chega a ser difícil chamar a atenção das pessoas para a ideia de que algo muito estranho aconteceu.

No entanto, se a rainha Elizabeth II de repente se transformasse em um lagarto gigante cuspidor de fogo no meio de um de seus infindáveis bailes, uma certa consternação seria apropriada e esperada. Pessoas — mesmo os monarcas de um grande reino — não se transformam em répteis perigosos e atacam seus convidados (bem, não na maioria das festas). Porém, se ocorrer dentro do contexto de uma história, nós aceitamos. Ainda assim, não explica o mistério. Nem toda transformação pode acontecer dentro de uma história. Não teria feito sentido algum se Malévola tivesse surgido com um vestido cor-de-rosa cintilante e começado a lançar rosas no caminho que o príncipe Felipe percorreu para fugir da masmorra. Isso não é da natureza de Malévola nem faz parte do conjunto de expectativas narrativas que todo público traz implicitamente para cada filme (e é improvável que ele aprecie ver essa expectativa desmoronar, a menos que feito com excepcional sutileza e um propósito de ordem superior). Mas não é um problema que a Rainha Má se torne um dragão. Por quê? Em parte, pois a natureza pode e constantemente reverte seu disfarce perigoso, mas ainda compreensível, no caos total. Isso acontece, por exemplo, quando a fogueira que acabamos de acender a fim de nos reunir para cantar e assar salsichas pega uma rajada repentina de ar quente e seco e a floresta que abriga nossas barracas, muito seca pela falta de chuva, se transforma em um inferno furioso. Perigos com os quais podemos lidar podem, de repente, se tornar perigos com os quais não podemos lidar. É por isso que não é surpresa para ninguém quando a Rainha Má se transforma no Dragão do Caos.

Imagine, por um instante, que você é um ser proto-humano pré-histórico. Está acampado para pernoitar, e esse local é um território definido — significa segurança e previsibilidade naquele momento. Seus amigos estão lá, sua família tribal. Vocês têm lanças. Têm uma fogueira. É seguro — ou pelo menos é considerado seguro nessas condições. Mas, se você perambular sem cuidado a meros sessenta metros de distância da fogueira, algo horrível com dentes e escamas o devorará. É isso o que existe no terrível desconhecido. Essa ideia está profundamente enraizada dentro de nós. Sabemos que os seres humanos têm medo inato, por exemplo, de predadores reptilianos — e temos boas razões para isso. Não se trata apenas do fato de que somos predispostos a aprender a ter medo deles (o que é verdade), mas de que o medo em si é inato.[3] Para todos os efeitos, dentro de nós, existe uma imagem do terrível predador que está à espreita na noite. É por isso que as crianças sentem medo do escuro quando têm idade suficiente para perambular sozinhas.[4] "Há um monstro no escuro, papai!", insistem elas, quando chega a noite. E papai garante que monstros não existem. Bem, o adulto está errado e a criança está certa. Saber que não há um monstro naquela escuridão específica, naquele momento, não é um grande alívio quando você tem um metro de altura e é saboroso. Pode haver — e haverá — um monstro lá no futuro. Por isso é mais proveitoso dizer para seu filho, de forma direta e por meio de ações, que sempre há algo sinistro e perigoso na escuridão, e que a tarefa do indivíduo bem preparado é confrontá-lo e tomar o tesouro que ele arquetipicamente guarda. Isso é algo que um adulto e uma criança podem colocar em prática com ótimos resultados.

Cerca de um ano e meio antes de seu encontro com Pinóquio, levei Julian ao Museu de Ciências de Boston. Lá, havia um esqueleto de Tiranossauro rex. Do meu ponto de vista, era imenso. Mas era ainda maior da perspectiva de Julian. Ele não se aproximou mais do que 30 metros. A 45 metros, sua curiosidade o instigou a chegar mais perto. Porém, quando nos aproximamos, ele travou. Esse também foi um fenômeno neurológico.

REGRA 11

Sua curiosidade o levou adiante, em direção ao monstro, para que ele pudesse coletar algumas informações úteis — até que o medo o paralisou. O limite era nítido. Talvez representasse até que ponto ele poderia se aproximar e continuar seguro se aquela coisa repentinamente virasse a cabeça para agarrá-lo.

Há uma ideia profundamente enraizada na psique humana de que o potencial guarda o derradeiro horror, lar do predador infinito — ou de uma variedade infinita de predadores. Em um sentido prático, é verdade, pois os seres humanos são presas desde o início dos tempos, embora tenhamos dificultado a vida dos predadores quando nos armamos e nos unimos. (Pessoalmente, fico muito feliz com isso. Já acampei em áreas onde ursos pardos são comuns. É bom que eles estejam no planeta e tudo mais, mas prefiro ursos tímidos, com pouca fome e longe o suficiente para serem pitorescos.) Todavia, existem forças espirituais e psicológicas que operam de maneira predatória e também têm a capacidade de destruir você — e elas podem representar um perigo ainda maior. A maleficência no coração das pessoas, que as torna perversas, se enquadra nessa categoria, assim como o mal que impulsiona a guerra totalitária de vingança, espoliação, ganância ou puro amor ao sangue e à destruição. E essa maleficência também existe em seu coração, e esse é o maior dragão de todos — da mesma forma que dominar essa maleficência constitui a maior e a mais improvável das conquistas individuais.

Você foi construído, neurologicamente, para interpretar o mundo dessa maneira dramatizada, em um nível muito profundo. Uma parte antiga do seu cérebro conhecida como hipotálamo[5] — uma pequena região situada no topo da medula espinhal — regula muitas das reações fundamentais que encontram sua expressão na conceituação de perigo e potencial. Um de seus dois módulos é responsável pela autopreservação (fome, sede e, o mais importante para nossos propósitos, agressão defensiva diante da ameaça), bem como reprodução (excitação sexual e comportamento sexual básico). O segundo é responsável pela exploração.[1] Metade do hipotálamo impulsiona nosso uso do que foi explorado anteriormente para suprimir e satisfazer as demandas básicas da vida, incluindo nossa capacidade de nos proteger em caso de ataque. A outra metade está sempre perguntando: o que há lá fora? Para que poderia ser usado? Quão perigoso pode ser? Quais são seus hábitos? Então, qual é a história? Coma, beba e divirta-se até que as provisões acabem — porém cuidado, sempre, com os monstros. Em seguida, aventure-se no perigoso, mas promissor, mundo desconhecido e descubra o que está lá. Por quê? Bem, você já sabe muitas coisas que precisa saber, embora não saiba o suficiente. Entende isso porque a vida não é tão boa quanto poderia ser e porque você morrerá um dia. Obviamente, nessas condições, você deve aprender mais. Então, é levado a explorar. A representação fundamental da realidade, como um tesouro eterno guardado por um predador eterno, é, portanto, uma representação perfeita da maneira como você está programado para reagir ao mundo nas profundezas mais fundamentais do seu Ser.

NATUREZA: CRIAÇÃO E DESTRUIÇÃO

Todos nós temos uma imagem da natureza. Pode ser algo semelhante a uma bela paisagem — a natureza tão benevolente e renovadora. É uma imagem desse tipo que fundamenta a visão ambientalista sentimental do mundo. Sendo do Norte

---

[1] É possível, de fato, remover todo o cérebro de uma gata — para citar um exemplo comum da literatura científica —, exceto o hipotálamo e a medula espinhal, e a gata ainda poderá viver em relativa normalidade, desde que seu ambiente seja razoavelmente limitado. Mais do que isso, ela entra em estado de hiperexploração. Na minha opinião, algo muito impressionante. Pense nisto: se você remover cirurgicamente 95% do cérebro de uma gata, ela não conseguirá parar de explorar. O normal seria presumir que um gato basicamente sem cérebro ficaria sentado ali, mas não é isso que acontece. A parte curiosa do cérebro ainda estará lá.

REGRA 11

de Alberta, no Canadá, não compartilho exatamente a mesma visão da natureza, pois em minha cidade natal, Fairview, ela conspira constantemente para congelar seus habitantes até a morte por seis meses do ano e devorá-los por meio de insetos durante pelo menos mais dois. Então essa é a parte menos romântica da natureza, que é violenta e selvagem. Essa é a parte associada a ferimentos, doenças, morte, insanidade e tudo o mais que pode e vai acontecer a você, como uma criatura biológica, na extremidade negativa do continuum.

Existe o potencial do futuro que ainda não foi transformado em realidade (representado, como vimos, pelo Dragão do Caos). Mas há a natureza que você encontra diretamente em sua vida e que não pode ser considerada absolutamente desconhecida. Existe o lado benevolente da natureza: o fato de você estar aqui, vivo — e às vezes feliz; o fato de haver alimentos deliciosos para comer e pessoas atraentes e interessantes para interagir, e não faltarem coisas fascinantes para ver e fazer. Existem paisagens incríveis. Há a beleza, a imortalidade e a imensidão do oceano. Existe todo o elemento abundante e maravilhoso do Ser natural. Mas também há o horror absoluto que o acompanha: destruição, doença, sofrimento e morte. Esses dois elementos de experiência coexistem. Na verdade, o primeiro não poderia existir sem o segundo: até mesmo dentro de seu próprio corpo, por mais saudável que seja, um equilíbrio muito delicado entre a morte de cada célula que deixou de ter utilidade e a nova vida que surge para substituí-la é um pré-requisito para sua contínua existência.

Ambos os elementos da existência se manifestam em nossa imaginação de forma personificada. Um é a Rainha Má, a Deusa da Destruição e da Morte; o outro é sua contraparte positiva, a Fada Madrinha, a monarca benevolente, a jovem e amorosa mãe que observa com infinito cuidado seu protegido indefeso. Para viver adequadamente, você precisa estar familiarizado com essas duas figuras. Uma criança, maltratada pela mãe, familiarizada apenas com a Rainha Má, é prejudicada pela ausência de amor, abatida pela falta de atenção e arbitrariamente sujeita ao medo, à dor e à agressão. Isso não é jeito de viver, e é muito difícil crescer de modo funcional, capaz e sem desconfiança, ódio e desejo, digamos, de vingança. Então ela precisa encontrar alguém para fazer o papel da Rainha Benevolente: um amigo, um familiar, um personagem fictício — ou uma parte de sua própria psique, motivada pela compreensão de que esse tratamento cruel é errado, pelo juramento de aproveitar qualquer oportunidade que surja em seu caminho para escapar dessas circunstâncias infelizes, deixá-las para trás e equilibrar sua vida de maneira adequada. Talvez o primeiro passo nessa direção seja postular, apesar da forma cruel com que foi tratada, que é de fato digna de cuidado; e o segundo seja continuar a se doar, onde puder, apesar de ela mesma receber tão pouco.

Se você compreender a polaridade da natureza, seu terror e sua benevolência, reconhecerá dois elementos fundamentais da experiência permanente, eterna e inevitável, e poderá, por exemplo, começar a compreender a profunda atração pelo sacrifício. É um tropo religioso que os sacrifícios mantêm os deuses felizes, e entender exatamente quem são os deuses infelizes, por assim dizer, e quão terríveis podem ser nessa situação é um passo genuíno em direção à sabedoria — um passo genuíno que nos torna mais humildes. O homem moderno tem dificuldade em entender o que significa sacrifício, porque logo imagina, por exemplo, uma oferta queimada em um altar, que é uma forma arcaica de representar a ideia. Mas não temos problema algum quando conceitualizamos o sacrifício em termos psicológicos, pois todos sabemos que devemos abrir mão da gratificação no presente para sobreviver no futuro. Então, você oferece algo para a deusa negativa com o objetivo de que a positiva apareça. Dedica longas e árduas horas para ser enfermeiro, médico ou assistente social. Essa atitude de sacrifício é, de fato, a grande

REGRA 11

descoberta do futuro, conjugada com a capacidade de negociar, barganhar e enfrentar esse futuro — abandonar a gratificação impulsiva; abrir mão de algo de que precisa e deseja; obter algo valioso em longo prazo (e manter o horror sob controle). Você renuncia às festas e às horas agradáveis para enfrentar as dificuldades da vida. Faz isso para que menos dessas dificuldades se manifestem — para você mesmo, que terá um emprego bem-remunerado e estável, e para todos os outros que ajudará à medida que a força desenvolvida por meio do sacrifício adequado se manifestar. Estamos sempre negociando dessa maneira. Agimos acreditando que podemos negociar com a estrutura da realidade. Estranhamente, muitas vezes é possível. Se você for sensato, faz isso o tempo todo. Prepara-se para o pior. Prepara-se para a chegada da Rainha Má. Faz o que tem de fazer, reconhece a existência dela e a mantém sob controle — na proporção de sua sabedoria e de acordo com sua sorte. E, se tiver sucesso, a Natureza Benevolente sorri para você — até que ela deixe de sorrir. Mas pelo menos você tem algum controle sobre a situação. Não é um alvo indefeso, um bebê na floresta, um caipira no parque de diversões — ou pelo menos não mais do que precisa ser.

A natureza é também caos, pois está sempre causando estragos na cultura, seu oposto existencial — e próximo assunto de nossa investigação. Afinal, como diz Robert Burns: "Os melhores planos de ratos e homens/Por vezes se arruínam!"[II] E com frequência é a natureza, em aspectos positivos e negativos, que faz exatamente isso. Não é fácil equilibrar a fragilidade da vida e a necessidade de procriação (e todas as incertezas da gravidez, do nascimento e da criação dos filhos) com o desejo de certeza, previsibilidade e ordem. E isso para não falar da morte (e até mesmo do câncer, que é, afinal, apenas outra for-

---

II Burns, R. 1994. *50 poemas*. RJ, Relume-Dumará. Poema "A um camundongo — Ao revirá-lo no seu ninho com o arado" — originalmente publicado em 1786. (N. da T.)

ma de vida). Mas tudo isso não quer dizer, jamais, que o caos tenha menos valor do que a ordem. Sem a imprevisibilidade, não há nada além de esterilidade, embora um pouco menos de imprevisibilidade, muitas vezes, pareça bastante desejável.

Essa combinação natureza/caos é frequentemente vista em representações da cultura pop. Como mencionamos, no filme da Disney *A Bela Adormecida*, por exemplo, existe uma Rainha Má — assim como em *A Pequena Sereia* (Úrsula), *Branca de Neve* (Rainha Má), *101 Dálmatas* (Cruela Cruel), *Cinderela* (Madrasta Má), *Enrolados* (Mãe Gothel) e *Alice no País das Maravilhas* (Rainha de Copas). Ela representa o elemento cruel do mundo natural. O exemplo de *A Bela Adormecida* é, mais uma vez, especialmente pertinente. Lembre-se do que acontece na abertura do filme. O rei e a rainha esperaram muito e agora estão desesperados para ter um filho. A bênção lhes é concedida; a bebê nasce e eles a chamam de Aurora, o amanhecer. O casal está extasiado, bem como todo o reino — e com razão, porque uma nova vida chegou. Eles planejam uma grande festa de batismo. É uma boa ideia, mas deixam de convidar Malévola, a Rainha Má, para a celebração. E não é a ignorância que os impede. Eles sabem de sua existência e estão familiarizados com seu poder. É cegueira intencional e uma péssima ideia. Desejam proteger sua nova e preciosa filha do elemento negativo do mundo, em vez de determinar como lhe fornecer a sabedoria e a força para prevalecer, apesar da realidade do negativo. Tudo isso mantém Aurora ingênua e vulnerável. Malévola aparece mesmo assim, como é inevitável, e há uma mensagem nisso: convide a Rainha Má para a vida de seu filho. Se não o fizer, ele crescerá fraco e precisará de proteção, e a Rainha Má se apresentará, não importa quais medidas você tome para impedi-la. No batismo, ela não apenas comparece, bem-comportada, apesar de não ter sido convidada, mas oferece um presente (em forma de maldição): a morte de Aurora aos 16 anos, após espetar o dedo no fuso de uma roca. E tudo isso porque ela não foi convidada para come-

REGRA 11

morar o batismo da jovem princesa. Uma convidada compassiva e poderosa intercede — uma das três fadas já mencionadas, representativa do feminino positivo — e transmuta a maldição da morte para a inconsciência profunda, um estado quase letal.

É o que acontece com as beldades, por assim dizer, que permanecem adormecidas demais aos 16 anos: elas não querem ser conscientes, pois não desenvolveram a coragem e a capacidade de enfrentar o elemento negativo do mundo natural. Em vez de serem encorajadas, foram protegidas. Ao resguardar os jovens, você os destrói. Deixa de convidar a Rainha Má para suas vidas, ainda que para visitas breves. O que seus filhos farão quando ela aparecer com força total, se estiverem completamente despreparados? Eles não desejarão viver. Ansiarão pela inconsciência. E fica ainda pior. Ao superproteger seus filhos, você se torna exatamente aquilo de que está tentando protegê--los. Ao privá-los das aventuras necessárias de suas vidas jovens, enfraquece o caráter deles. Você se torna o próprio Agente da Destruição — a própria bruxa que devora a consciência autônoma de seus filhos.

Há muitos anos, tive uma cliente que era uma versão real da Bela Adormecida. Ela era alta, loira, magra como um palito (como diz a expressão) e profundamente infeliz. Estava matriculada em um curso profissionalizante, na esperança de ter mais chances de entrar em uma universidade. Procurou-me porque não queria viver, mas também não queria, de fato, morrer — pelo menos não de forma ativa. Em vez disso, tentava se manter inconsciente com o uso de diazepam e suas variantes, incluindo soníferos, que adquiriu em quantidades suficientes de seus (vários) médicos, que sem dúvida estavam sobrecarregados o bastante para não perceber exatamente o que ela estava fazendo. Minha cliente dormia quinze ou dezesseis horas por dia. Era inteligente e culta, e me mostrou um ensaio de filosofia que havia escrito sobre a inutilidade não só de sua vida, mas da vida em geral. Ao que parecia, ela era incapaz de tolerar a responsabilidade, mas também não conseguia lidar com a crueldade que via à sua volta. Era vegana e isso estava diretamente associado ao seu agudo terror físico da vida. Não conseguia sequer passar pelo setor de carnes de um supermercado. Onde outros viam cortes de alimentos a serem preparados para sua família, ela via fileiras de pedaços de cadáveres. Essa visão só servia para confirmar sua crença de que a vida era, em essência, insuportável.

A mãe biológica de minha cliente morreu no parto, e ela foi criada pelo pai e pela madrasta, que era uma verdadeira peste. Eu a vi apenas uma vez, em meu consultório, durante o que normalmente teria sido uma sessão clínica com sua enteada. Ela passou uma hora inteira me criticando severamente: primeiro por ser de pouca utilidade como clínico e, segundo, por "sem dúvida" culpá-la por tudo que havia de errado com minha cliente. Tive a oportunidade de dizer, no máximo, uma dúzia de palavras. Foi uma performance notável, provocada, creio eu, pela minha insistência de que os telefonemas que ela fazia duas ou três vezes por dia para minha cliente durante o horário de aula — dos quais tinha ouvido algumas gravações — tinham de ser dez vezes menos frequentes e certamente precisavam ser mais agradáveis. Não estou dizendo nem acreditava, à época, que tudo isso fosse culpa da madrasta. Tenho certeza de que ela tinha seus motivos para estar frustrada. A enteada não estava totalmente engajada na vida, para dizer o mínimo; passara quatro dispendiosos anos com baixo desempenho em um curso que deveria ter durado dois anos. Mas estava claro que telefonemas três vezes ao dia, contendo principalmente raiva e insultos, não aumentavam seu desejo de estar viva. Sugeri que telefonemas semanais se tornassem a norma e incentivei-a a desligar o telefone se a conversa saísse dos trilhos. Minha cliente colocou a sugestão em prática, e presumi que isso contribuiu para a exigência de sua madrasta de vir me ver e me confrontar.

REGRA 11

A Bela Adormecida descreveu sua infância como idílica. Disse que vivia como uma princesa de conto de fadas; filha única, mimada por ambos os pais. Mas tudo isso mudou quando atingiu a adolescência. A atitude de sua madrasta passou de confiança para profunda desconfiança, e elas começaram as brigas que continuamente caracterizaram seu relacionamento a partir de então (minha cliente tinha 30 e poucos anos quando a conheci). A questão sexual tinha mostrado sua cara feia. A reação da madrasta foi agir como se sua inocente enteada tivesse sido substituída por uma impostora pervertida; a reação da menina foi namorar uma série de vagabundos que, em certo nível, era o que achava que merecia (tendo perdido a perfeita inocência da princesinha da casa) e, em outro aspecto, constituía o castigo perfeito para a madrasta.

Juntos, elaboramos um programa de treinamento de exposição para ajudá-la a superar o medo da vida. Em primeiro lugar, decidimos visitar um açougue. O dono da loja e eu tínhamos nos tornado conhecidos ao longo dos anos. Depois de explicar a situação de minha cliente para ele (com a permissão dela), perguntei se poderia levá-la até sua loja, mostrar-lhe o balcão de carnes e, então, quando estivesse pronta, acompanhá-la até os fundos para que assistisse à equipe cortar as carcaças que chegavam pela entrada de serviço. O homem concordou de imediato. O objetivo era apenas entrar na loja com minha cliente. Garanti a ela que poderíamos fazer uma pausa a qualquer momento ou encerrar a visita, e que sob nenhuma hipótese eu iria enganá-la, induzi-la ou mesmo persuadi-la a ir além do que poderia tolerar. Durante a primeira sessão, ela conseguiu entrar na loja e colocar a mão no balcão. Estava tremendo e com lágrimas visíveis (algo que não é fácil de fazer em público), mas conseguiu. Na quarta sessão, foi capaz de observar os açougueiros usarem suas facas e serras nas enormes carcaças, que ainda se assemelhavam aos animais que eram antes, desmembrando-as nos cortes-padrão de venda. Não houve dúvida de que foi bom para ela. Estava menos propensa, por exemplo, a se medicar até ficar inconsciente e mais disposta a assistir às aulas. Tornou-se cada vez mais dura, resistente, severa — adjetivos que nem sempre pretendem ser elogios, mas às vezes são o antídoto necessário para o sentimentalismo exagerado, que é perigosamente infantilizante. Também combinamos que ela passaria um fim de semana em uma fazenda, rodeada por alguns animais comuns (porcos, cavalos, galinhas, cabras). Pedi ao fazendeiro, que também tinha sido meu cliente, que permitisse que ela o acompanhasse enquanto ele cuidava do gado. Uma garota da cidade até a alma, minha cliente não sabia nada sobre animais e tendia, em consequência, a romantizá-los exatamente à maneira dos contos de fadas que permearam sua infância. A estada de dois dias no campo e sua decisão de observar os animais cuidadosamente a ajudaram a desenvolver uma percepção muito menos romantizada da verdadeira natureza dos animais que criamos e comemos. Eles são seres sencientes, em parte, e temos a responsabilidade de não lhes infligir mais sofrimento do que o necessário, mas não são seres humanos e certamente não são crianças. Isso precisa ser entendido de modo personificado. O excesso de sentimentalismo é uma doença, um fracasso no desenvolvimento e uma maldição para as crianças e outras pessoas que precisam de nosso cuidado (desde que não seja excessivo).

A Bela Adormecida era uma sonhadora extraordinária. Tive clientes que normalmente se lembravam de dois ou três sonhos por noite, embora nem sempre com muitos detalhes. Ela não apenas se lembrava de vários sonhos, mas recordava todos os detalhes e, com frequência, também ficava lúcida — consciente de estar sonhando — enquanto dormia. Foi a única pessoa que conheci que era capaz de perguntar aos personagens dos seus sonhos o que eles significavam — em termos simbólicos — ou que mensagem tinham para ela, e eles lhe diziam abertamente. Um dia, ela me contou um de seus muitos sonhos: caminhava

REGRA 11

sozinha no âmago de uma floresta muito antiga e encontrou um anão vestido como um arlequim em meio à escuridão e à penumbra. O anão se ofereceu para responder a uma pergunta, se minha cliente quisesse. Ela perguntou à estranha figura o que teria que fazer para concluir o curso profissionalizante, uma tarefa que lhe custara os quatro anos mencionados e muitas negociações com as autoridades educacionais para conseguir continuar. A resposta que ela recebeu? "Você terá que aprender a trabalhar em um matadouro."

Bem, na minha opinião, os sonhos são declarações da natureza. Não são uma criação nossa. Eles se manifestam para nós. Nunca vi um sonho apresentar algo que eu acreditasse ser falso. Também não acredito — contrariando Freud — que os sonhos têm significados ocultos. São, em vez disso, uma parte inicial do processo pelo qual os pensamentos totalmente desenvolvidos nascem, já que com certeza não aparecem do nada por magia. Devemos confrontar o desconhecido, como tal — o grande Dragão do Caos ou a Rainha Terrível —, e não sabemos como fazer isso, para início de conversa. O sonho serve como o primeiro passo cognitivo — na esteira de reações emocionais, motivacionais e corporais básicas, como medo, curiosidade ou paralisia — para transformar o desconhecido em conhecimento acionável e até mesmo articulável. O sonho é o local de nascimento do pensamento e, muitas vezes, do pensamento que não chega com facilidade à mente consciente. Ele não esconde nada; apenas não é muito hábil em ser claro (embora isso não signifique que não possa ser profundo).

Em todo caso, esse sonho não era difícil de interpretar, até porque seu personagem principal, o anão, simplesmente dizia tudo que pensava. Então, ouvi com atenção o relato de minha cliente (lembre-se, isso foi depois do açougue e da fazenda) e perguntei a ela o que poderíamos fazer a respeito. Eu não tinha ideia de como poderia organizar uma visita a um matadouro de verdade. Eu nem sabia se havia um na cidade em que morávamos, e, se existisse, imaginei que os responsáveis não ficariam muito satisfeitos com a presença de visitantes, seja qual fosse o motivo. No entanto, minha cliente estava convencida de que a resposta do anão era verdade e que algo semelhante precisava ser feito. Então, discutimos as consequências de ela ter se tornado mais dura e o fato de conseguir deixar a madrasta em segundo plano, e encerramos o assunto pelo resto da sessão, embora ela tenha sido incumbida (como eu) de determinar algo que pudesse servir como um substituto razoável para um matadouro.

Uma semana depois, minha cliente voltou para a sessão marcada. E me disse, talvez, a última coisa que eu poderia ter imaginado dela — ou de qualquer outra pessoa, aliás: "Acho que preciso assistir a um embalsamamento." Fiquei sem palavras. Pessoalmente, eu não gostaria de presenciar um embalsamamento — de jeito nenhum. As secções corporais que testemunhei em museus de ciências por algum motivo nunca saíram da minha memória. As exibições de corpos dissecados e plastificados, tão populares cerca de uma década atrás, me deixaram horrorizado. Tornei-me psicólogo, não cirurgião — nem legista — por um motivo. No entanto, isso não era sobre mim. Era sobre minha cliente Bela Adormecida e seu desejo de despertar, e eu não deixaria meus desejos ou a falta deles interferirem em qualquer sabedoria que o anão que habitava a floresta profunda de sua mente inconsciente desejava compartilhar. Eu disse a ela que veria o que poderia fazer. Tudo acabou sendo muito mais simples de organizar do que eu esperava. Só precisei ligar para um agente funerário local. Para minha grande surpresa, ele concordou na hora. Suponho que já tenha testemunhado sua parcela de pessoas sofredoras e assustadas, e estava acostumado a lidar com elas com calma e sabedoria. Pronto. Eu não tinha como fugir do compromisso e minha cliente queria ir em frente.

REGRA 11

Duas semanas depois, fomos à funerária. Minha cliente me perguntou se uma amiga poderia acompanhá-la, e concordei. Primeiro, o agente funerário nos ofereceu um tour. Ele nos mostrou a capela e a sala dos caixões. Perguntamos como ele lidava com o trabalho, dada sua concentração eterna na morte, no sofrimento e na dor. Ele disse que era sua responsabilidade sincera fazer com que os momentos mais terríveis de seus clientes fossem os menos dolorosos possíveis, e isso o animava. Fez sentido para nós e a resposta nos ajudou a entender como ele conseguia fazer seu trabalho, dia após dia. Após o tour, fomos para a sala de embalsamamento. Era um espaço pequeno, talvez de uns dez metros quadrados. O corpo nu de um homem idoso jazia imóvel, acinzentado e cheio de manchas sobre uma mesa de aço inoxidável. Como não havia espaço na pequena sala, e para nos permitir alguma distância, minha cliente, sua amiga e eu tomamos nossos lugares no corredor em frente à porta e observamos os procedimentos, totalmente visíveis de nossa posição privilegiada. Ele drenou o sangue e outros líquidos do corpo. Escoavam sem muita dramaticidade, mas, em certo sentido, o ato parecia ainda mais terrível por causa do método tão mundano de eliminação, suponho. Parecia que algo tão precioso e vital merecia um tratamento melhor. O homem fez as intervenções cirúrgicas, costurou as pálpebras, maquiou o rosto e injetou o fluido de embalsamamento. Eu assisti. E observei minha cliente. De início, ela virou o rosto, evitando a cena que se desenrolava à sua frente. Mas, à medida que os minutos passavam, começou a observar os procedimentos e, depois de quinze minutos, passava muito mais tempo observando do que desviando o olhar. Entretanto, pude notar que ela segurava a mão da amiga, apertando com força.

Minha cliente percebia, em primeira mão, que algo presumido como apavorante (e com razão) não estava surtindo o efeito esperado. Ela era capaz de lidar com a experiência. Não entrou em pânico nem passou mal, fugiu ou mesmo chorou. Perguntou ao agente funerário se poderia tocar o corpo. Ele lhe ofereceu uma luva de borracha, ela vestiu. Caminhou até a estação de trabalho, em um estado quieto e meditativo, e colocou a mão enluvada sobre as costelas do corpo, e a manteve ali, como se fosse um conforto para ela e para a pobre alma que partira. O procedimento foi encerrado logo em seguida, e saímos juntos, em silêncio, após oferecer ao agente funerário nossos sinceros e profundos agradecimentos.

Nós três expressamos o espanto comum por termos conseguido superar a visita. Minha cliente aprendeu algo de vital importância sobre sua tolerância aos terrores da vida. Tão importante quanto, ela tinha um ponto de referência para seus medos: daquele momento em diante (e não estou de forma alguma afirmando sucesso total em seu tratamento), ela tinha algo verdadeiramente inspirador — algo sério, horripilante, explícito e real — para comparar com os outros horrores da vida, quase inevitavelmente menores. As misérias mundanas da existência eram tão desafiadoras quanto a experiência à qual se submetera de forma voluntária? O açougue poderia ser mais assustador do que a morte humana, em toda a sua realidade, vista tão de perto? Ela não havia conseguido demonstrar a si mesma que era capaz de se deparar com o pior que a Terrível Natureza teria a lhe oferecer e enfrentá-lo com coragem? E, para minha cliente, isso era uma fonte de conforto paradoxal e inextirpável.

Assim como acontece com a Bela Adormecida dos contos de fadas, a família de minha cliente não convidou a Rainha Má, o aspecto terrível da natureza, para a vida de sua filha. Isso a deixou completamente despreparada para as dificuldades essenciais da vida — as complicações da sexualidade e a necessidade de todos os seres vivos de devorar outras vidas (e estar, em algum momento, sujeitos ao mesmo destino). Para minha cliente, a Rainha Má reapareceu na puberdade — na forma da madrasta, cuja personalidade parecia ter dado uma guinada de 180 graus —, bem como em sua própria incapacidade pessoal de lidar com as responsabilidades da maturidade e as rígidas obrigações da sobrevivência biológica. Tal como a Bela Adormecida — já que esse conto tem várias histórias e se assemelha aos contos de fadas antigos, que podem ter milhares de anos —, ela precisava ser despertada pelas forças da exploração, da coragem e da bravura (muitas vezes representadas pelo príncipe redentor, mas que ela encontrou dentro de si).

CULTURA: SEGURANÇA E TIRANIA

Se o Dragão do Caos e a dupla Rainha Má e Deusa Benevolente são representantes do potencial e do desconhecido, o Rei Sábio e o Tirano Autoritário são representantes das estruturas, sociais e psicológicas, que nos permitem sobrepor estruturas a esse potencial. Interpretamos o presente pelas lentes da cultura. Planejamos o futuro tentando concretizar o que nos foi ensinado e o que decidimos, do ponto de vista pessoal, valorizar. Tudo isso parece bom, mas uma abordagem rígida demais para entender o que está diante de nós e o que devemos buscar pode nos cegar para o valor da novidade, da criatividade e da mudança. Quando as estruturas que nos guiam são apenas seguras, em vez de inflexíveis, nosso desejo de rotina e previsibilidade é atenuado pela curiosidade que nos atrai e nos faz apreciar o que permanece fora de nossos esquemas conceituais. Quando essas mesmas estruturas degeneram em um estado de estagnação, fugimos e negamos a existência do que ainda não entendemos e do que ainda não encontramos, e isso significa que nos tornamos incapazes de mudar quando é preciso. Entender que as duas possibilidades existem é de crucial importância para estabelecer o equilíbrio necessário na vida.

Poderíamos usar uma metáfora poética para representar os elementos da experiência discutidos até agora (é assim que o mundo que estou descrevendo costuma ser considerado). Imagine o reino do Dragão do Caos como o céu noturno, estendendo-se infinitamente acima de você em uma noite clara, representando o que permanecerá para sempre fora do seu domínio de compreensão. Talvez você esteja em uma praia, olhando para cima, perdido em contemplação e imaginação. Em seguida, você volta sua atenção para o oceano — tão grande, à sua maneira, quanto o cosmos estrelado, mas ainda assim tangível, manifesto e conhecível, comparativamente falando. É a natureza. Não é mero potencial. O oceano está lá, em toda sua incognoscibilidade, em vez de totalmente removido da compreensão. Porém, ainda não foi domesticado; não foi trazido para o domínio da ordem. E é lindo em seus mistérios. A lua reflete em sua superfície; as ondas quebram em sua dança infinita e embalam seu sono; você pode nadar em suas águas acolhedoras. Mas essa beleza tem um preço. É melhor ficar atento aos tubarões. Às águas-vivas venenosas. À correnteza que pode puxar você ou seus filhos para as profundezas. E às tempestades que podem destruir sua aconchegante e acolhedora casa de praia.

Imagine, ainda, que a praia em que você está é a costa de uma ilha. Essa ilha é a cultura. As pessoas vivem lá — talvez em harmonia e paz, sob o comando de um governante benevolente; talvez em um inferno dilacerado pela guerra de opressão, fome e privação. E isso é cultura: Rei Sábio ou Tirano Autoritário. É de vital necessidade familiarizar-se com ambos os personagens, assim como no caso da Rainha Má e da Deusa Benevolente, a fim de assegurar o equilíbrio apropriado na atitude necessária para se adaptar às vicissitudes da vida. A ênfase excessiva no Rei Sábio causa a cegueira para a injustiça e o sofrimento desnecessário — consequências das falhas inevitáveis em nossas estruturas sociais demasiadamente humanas. A insistência exagerada no Tirano Autoritário significa falta de apreço pelas

REGRA 11

estruturas frequentemente frágeis que nos unem e nos protegem do caos que, de outra forma, certamente reinaria.

Os sistemas ideológicos que tendemos a adotar — os sistemas que tanto nos polarizam, nos aspectos político e pessoal, podem ser compreendidos à luz da presente conceituação. São narrativas culturais que podem ser equiparadas, de modo útil, a parasitas de uma subestrutura religiosa, mitológica ou dramática mais fundamental — antiga, evoluída e profundamente biológica em sua natureza. As ideologias assumem a estrutura de uma história que é essencialmente religiosa, mas o fazem de maneira incompleta, incluindo certos elementos de experiência ou personagens eternos, enquanto ignoram outros. Não obstante, o poder permanece na representação, pois o que está presente retém sua natureza fundamentalmente mitológica/biológica — seu significado instintivo —, mas os elementos ausentes significam que o que permanece, por mais poderosa que seja sua expressão, é enviesado de uma forma que restringe sua utilidade. Esse viés é desejável do ponto de vista subjetivo, pois simplifica o que, de outra forma, seria complexo demais para entender, mas é perigoso por causa de sua unilateralidade. Se uma parte do mundo estiver ausente no mapa utilizado, você estará totalmente despreparado quando esse elemento faltante se manifestar. Como podemos conservar as vantagens da simplificação, sem cair na cegueira que a acompanha? A resposta deve ser encontrada no diálogo constante entre tipos de pessoas genuinamente diferentes.

Muito do que as pessoas acreditam no aspecto político — ideológico, digamos — baseia-se em seu temperamento inato. Se suas emoções ou motivações se inclinam para determinado espectro (e muito disso é uma consequência da biologia), elas tendem a adotar, digamos, uma linha conservadora ou liberal. Não é uma questão de opinião. Imagine, em vez disso, que os animais têm um nicho — um lugar ou espaço que lhes convém.

Sua biologia é compatível com aquele lugar. Leões não vivem em mar aberto e orcas não vagam pela savana africana. O animal e seu ambiente são indissociáveis.

Os seres humanos são semelhantes, pelo menos no domínio da abstração. No entanto, somos capazes de nos sentir à vontade em quase todos os lugares, do ponto de vista geográfico, porque mudamos a geografia, conforme necessário, bem como nosso próprio comportamento. Mas temos nichos perceptuais ou cognitivos. Os liberais, por exemplo, são fascinados por novas ideias. As vantagens de ser atraído por novas ideias são óbvias. Às vezes, os problemas exigem novas soluções, e são as pessoas que têm prazer em novas concepções que as encontram. Essas pessoas também tendem a não ser muito ordeiras.[6] Talvez seja porque, quando uma pessoa é dominada e impulsionada por novas ideias, e também inclinada a testá-las ou implementá-las, ela precisa ser capaz de tolerar o caos intermediário produzido entre o momento em que a velha ideia se desintegra e a nova assume o controle. Os conservadores têm a vantagem e o problema opostos. Desconfiam de novas ideias e não se sentem especialmente atraídos por elas, em parte porque são menos sensíveis às possibilidades que essas ideias podem proporcionar e mais preocupados com suas consequências imprevisíveis. Afinal, só porque uma nova ideia resolve um problema não significa que deixará de gerar outro, ou vários outros. Os conservadores gostam que as coisas estejam onde deveriam estar, quando deveriam estar. O lugar em que se deseja estar é ocupado sempre que as pessoas agem de maneira convencional, responsável e previsível.

Os conservadores são necessários para manter as coisas como estão quando tudo está funcionando e as mudanças podem ser perigosas. Os liberais, em contrapartida, são necessários para mudar as coisas sempre que não estão mais dando certo. Entretanto, não é uma tarefa fácil determinar quando

REGRA 11

algo precisa ser preservado ou transformado. É por isso que temos a política, se tivermos sorte, e o diálogo que a acompanha, em vez da guerra, da tirania ou da submissão. É importante que discutamos feroz e apaixonadamente sobre o valor relativo da estabilidade versus mudança, para que possamos determinar quando cada uma é apropriada e em que quantidade.

É de grande interesse notar que a diferença na crença política fundamental parece determinar qual dos dois Grandes Pais são contemplados na realidade fundamental. O liberal tem uma forte tendência a ver o mundo como o Tirano Autoritário que suprime a Deusa Benevolente — como as restrições arbitrárias da cultura morta que corrompem e oprimem cidadãos e estrangeiros, ou como a estrutura militar-industrial da sociedade moderna que ameaça Gaia, o planeta vivo, com poluição, extinção em massa ou mudança climática. Esse ponto de vista é obviamente útil quando a cultura se torna tirânica de verdade — e isso não é incomum. O conservador tende, ao contrário, a ver o mundo como o Rei Sábio (segurança de lugar, ordem e previsibilidade) que subjuga, doma e disciplina a Rainha Má (a natureza como desordem e caos). Isso também é evidentemente necessário. Por mais belo que seja o mundo natural, devemos lembrar que está sempre conspirando para nos esfomear, adoecer e matar, e que, se não tivéssemos o escudo protetor constituído pela Cultura como Segurança, seríamos devorados por animais selvagens, congelados por nevascas, debilitados pelo calor do deserto e mortos de fome pelo fato de que a comida não se manifesta por magia para o nosso deleite. Portanto, existem duas ideologias diferentes — ambas estão "corretas", mas cada uma conta apenas metade da história.[III]

III Estou ciente, é claro, de que os conservadores também tendem a se opor a um Estado amplo, o que parece contradizer o ponto fundamental que estou defendendo. Mas, nas democracias ocidentais, isso ocorre principalmente porque a crença que os conservadores manifestam na cultura se baseia mais nas verdades eternas da Constituição e nos elementos mais permanentes do governo (ou seja, Cultura com "C" maiúsculo) do que nos caprichos variáveis e imprevisíveis de-

Para desenvolver uma visão equilibrada e adequada do mundo da experiência, é necessário aceitar a realidade de ambos os elementos da cultura. Aqueles com uma tendência conservadora, levados, por conta do temperamento, a considerar o status quo como protetor, devem vir a compreender que a mera ordem é insuficiente. Como o futuro e o presente diferem do passado, o que funcionava antes não necessariamente funcionará agora, e é preciso entender que a linha entre a estabilidade que nos foi legada por nossos ancestrais e a tirania que pode, com facilidade, emergir muda e se move com as transformações da existência. Da mesma forma, entretanto, os tipos mais liberais, propensos a ver o Tirano Autoritário em toda parte, devem trabalhar para desenvolver gratidão pelas estruturas sociais e psicológicas de interpretação que continuamente nos protegem dos terrores da natureza e do desconhecido absoluto. Para qualquer um de nós, é difícil enxergar algo para o qual ficamos cegos pela natureza de nossa personalidade. É por isso que devemos ouvir constantemente as pessoas que diferem de nós e que, por causa dessa diferença, têm a capacidade de ver e reagir de forma adequada ao que não podemos detectar.

O INDIVÍDUO: HERÓI E ADVERSÁRIO

Se o céu noturno é o caos, a natureza é o oceano e a cultura é a ilha, então o indivíduo — herói e adversário — é um irmão em combate com seu gêmeo no meio da ilha. Caos, tesouro e dragão têm seus elementos negativos e positivos, assim como a Natureza — Rainha Má e Deusa (ou Mãe) Benevolente — e a

---

mais de quem quer que possa ser eleito no presente, seja conservador, seja liberal. De maneira análoga, nas mesmas democracias, os liberais tendem a buscar no governo a solução dos problemas que os preocupam, mas isso porque acreditam mais no dinamismo da atual safra de políticos (em especial, porém não exclusivamente, se eles próprios são liberais) e menos nas verdades eternas da estrutura subjacente.

REGRA 11

Cultura — Tirano Autoritário e Rei Sábio. Assim como o indivíduo. O elemento positivo é o aspecto heroico: a pessoa que pode se sacrificar à natureza e barganhar com o destino de tal modo que reine a benevolência; a pessoa que está acordada, alerta, atenta, comunicativa e que tem responsabilidade, para que a parte tirânica do Estado fique sob controle; e a pessoa que está ciente de suas próprias falhas e de sua propensão à maleficência e à dissimulação, de forma que a orientação adequada seja mantida. O elemento negativo é tudo que é desprezível e insignificante — especialmente evidente em você mesmo, se for uma pessoa sensata, mas também manifestado em algum grau por outras pessoas e (com mais clareza) em histórias. São os irmãos antagônicos, uma ideia mitológica muito antiga: o herói e o adversário. As representações arquetípicas dessas duas forças, essas duas figuras personificadas, são Caim e Abel. Esse é um nível de representação. Cristo e Satanás são um par que representa uma dualidade ainda mais fundamental. Afinal, Caim e Abel são humanos (os primeiros humanos, nascidos à maneira humana, pois Adão e Eva foram criados diretamente por Deus). Cristo e Satanás são elementos da própria eternidade personificada (deificada?).

Então, existe um herói e um adversário; um rei sábio e um tirano; uma figura materna positiva e uma negativa; e o próprio caos. Essa é a estrutura do mundo em seis personagens (o sétimo é o menos familiar caos, que pode ser entendido como o local de nascimento definitivo de todos os outros). É necessário entender que todos os sete existem e que são permanentes existenciais — elementos de experiência contra os quais toda alma (rica, pobre, abençoada, amaldiçoada, talentosa, estúpida, masculina e feminina) deve, inevitavelmente, lutar. Essa é a vida — *eles* são a vida. O conhecimento parcial de todo o elenco, consciente ou inconsciente, o deixa indefeso, ingênuo, despreparado e propenso a ser tomado por ressentimento, dissimulação e arrogância. Se não sabe que o tesouro é guardado por um dragão; que a natureza, a bela natureza, pode mostrar as garras em um piscar de olhos; que a sociedade pacífica, que você considera natural, é constantemente ameaçada pelo autoritarismo e pela tirania; ou que, dentro de si, há um adversário que pode desejar que todas essas transformações negativas ocorram, então você é, primeiro, um acólito carente de uma ideologia que lhe dará uma representação parcial e insuficiente da realidade; e, segundo, alguém cego de uma forma perigosa, para si mesmo e para os outros. Se for sábio, sua filosofia política abrangerá uma representação de todos os sete, mesmo que você não possa articulá-la nesses termos. Devemos sempre dispor de bom senso suficiente para ter em mente, por exemplo, que um grande predador se esconde sob o gelo fino de nossas realidades construídas. Lembro-me de uma visão que tive uma vez sobre minha filha, então muito jovem, retratando exatamente essa realidade. No inverno, no Norte de Alberta, Canadá — onde, como disse, cresci —, houve anos em que não tivemos neve mesmo semanas depois de os lagos congelarem — a superfície lisa, límpida, dura como pedra, estéril e, ainda assim, dotada de beleza e mistério. (Uma pedra arremessada sobre o lago repicaria e ecoaria melodicamente ao deslizar por toda a superfície escorregadia.) Imaginei minha filha, Mikhaila — um bebê vestindo apenas uma fralda —, sentada, a certa distância de mim, diretamente no gelo. Debaixo dela, pude ver um peixe enorme, um tubarão-baleia (nessa personificação, porém, um ser carnívoro) imóvel, à espreita sob o gelo, atento e com a boca aberta. Isso é vida e morte, e o puro caos que destrói nossas certezas arduamente conquistadas, mas é também a baleia que engole o profeta e concede sabedoria e renascimento, quando não mata sua presa.

E qual é a atitude apropriada do herói, digamos, em relação aos seis outros personagens (supondo que, com esse último relato, já tenhamos tratado o suficiente do caos)? Obviamente, devemos nos esforçar para preservar a Natureza, de cuja benevolência dependemos em última instância para tudo o que a vida

REGRA 11

requer. Mas também vale a pena notarmos e levarmos a sério o fato de que a mesma Natureza está fazendo o possível para nos matar e que temos todos os motivos para erigir as estruturas da forma como fazemos, apesar de seus custos ambientais muitas vezes desastrosos.[IV] Algo semelhante se aplica à cultura. Todos nós temos motivos para ser gratos, principalmente, pela sabedoria e pela estrutura que nossos antepassados nos legaram, a um grande custo. Isso não significa que esses benefícios sejam distribuídos igualmente — porque não são e nunca serão —, assim como os benefícios da Natureza não são distribuídos igualmente. Essa gratidão também não justifica qualquer otimismo decorrente de uma cegueira intencional em relação à natureza da sociedade. Como indivíduos — que lutam, digamos, contra a tendência antagônica e o Tirano Autoritário simultaneamente —, precisamos estar cientes do fato de que nossas estruturas hierárquicas funcionais podem se tornar improdutivas, tirânicas e cegas em um piscar de olhos. Temos a responsabilidade de garantir que elas não se tornem injustas e corruptas e comecem a distribuir suas recompensas com base no poder ou no privilégio não meritocrático, em vez de na competência. Devemos cuidar delas constantemente e ajustá-las com cuidado para que permaneçam estáveis e dinâmicas o suficiente. Essa é uma parcela fundamental de nossos papéis e de nossas responsabilidades como pessoas que buscam corajosamente o bem. Em parte, conseguimos isso em sistemas democráticos, expulsando os responsáveis regularmente e substituindo-os por seus opostos

---

IV Há pouca dúvida de que criamos um pouco de bagunça "não natural" durante o processo (outra ideia ideológica, baseada na visão unilateral da Natureza como vítima de nossa pilhagem e ganância), mas não fazemos isso por motivos triviais. É por essa razão que tenho alguma simpatia pela humanidade, bem como pelos indivíduos que compõem a massa da humanidade, e é por essa razão que não consigo encontrar meios em meu coração para perdoar aqueles que dizem coisas tolas como "o planeta estaria melhor se não houvesse pessoas nele". Esse é o elemento genocida do éthos ambientalista radical, e é uma consequência de uma ideologia que vê apenas o Adversário, o Tirano Autoritário e a Mãe Benevolente como os principais atores do ser. É algo horrível de se ver, se pensarmos com mais profundidade.

ideológicos. Essa capacidade e oportunidade constituem uma das conquistas fundamentais de uma sociedade democrática. Na ausência da habilidade de escolher, com regularidade, apenas os sábios e bons como líderes (e boa sorte em encontrá-los), vale a pena eleger um bando cego para metade da realidade, em um ciclo, e, no ciclo seguinte, outro bando cego para a metade restante. Então, ao longo de cerca de uma década, pelo menos a maioria das preocupações da sociedade é atendida em alguma medida razoável.

Acho que uma estratégia um tanto pessimista, mas também eminentemente realista, está de acordo com a visão das pessoas que fundaram o sistema norte-americano (e com as ações e as atitudes dos ingleses e de outros democratas e parlamentares pioneiros, cujos sistemas, em evolução gradual, estabeleceram a base para as reivindicações explícitas feitas por esses fundadores). Eles não eram utópicos em seu ponto de vista essencial. Acreditavam que as pessoas que inevitavelmente os sucederiam seriam tão imperfeitas quanto eles e aqueles antes deles. O que você faz a respeito disso, quando não está cego pela ideologia e vê o mundo e todos os seus personagens dramáticos com clareza? Bem, você não espera a perfeição infinita da humanidade nem direciona seu sistema para uma utopia inatingível. Em vez disso, tenta projetar um sistema que pecadores como você não possam danificar demais — de maneira irremediável demais —, mesmo quando estão meio cegos e ressentidos. Tendo em vista que minha orientação é conservadora, acredito na sabedoria dessa visão. Acho que é uma forma mais adequada de ver as coisas. Não devemos ter objetivos tão grandiosos. Podemos projetar sistemas que nos permitam um mínimo de paz, segurança e liberdade e, talvez, a possibilidade de melhorias graduais. Isso por si só é um milagre. Devemos ter a sabedoria para duvidar de que produziremos alguma transformação positiva do indivíduo, da sociedade e da natureza simultaneamente, em especial se essas melhorias ocorrerem em consequência de nossa própria

RESSENTIMENTO

boa vontade pessoal intrínseca, que costuma ser bastante escassa (apesar de nossos protestos em contrário).

RESSENTIMENTO

Por que você e outras pessoas acabam vítimas do ressentimento — aquele terrível estado emocional híbrido, uma mistura de raiva e autopiedade, mesclada, em vários graus, com narcisismo e desejo de vingança? Após entender o mundo como um palco dramático e identificar os principais atores, os motivos ficam claros. O ressentimento o acomete por causa do desconhecido absoluto e seus terrores, porque a natureza conspira contra você, porque você é uma vítima do elemento tirânico da cultura e por causa da maleficência, sua e de outrem. Isso é motivo suficiente — não torna seu ressentimento apropriado, mas certamente torna a emoção compreensível. Nenhum desses problemas existenciais é trivial. Na verdade, eles são sérios o bastante para que a pergunta real não seja "por que você está ressentido?", mas "por que nem todos estão ressentidos com tudo o tempo inteiro?" Somos alvo de forças transpessoais incrivelmente poderosas e muitas vezes malévolas. Há um terrível predador reptiliano, em termos metafóricos, que o persegue o tempo todo, assim como o crocodilo com o tique-taque do tempo ecoando do relógio em seu estômago persegue o covarde e tirânico Capitão Gancho. E existe a própria natureza. Ela está decidida a acabar com você, de inúmeras maneiras horríveis. Depois, há o elemento tirânico da estrutura social, que o moldou — lhe ensinou, por assim dizer — e o transformou na criatura quase civilizada e semiútil que você é, mas aniquilou, ao mesmo tempo, uma enorme quantidade de força vital, ao tentar fazê-lo se adequar a um padrão social. Você poderia ter sido muitas coisas. Talvez algumas fossem mais do que você se tornou. Mas foi diminuído e reduzido pela demanda de existência social.

Você também está preso a si mesmo, e isso não é fácil. Você procrastina, é preguiçoso, mente e faz coisas perversas consigo mesmo e com outras pessoas. Não é de admirar que se sinta uma vítima, considerando o que está contra você: caos, a força bruta da natureza, a tirania da cultura e a maleficência de sua própria natureza. Não é de admirar que possa se sentir ressentido. E, com certeza, essas forças estão posicionadas contra algumas pessoas de uma forma que parece muito mais séria, injusta, arbitrária, contínua e imprevisível do que para outras. Como você poderia deixar de se sentir vitimizado e ressentido nessas condições? Na vida não há escassez da brutalidade elementar.

Entretanto, há um problema com essa lógica, por mais inexorável que possa parecer. O primeiro é que nem todo mundo de fato se considera uma vítima e, em consequência, sucumbe ao ressentimento — e isso inclui uma grande quantidade de pessoas que passaram por momentos muito difíceis em suas vidas. Na verdade, em minha opinião, é razoável afirmar que, muitas vezes, são as pessoas que tiveram momentos muito fáceis — as mimadas e falsamente elevadas em sua autoestima — que adotam o papel de vítima e a postura de ressentimento. Em contraposição, você pode encontrar pessoas que, apesar de terem sido feridas além de qualquer esperança de recuperação, não estão ressentidas e nunca se dignariam a se apresentar como vítimas. Elas não são tão comuns, mas também não são tão raras. Assim, o ressentimento não parece ser uma consequência inevitável do próprio sofrimento. Outros fatores estão em jogo, além da inegável tragédia da vida.

Talvez você — ou, de maneira igualmente trágica, alguém próximo — contraia uma doença grave. Em tais circunstâncias, é típico fazer a pergunta (a quem? Deus?): "Por que isso teve que acontecer comigo?" Ora, o que você quer dizer? Preferiria que acontecesse a um amigo, vizinho ou até mesmo um estranho aleatório? Certamente pode se sentir tentado a disseminar

REGRA 11

o sofrimento que se abateu sobre você, mas essa resposta não parece razoável ou uma escolha que uma pessoa boa, pensando com clareza, faria, e com certeza isso não tornaria a situação mais justa. Para ser honesto, a pergunta "por que eu?" constitui, em parte, uma reação psicologicamente apropriada. Muitas vezes, se algo de ruim acontece, você precisa se perguntar se fez algo no passado que aumentou a probabilidade do terrível evento — como discutimos longamente —, pois é possível que deva aprender algo que diminuiria as chances de sua recorrência. Mas, com frequência, não é o que estamos fazendo. Geralmente, a pergunta "por que isso teve que acontecer comigo?" contém um elemento de reprovação, baseado em um sentimento de injustiça: "Existem todas essas pessoas más no mundo, e elas parecem escapar impunes do mau comportamento" ou "Tantas pessoas no mundo desfrutando de boa saúde, e parece injusto que elas estejam nessa posição privilegiada quando eu não estou". Isso significa que, normalmente, a pergunta "por que eu?" está contaminada com um sentimento de vitimização, indicando injustiça. Esse falso equívoco de que a experiência terrível que, de alguma forma, se abateu sobre você o caracteriza de maneira singular — o pensamento de que é dirigido, em especial, a você — é parte do que transforma a exposição à tragédia no mesmo ressentimento que estamos discutindo.

O fato de que coisas infelizes estão acontecendo ou acontecerão com você está embutido na própria estrutura da realidade. Não há dúvida de que coisas horríveis acontecem, mas há um elemento de verdadeira aleatoriedade nelas. Você pode pensar: "Isso é um consolo trivial e de pouca ajuda." Mas alguma apreciação pelo elemento aleatório pode ser útil, por distanciar o elemento pessoal, e pode ajudá-lo a erguer algumas barreiras ao desenvolvimento desse intenso ressentimento egoísta. Além disso, pode ser de grande utilidade perceber que cada um dos aspectos negativos que caracterizam a existência humana são equilibrados, em princípio, por sua contraparte positiva.

Aprendi algo em meus anos como psicólogo clínico. Com frequência, vi pessoas que foram feridas pela vida. Elas tinham seus motivos para se sentirem ressentidas, e esses motivos muitas vezes estavam longe de ser triviais. Eu propunha: "Vamos separar os seus problemas, embora muitos deles sejam reais. Vamos tentar descobrir quais são sua culpa, porque alguns deles serão. Outros, em contrapartida, são apenas a catástrofe da vida. Vamos delinear isso com muito cuidado. Então, começaremos a fazer com que você pratique a superação de tudo o que está trazendo para a situação e que a torna ainda pior. Começaremos a traçar alguns planos estratégicos sobre como você pode enfrentar as partes realmente trágicas de sua vida, e faremos com que faça isso de maneira sincera, aberta e corajosa. Então veremos o que acontece."

As pessoas melhoraram. Mas nem sempre. Alguns de meus clientes morreram. Ainda confrontando metade de seus problemas clínicos, eles foram acometidos por um câncer repentino ou sofreram um acidente de trânsito. Não há caminho certo, mesmo com a mais nobre das ações. A arbitrariedade do mundo está sempre pronta, preparando-se para se manifestar. Não há razão ou desculpa para ser estupidamente ingênuo ou otimista. Porém, a maioria das pessoas melhorou. O incentivo as preparou para enfrentar os problemas de frente, e esse confronto voluntário dissipou parte de seu medo. Não porque as coisas ao redor delas se tornaram menos perigosas, mas porque aquelas que enfrentavam o perigo se tornaram mais corajosas. É inacreditável como as pessoas podem se tornar fortes e corajosas. É milagroso o tipo de carga que podem suportar quando a assumem de modo deliberado. Sei que não podemos ter uma capacidade infinita, mas também acredito que ela é, em certo sentido, ilimitada. Acho que quanto mais o confronto voluntário

REGRA 11

é praticado, mais se pode suportar. Não sei qual é o limite máximo para isso.[V]

As pessoas não apenas se sentem encorajadas, para que, de uma perspectiva psicológica, possam afastar o horror e o ressentimento, mas também se tornam mais capazes. Não apenas estão lutando, de uma perspectiva espiritual, com o fardo existencial da vida de maneira mais eficaz, digamos, mas também começam a ser pessoas melhores no mundo. Em seus próprios corações, elas começam a reprimir a maleficência e o ressentimento, que tornam o horror do mundo ainda mais sombrio do que deveria ser. Elas se tornam mais honestas. São amigas melhores. Fazem escolhas de carreira mais produtivas e significativas. Começam a mirar mais alto. Assim, podem resistir melhor, em termos psicológicos, mas também reduzem o volume do que elas e os outros ao redor devem enfrentar. Então, enfrentam menos sofrimento desnecessário, tal como suas famílias. Talvez a mesma coisa comece a acontecer com suas comunidades. E, então, há a outra metade da história: o tesouro que o dragão acumula; o elemento benevolente da natureza; a segurança e o abrigo fornecidos pela sociedade e pela cultura; e a força do indivíduo. Essas são suas armas em tempos de dificuldade. E são tão reais, e talvez tenham poder suficiente, de modo que seu uso pleno fornecerá os meios para resistir quando a vida desmoronar. A questão é: você pode organizar a estrutura da realidade de forma que encontre o tesouro, que o aspecto positivo da natureza sorria para você, que você seja governado pelo rei sábio e desempenhe o papel de herói? A esperança é que possa se comportar de maneira a inclinar as coisas nessa direção. É tudo o que temos — e é muito melhor do que nada. Se enfrentar

---

V Se eu não disse antes, com certeza posso dizê-lo agora: senti e continuo sentindo uma profunda admiração pela absoluta coragem e dignidade que minha esposa, por exemplo, manifestou diante de suas provações nos primeiros seis meses de 2019, após ser diagnosticada com câncer terminal (e talvez curada). Sinto vergonha também... porque não estou absolutamente convencido de que poderia ter feito o mesmo.

o sofrimento e a maleficência, e se o fizer com sinceridade e coragem, você e sua família serão mais fortes e o mundo será um lugar melhor. A alternativa a isso é o ressentimento, e ele piora tudo.

DISSIMULAÇÃO E ARROGÂNCIA

Parece haver duas grandes formas de dissimulação: os pecados por comissão, as coisas que você faz sabendo muito bem que são erradas; e os pecados por omissão, coisas que você simplesmente deixa passar — sabe que deveria fazer, dizer ou prestar atenção, mas não o faz. Talvez seu parceiro de negócios esteja trapaceando na contabilidade e você decida que não fará uma auditoria; talvez feche os olhos para o próprio mau comportamento; talvez deixe de investigar as transgressões de uma criança, um adolescente ou de seu cônjuge em sua casa. Você apenas deixa para lá.

O que motiva esse tipo de dissimulação? Mentimos abertamente — o pecado por comissão — sabendo muito bem que estamos fazendo isso, em teoria, com o objetivo de facilitar as coisas para nós mesmos, independentemente do efeito sobre os outros. Tentamos fazer o mundo girar a nosso próprio favor. Obter uma vantagem. Esforçamo-nos para evitar uma punição justa — muitas vezes, passando-a para outras pessoas. Em alternativa (e talvez de forma mais sutil), escolhemos cometer o pecado por omissão, acreditando que o que estamos evitando simplesmente desaparecerá — um acontecimento raro. Sacrificamos o futuro pelo presente, sofrendo ataques de nossa consciência indignada, mas, mesmo assim, seguimos adiante, de modo inflexível e teimoso.

Então, como as pessoas justificam a ação de distorcer a estrutura da realidade, à custa de outrem ou mesmo de seus "eus" futuros, para um benefício presente? É uma motivação claramente enraizada no ressentimento. As mentiras são justificadas pela crença, oculta no fundo da alma ressentida, de que os terrores do mundo são dirigidos especificamente ao sofredor que tenta justificar sua mentira. Todavia, para entender de verdade por que praticamos a dissimulação, é preciso incluir a arrogância, bem como o ressentimento, na discussão. Não fica claro se esses estados mentais são capazes de existir na ausência um do outro. Eles são cúmplices, por assim dizer.

OS PECADOS POR COMISSÃO

O primeiro conluio entre dissimulação e arrogância pode ser considerado a negação ou a rejeição da relação entre divindade, verdade e bondade. Nos primeiros capítulos de Gênesis, a partir da ordem, Deus cria o caos habitável por meio do *Logos*, a Palavra: coragem, amor e verdade. A coragem, podemos dizer, é a vontade de Deus de confrontar o nada que precedeu o Ser, talvez do mesmo tipo de quando conseguimos nos erguer da pobreza e do nada para prosperar, ou reconstruir nossa vida quando ela foi reduzida ao caos por desastre e catástrofe. O amor é o objetivo final — o desejo de criar o melhor que pode ser criado. Ele fornece o mesmo tipo de superestrutura para o Ser, talvez, que o desejo de um lar pacífico e harmonioso fornece quando permite que a verdade seja falada. A Palavra que Deus usa para confrontar o nada é a Verdade, e essa verdade cria. Mas não apenas cria: parece criar o Bem — o melhor que o amor poderia exigir. Não é à toa que Deus insiste tanto que toda a sua criação é boa. A arrogância e a dissimulação se unem para se opor à ideia de que a verdade corajosa dirigida ao amor cria o Bem, e para substituí-la pela ideia de que qualquer capricho, grande ou pequeno, tem o direito e a oportunidade de se revelar para propósitos que são, ao contrário, estreitos e egoístas.

A segunda forma de arrogância que possibilita a dissimulação está relacionada à suposição do poder da própria divindade. Alguém que mente, por meio de ação, inação, palavras ou silêncio, fez uma escolha de qual elemento do vir a ser (qual elemento do caos ainda não formado, mas potencial) se manifestará ou não. Isso significa que o indivíduo dissimulado assumiu a responsabilidade de alterar a própria estrutura da realidade. E a troco de quê? De um desejo baseado na ideia de que qualquer falsidade egoísta conjurada pelo ato de dissimulação será melhor do que a realidade que teria ocorrido se a verdade tivesse sido decretada ou falada. O mentiroso age acreditando que o mundo falso que ele traz à existência, mesmo que temporariamente, servirá melhor a seus próprios interesses do que a alternativa. Essa é a arrogância de quem acredita que pode alterar a estrutura da realidade por meio da pretensão e escapar impune. Não está claro como qualquer uma dessas crenças poderia ser sustentada, se elas fossem pensadas com cuidado (o que implica, é claro, que em geral não são). Primeiro, o próprio transgressor saberá que não se pode confiar nas palavras ou ações dele, e então, na medida em que o amor-próprio genuíno depende dessa verdade, as palavras e os atos enganosos inevitavelmente minarão a personalidade do mentiroso. No mínimo, ele não estará vivendo no mundo real, ou no mesmo mundo que as outras pessoas, e, portanto, será mais fraco do que teria sido se tivesse aprendido o verdadeiro em vez de substituí-lo pelo falso. Segundo, para acreditar genuinamente que "vai se safar", o mentiroso carrega consigo a crença de que é mais inteligente do que todos — ou seja, todos que não o notarão (e talvez essa crença abranja Deus, o Criador, de forma explícita ou implícita). Talvez ele consiga escapar com uma, duas ou dez mentiras, cada vez mais graves, e se encoraje pelo sucesso. No entanto, sempre que for bem-sucedido, sua arrogância aumentará, pois o sucesso é recompensador e inspirará esforços para repetir e até aumentar essa recompensa. Isso inevitavelmente motivará men-

REGRA 11

tiras maiores e mais arriscadas, cada uma associada a uma queda maior das alturas do orgulho. A estratégia parece impraticável — um ciclo de feedback positivo projetado para arrastar aqueles que se aprisionam nele cada vez mais para baixo, cada vez mais rápido.

A terceira forma de arrogância subjacente à dissimulação tem a ver com a crença de que o ato de dissimulação (que, como já discutimos, distorce a estrutura da realidade), poderosamente, se manterá por conta própria, sem ser revelado e destruído conforme a própria realidade se endireita e se reforma, como é inevitável. Essa é a arrogância por trás da crença do mentiroso de que a mentira alterou para sempre a forma do mundo, de modo que agora a vida no mundo pode ser conduzida como se essa mentira fosse, de certa maneira, real. Mas a realidade é muito complicada e quase tudo, ao que parece, está interligado. É muito difícil, por exemplo, fazer com que as consequências de um caso de adultério parem de se espalhar. As pessoas são vistas. As línguas se tornam ferinas. Mais mentiras são inventadas e devem ser validadas para explicar o tempo gasto no caso em questão. Os vestígios permanecem. O afeto dentro do relacionamento começa a ser substituído por ódio ou desprezo (em especial se a pessoa traída for genuinamente boa, o que inviabiliza qualquer desculpa para as ações pecaminosas cometidas contra ela).

A quarta forma de arrogância que justifica a dissimulação tem a ver com um senso distorcido de justiça, muitas vezes provocado pelo ressentimento. As pessoas empregam a dissimulação neste quarto conjunto de circunstâncias porque ficam ressentidas e zangadas com suas posições de vitimização no inferno e na tragédia do mundo. Essa reação é inteiramente compreensível, embora não menos perigosa por causa disso. A lógica é simples e até mesmo convincente, sobretudo no caso de pessoas que foram realmente feridas: "Posso fazer o que quero, pois fui tratado com injustiça." Esse raciocínio pode ser visto como simples justiça, embora seja raro que as pessoas enganadas ou vítimas das mentiras sejam as responsáveis pelo tratamento injusto usado para justificar a inverdade. A arrogância está em acreditar que o tratamento injusto foi pessoal, do ponto de vista existencial, em vez de uma parte já esperada da própria existência, dados seus desconhecidos perigos naturais, sociais e individuais. Se você foi vítima do que parece ser uma piada cósmica maligna, por que não deveria fazer o que está ao seu alcance para consertar um pouco a situação? Entretanto, essa linha de raciocínio só piora a vida. Se a sua justificativa para o mau comportamento é que a vida foi má, então a lógica para continuar a se comportar mal não pode ser adotar um padrão de ação cuja única consequência é torná-la ainda pior.

OS PECADOS POR OMISSÃO

Existem vários motivos para você permanecer inerte quando algo que sabe ser terrível e errado está acontecendo e não faz nada (incluindo o que sabe que deveria ter feito) para intervir. O primeiro deles é o niilismo. A relação entre niilismo e orgulho pode não ser óbvia de imediato (e a relação de ambos com os pecados por omissão pode ser ainda menos óbvia). Mas a atitude niilista é de certeza: tudo é sem sentido ou até mesmo negativo. É um julgamento, uma conclusão — e é um pecado de orgulho, na minha opinião. Acho que estamos devidamente presos à humildade por um senso razoável de nossa própria ignorância, para não corrermos o risco terrível de condenar a estrutura da existência.

Outro motivo para o pecado por omissão? A afirmação de que é justificável seguir o caminho fácil. Isso significa viver de modo que a verdadeira responsabilidade por qualquer coisa importante nunca recaia sobre seus ombros. E você pode pensar que isso é perfeitamente aceitável: "Por que eu deveria despender esforço e risco extra quando alguém já se prontificou; buscou a responsabilidade de forma ativa; ou simplesmente não foi sofisticado o suficiente para escapar quando ela foi ao seu encontro?" Mas todos devem ter sua vez — tanto para receber os benefícios da interação social quanto para assumir a responsabilidade por garantir que tal interação continue sendo possível. Crianças que não aprendem isso aos 3 anos não conseguem fazer amigos, e há bons motivos para tanto. Elas não sabem participar de um jogo que pode se sustentar ao longo do tempo — exatamente o que é uma amizade (assim como a atitude que contribui para bons superiores, colegas e subordinados em uma organização empresarial).

Considere também, de modo crítico, a suposição de que é de alguma forma aceitável ou mesmo sábio passar despercebido sem pagar suas contas integralmente. Esta é outra variante do julgamento da existência. "Não importa se eu seguir o caminho fácil" começa com "não importa", e isso é o Ser, julgado e condenado, com um toque a mais. A segunda parte da declaração, "se eu seguir o caminho fácil", é uma maldição autoimposta. Se aceita seu ônus nas tarefas árduas, as pessoas aprendem a confiar em você; e você aprende a confiar em si mesmo e se aprimora em fazer coisas difíceis. Tudo isso é positivo. Caso contrário, ficará na mesma posição da criança cujos pais teimam em fazer tudo por ela: destituída da capacidade de superar as dificuldades/os desafios da vida. A declaração "Não importa se eu seguir o caminho fácil" só é verdadeira se, na personalidade do declarante, não houver qualquer elemento que se sinta compelido a atender ao chamado da verdadeira aventura. E a pessoa que evita o destino, recuando quando solicitada a dar um passo à frente, também priva todos os outros das vantagens que poderiam ter surgido em seu caminho, caso tivesse decidido ser tudo o que poderia ser, em vez de escolher o caminho mais fácil.

A forma final dos pecados por omissão está associada à falta de fé em si mesmo — talvez na humanidade em geral — por causa da natureza fundamental da vulnerabilidade humana. Há uma cena no livro de Gênesis em que os olhos de Adão e Eva foram abertos, e eles percebem que estão vulneráveis e nus — parte integrante da autoconsciência. Ao mesmo tempo, desenvolvem o conhecimento do bem e do mal. Esses dois acontecimentos coincidem porque não é possível ferir outras pessoas de forma eficaz até que você saiba como pode ser ferido. E você não sabe que pode se machucar até que esteja quase plenamente autoconsciente; até que entenda que pode sofrer uma dor terrível; até que compreenda que pode ser morto; até que perceba os limites do seu ser. E, assim que souber de tudo isso, terá ciência de sua própria nudez e poderá aplicar o conhecimento dessa vulnerabilidade com intenção malévola a outras pessoas. E então você entende o Bem e o Mal e tem capacidade para ambos.

Quando, mais tarde, Adão é chamado para explicar seu comportamento — comer do fruto proibido —, ele culpa a mulher pelo seu doloroso autoconhecimento, e Deus por fazê-la, afirmando: "A mulher que tu me deste *para estar* comigo, ela me deu da árvore e eu comi" (Gênesis 3:12). A recusa do primeiro homem em assumir a responsabilidade por suas ações está associada ao ressentimento (por sua aquisição dolorosa de conhecimento), à dissimulação (pois sabe que fez uma escolha livre, independentemente do comportamento da esposa) e à arrogância (ele ousa culpar Deus e a mulher que a divindade criou). Adão escolhe o caminho mais fácil — assim como você faria se dissesse a si mesmo: "Não preciso discutir com minha esposa. Não tenho que enfrentar meu chefe tirânico. Não preciso viver de acordo com o que acredito ser verdade. Posso me safar evitando minhas responsabilidades." Parte disso é inércia e covardia, mas parte também é motivada por um profundo sentimento de descrença em sua capacidade pessoal. Assim como Adão, você sabe que está nu. Está intimamente consciente de suas falhas e vulnerabilidades, e a fé em si mesmo se dissolve. Isso é compreensível, mas não é útil nem, em última análise, desculpável.

O PERIGO EXISTENCIAL DA ARROGÂNCIA E DA DISSIMULAÇÃO

Como declara Provérbios 9:10: "O temor do SENHOR é o princípio da sabedoria, e o conhecimento do santo *é* o entendimento." A conexão entre a dissimulação e o mais profundo dos instintos orientadores pode ser entendida à luz dessa declaração. Se você compreender que a dissimulação corrompe e distorce a função do instinto mais fundamental que o orienta nas dificuldades da vida, essa perspectiva deve assustá-lo o suficiente para que permaneça cuidadoso no que diz e faz. Uma pessoa sincera pode confiar em seu senso inato de significado e verdade como um guia insuspeito para as escolhas que devem ser feitas ao longo dos dias, semanas e anos da vida. Mas existe uma regra que se aplica — a mesma regra que os programadores de computador bem conhecem: "Entra lixo, sai lixo." Ao agir com dissimulação (principalmente consigo mesmo), ao mentir, você começa a distorcer os mecanismos que guiam o instinto que o orienta. Esse instinto é um guia inconsciente, por isso funciona sob o seu sistema cognitivo, em especial depois que se torna habitual. Se você reconectar os mecanismos inconscientes que o sustentam às suposições derivadas de algo que sabe ser irreal, seu instinto fundamental o levará a lugares que não deveria ir, na mesma proporção em que ele foi corrompido. Poucas coisas são mais assustadoras do que a possibilidade de chegar a um ponto de crise em sua vida, que exigirá todas as faculdades de que dispõe para tomar a decisão adequada, apenas para descobrir que se contaminou com a mentira e não pode mais confiar no seu próprio julgamento. Boa sorte para você, porque nada além da sorte servirá para salvá-lo.

Há um pecado definido por Cristo como imperdoável de uma forma um tanto misteriosa: "E quem falar uma palavra contra o Filho do homem, isso lhe será perdoado; mas, se alguém falar contra o Espírito Santo, não lhe será perdoado, nem neste mundo, nem no *mundo* vindouro" (Mateus 12:32). São Paulo, um dos fundadores do cristianismo, esclareceu essa afirmação ao associar a Terceira Pessoa da Trindade à consciência: "Eu digo a verdade em Cristo, eu não minto; a minha consciência também me dá testemunho no Espírito Santo" (Romanos 9:1). A consciência nada mais é do que o compartilhamento de conhecimento moral consigo mesmo. A dissimulação exige a recusa voluntária de obedecer às ordens da consciência e ameaça contaminar essa função vital. Não há como escapar ileso dessa corrupção. Isso é válido até no sentido neurológico. As drogas de dependência geralmente são caracterizadas por seus impactos no neurotransmissor dopamina, aumentando seus efeitos de alguma forma. Essencialmente, a dopamina produz o prazer associado à esperança ou à possibilidade. Além disso, seu cérebro está programado de modo que, se você fizer algo de bom (e, portanto, produzir um efeito de dopamina), as suas partes que desempenharam um papel no ato em questão se tornam mais fortes, mais dominantes, mais capazes de inibir a função de outras partes do seu ser. Assim, o uso continuado de uma droga viciante fomenta o crescimento do que pode ser precisamente conceituado como um monstro vivo na psique do usuário — e a atenção e a intenção desse monstro são totalmente devotadas ao efeito da droga. Ele quer uma coisa e vem armado com toda uma filosofia sobre por que essa única coisa deve ser considerada de importância primária.

Imagine que você está se recuperando, fragilmente, do vício. Algo dá errado em sua vida. O ressentimento emerge. Você pensa: "Ah, que se dane!", e esse pensamento é o evento inicial que leva à recaída na droga e à experiência do subsequente pico de dopamina. Em consequência, os pequenos circuitos que formulam o pensamento "que se dane" tornam-se mais poderosos do que as partes da psique do viciado que podem estar motivando a recusa em usar a droga. "Que se dane" é uma filosofia multifacetada. Significa "vale a pena sacrificar qualquer coisa por isso". Significa "quem se importa com a minha vida? Ela não vale nada mesmo". Significa "não me importo se tiver que mentir para as pessoas que me amam — meus pais, minha esposa e meus filhos —, afinal, que diferença faz? O que eu quero é a droga". Não é fácil se recuperar disso.

Ao se envolver em dissimulação com habitualidade, você constrói uma estrutura muito parecida com aquela que perpetua o vício, em especial quando consegue se safar, mesmo que brevemente. O sucesso da mentira é recompensador — e, se os riscos forem altos e você não for pego, essa recompensa do sucesso pode ser intensa. Em seu cérebro, isso reforça o desenvolvimento do mecanismo neural que compreende a estrutura de todo o sistema de dissimulação. Com o sucesso contínuo, pelo menos no curto prazo, esse mecanismo começa a funcionar com automatismo crescente — e passa a agir, de maneira arrogante, sabendo que pode escapar impune. Isso é mais óbvio para os pecados por comissão; mas é igualmente perigoso e verdadeiro para o que você poderia saber, mas se recusa — os pecados por omissão. Essa é a arrogância de acreditar que aquilo que sabe é suficiente (independentemente das evidências que se acumulam ao seu redor, na forma de sofrimento — fácil e arquetipicamente atribuído, digamos, à estrutura da realidade e à aparente insuficiência de Deus).

O LUGAR EM QUE VOCÊ DEVERIA ESTAR

Faz parte de nossa capacidade individual enfrentar o potencial do futuro e transformá-lo na atualidade do presente. A maneira como determinamos no que o mundo se transforma é uma consequência das nossas escolhas éticas e conscientes. Acordamos de manhã e enfrentamos o dia, com todas as suas possibilidades e terrores. Traçamos um curso, tomando decisões para melhor ou para pior. Compreendemos muito bem que podemos fazer o mal e trazer coisas terríveis ao Ser. Mas também sabemos que podemos fazer coisas boas, até mesmo excelentes. Temos a melhor chance de sucesso se agirmos adequadamente, como consequência de sermos verdadeiros, responsáveis, gratos e humildes.

A atitude certa em relação ao horror da existência — a alternativa ao ressentimento, à dissimulação e à arrogância — é a suposição de que existe o suficiente de você, da sociedade e do mundo para justificar a existência. Isso é fé em si mesmo, em seu próximo e na própria estrutura da existência: a crença de que existe o suficiente para enfrentar a existência e transformar sua vida da melhor forma possível. Talvez você pudesse viver de uma forma cuja nobreza, cuja grandeza e cujo significado intrínseco fossem importantes o bastante para que conseguisse tolerar os elementos negativos da existência sem se tornar amargo a ponto de transformar tudo ao seu redor em algo semelhante ao inferno.

É claro que somos oprimidos pela incerteza fundamental do Ser. É claro que a natureza nos mata de maneiras injustas e dolorosas. É claro que nossas sociedades tendem à tirania e nossas psiques individuais, ao mal. Entretanto, isso não significa que não podemos ser bons, que nossas sociedades não podem ser justas e que o mundo natural não pode girar a nosso favor. E se pudéssemos restringir nossa maleficência um pouco mais, servir e transformar nossas instituições com mais responsabilidade e ser menos ressentidos? Só Deus sabe qual pode ser o limite final para isso. Quão melhores as coisas poderiam se tornar se todos evitássemos a tentação de deformar, ativa ou

REGRA 11

passivamente, a estrutura da existência? E se substituíssemos a raiva para com as vicissitudes do Ser pela gratidão e a verdade? Se todos nós fizéssemos isso, com um propósito diligente e contínuo, não teríamos uma melhor chance de manter sob controle os elementos do "eu", da existência e da natureza que se manifestam de forma tão destrutiva e cruel, e que nos motivam a nos virar contra o mundo?

Não permita que você se torne ressentido, dissimulado ou arrogante.

REGRA 12

SEJA GRATO APESAR DE SEU SOFRIMENTO

O QUE ESTÁ ABAIXO PODE DEFINIR O QUE ESTÁ ACIMA

Há décadas procuro certezas. Não tem sido só uma questão de pensar, no sentido criativo, mas de pensar e tentar minar e destruir esses pensamentos, um processo seguido de cuidadosa consideração e conservação dos que sobrevivem a ele. É a identificação de um caminho à frente através de uma passagem pantanosa, em busca de pedras sob a superfície escura para se apoiar em segurança. No entanto, embora eu considere a inevitabilidade do sofrimento e a sua exacerbação pela maleficência como verdades existenciais inabaláveis, acredito ainda mais profundamente que as pessoas têm a capacidade de transcender o sofrimento, em termos psicológicos e práticos, e de conter a própria maleficência, bem como os males que caracterizam o mundo social e o natural.

Os seres humanos têm a capacidade de enfrentar corajosamente seu sofrimento — de transcendê-lo psicologicamente e de amenizá-lo na prática. Esse é o axioma mais fundamental da psicoterapia, seja qual for a escola de pensamento, bem como a chave para o mistério do sucesso e do progresso humanos ao longo da própria história. Ao enfrentar as limitações da vida com coragem, você obtém um certo propósito psicológico que serve como um antídoto para o sofrimento. Seu enfoque voluntário no abismo, por assim dizer, indica a você mesmo, nos níveis mais profundos, que é capaz de enfrentar as dificuldades da existência e a responsabilidade decorrente dela sem se esquivar. Esse mero ato de coragem é profundamente reconfortante nos níveis mais fundamentais do ser psicológico. Ele indica sua capacidade e competência para os sistemas de alarme biológico e psicológico profundos, antigos e, de certa forma, independentes que registram o perigo do mundo.

Porém, a utilidade desse confronto não é de forma alguma meramente psicológica, por mais importante que isso seja. É também a abordagem pragmática apropriada: se agir com nobreza — uma palavra raramente usada hoje, infelizmente — em face do sofrimento, você pode trabalhar de forma prática e eficaz para amenizar e corrigir seus próprios problemas e os de outras pessoas. Você pode tornar o mundo material — o mundo real — melhor (ou pelo menos impedir que piore). O mesmo vale para a maleficência: você pode restringi-la dentro de você. Quando está prestes a dizer algo, sua consciência pode informá-lo (e com frequência o faz), dizendo: "Isso não é verdade." Ela pode se apresentar como uma voz real (interna, é claro) ou um sentimento de vergonha, culpa, fraqueza ou outra desunião interna — a consequência fisiológica da dualidade da psique que você está manifestando. Há, então, a oportunidade de parar de proferir essas palavras. Se não pode dizer a verdade, pelo menos não minta conscientemente.[1] Isso é parte da contenção da maleficência. É algo ao nosso alcance. Começar a parar de mentir conscientemente é um passo importante na direção certa.

REGRA 12

Podemos restringir nosso sofrimento e enfrentá-lo psicologicamente. Isso nos torna corajosos. Então, podemos amenizá-lo na prática, pois é o que fazemos quando cuidamos de nós mesmos e de outras pessoas. Parece não haver quase nenhum limite para isso. Você pode vir a cuidar de si e de sua família de maneira genuína e competente. Pode, então, estender essa atitude para a comunidade mais ampla. Algumas pessoas se tornam incrivelmente boas nisso. Pessoas que trabalham em cuidados paliativos são um excelente exemplo. Elas trabalham continuamente, cuidando de doentes que estão sofrendo e morrendo, e perdem alguns deles todos os dias. Mas conseguem sair da cama todas as manhãs, trabalhar e enfrentar a dor, a tragédia e a morte. Elas fazem a diferença em circunstâncias quase impossíveis. É por essas razões e por causa de exemplos assim — observar as pessoas confrontarem a catástrofe existencial da vida de forma direta e eficaz — que sou mais otimista do que pessimista e que acredito que o otimismo é, fundamentalmente, mais confiável do que o pessimismo. Chegar a essa conclusão e depois considerá-la inabalável é um bom exemplo de como e por que pode ser necessário encontrar as trevas antes de conseguir ver a luz. É fácil ser otimista e ingênuo. Entretanto, quando o otimismo é ingênuo, também é fácil que seja minado e destruído, e que o cinismo surja em seu lugar. Mas o ato de perscrutar as trevas o mais profundamente possível revela uma luz que parece inextinguível, e isso é uma grande surpresa, bem como um grande alívio.

O mesmo se aplica à questão da gratidão. Não acredito que você possa ser apropriadamente grato ou agradecido pelo bem que desfruta e pelo mal que não o acometeu até que tenha uma sensação profunda e até mesmo aterrorizante do peso da existência. Você não consegue avaliar de forma adequada o que tem, a menos que tenha alguma noção não só de quão terríveis as coisas podem ser, mas de quão terríveis é provável que sejam, dada sua propensão. É algo que vale muito a pena saber. Caso contrário, você pode se sentir tentado a perguntar: "Por que eu olharia para as trevas?" Mas parecemos atraídos a olhar. Somos fascinados pelo mal. Assistimos a representações dramáticas de assassinos em série, psicopatas, reis do crime organizado, membros de gangues, estupradores, assassinos contratados e espiões. Nós nos expomos, deliberadamente, ao medo e à repulsa com filmes de suspense e terror — e isso é mais do que curiosidade lasciva. É o desenvolvimento de certa compreensão da estrutura essencialmente moral da existência humana, de nosso estado de suspensão entre os polos do bem e do mal. O desenvolvimento dessa compreensão é necessário; nos situa em relação ao que está *abaixo* e *acima* de nós, e nos orienta em percepção, motivação e ação. Também nos protege. Se você não é capaz de compreender o mal, se expõe a ele. Acaba suscetível aos seus efeitos ou à sua vontade. Se encontrar uma pessoa maligna, ela terá controle sobre você na proporção exata em que não está disposto ou é incapaz de compreendê-la. Assim, você olha para os lugares sombrios para se proteger, caso a escuridão apareça, bem como para encontrar a luz. Há uma utilidade real nisso.

O ESPÍRITO MEFISTOFÉLICO

O grande escritor alemão Goethe, que é para a cultura germânica o que Shakespeare é para a inglesa, escreveu *Fausto*, uma famosa peça que conta a história de um homem que vende sua alma ao diabo em troca de conhecimento.[2] Na peça de Goethe, Mefistófeles é o diabo — o adversário. O adversário é uma figura mítica; o espírito que trabalha eternamente contra nossa intenção positiva (ou, talvez, contra a intenção positiva em geral). Você pode entender esse aspecto em termos psicológicos, bem como metafísicos ou religiosos. Dentro de nós, todos vemos surgir boas intenções e instruções reiteradas para agirmos de acor-

REGRA 12

do, mas, com frequência, notamos que deixamos de fazer o que sabemos que devemos e, em vez disso, fazemos o que sabemos que não devemos. Dentro de nós, existe algo que funciona em contraposição aos nossos desejos expressos voluntariamente. Na verdade, são muitas coisas — um coro de demônios, por assim dizer — trabalhando com propósitos opostos até mesmo entre si; muitas motivações obscuras e não articuladas e sistemas de crença, todos se manifestando como personalidades parciais (mas com todas as características essenciais da personalidade, apesar de sua natureza parcial).

Perceber isso é inquietante. Essa constatação é a grande contribuição dos psicanalistas, que insistiram acima de tudo, talvez, que éramos habitados por espíritos que estavam além não só de nosso controle, como também de nosso conhecimento consciente. E essa percepção traz à tona questões importantes e paralisantes: se você não está no controle de si mesmo, quem ou o que está? E se de fato não é você no controle, a própria ideia da centralidade, da unidade e até mesmo da realidade do seu "eu", cuja existência parece tão imediatamente certa, é contestada. E qual é a pretensão desse *quem* ou *o quê*? E com que propósito? Todos esperamos ser o tipo de criatura que é capaz de dizer a nós mesmos o que fazer e que age exatamente de acordo com nossa vontade. Afinal, você é você e deve — por definição — estar no controle de si mesmo. Mas, muitas vezes, as coisas não funcionam assim, e o motivo ou os motivos são profundamente misteriosos.

Às vezes, é claro, é muito mais fácil apenas deixar de fazer o que deveríamos. Boas ações podem ser e geralmente são difíceis de realizar, e há perigo — a exaustão é um deles — na dificuldade. A inércia também é uma razão poderosa para a estagnação e pode fornecer uma certa segurança imediata. Mas o problema é mais complicado. Não se trata apenas de ser preguiçoso: você também é mau — e assim se declarou por seu próprio julgamento. Essa é uma percepção muito desagradável, mas não há esperança de se tornar bom sem ela. Você se repreenderá (ou sua consciência o fará) por suas deficiências. Tratará a si mesmo como se fosse, ao menos em parte, um agente imoral. Tudo isso também é profundamente desagradável, e você pode muito bem se sentir motivado a evitar o próprio julgamento. Porém, nenhuma racionalização simples permitirá que você fuja.

Você verá, se estiver disposto a observar, o adversário atuando no seu interior, empenhando-se para minar suas melhores intenções. A natureza exata dessa força é motivo para intermináveis especulações — filosóficas, literárias, psicológicas e, acima de tudo, religiosas ou teológicas. A concepção cristã da grande figura do mal — Mefistófeles, Satanás, Lúcifer, o diabo — é, por exemplo, uma profunda personificação imaginária desse espírito. Mas o adversário não é apenas algo que existe na imaginação — certamente não só na imaginação individual. Por meio de algo que ainda pode ser descrito como "possessão", ele também se manifesta na motivação para ações malignas, bem como nos atos em si. Todo mundo que, após agir de maneira particularmente inadequada, pensou ou disse algo semelhante a "não sei o que deu em mim" nota a existência dessa possessão, mesmo que não consiga expressar ou não articule essa observação. Em consequência, podemos nos perguntar, totalmente consternados: "Por que esse espírito existe? Por que integraria cada um de nós?"

A resposta parece estar associada, em parte, à poderosa sensação de que cada um de nós compartilha de nossas próprias limitações mortais intrínsecas, de nossa submissão ao sofrimento infligido a nós por nós mesmos, pela sociedade e pela natureza. Isso provoca amargura e produz certo desprezo ou desgosto por si mesmo, inspirado por nossas próprias fraquezas e inadequações (e ainda não estou falando de imoralidade, apenas de nossa fragilidade intrínseca e terrível), e também pela

REGRA 12

aparente injustiça, imprevisibilidade e arbitrariedade de nossas falhas. Dadas todas essas percepções decepcionantes, não há razão para supor que você ficará satisfeito ou feliz consigo mesmo ou com o próprio Ser. Essa insatisfação — essa infelicidade — pode, facilmente, ganhar força e extrapolar até se tornar um círculo vicioso. A cada passo que você dá contra si mesmo ou contra os outros como consequência de sua infelicidade e ressentimento, há mais do que se envergonhar e mais razões para o antagonismo autodirigido. Não é à toa que cerca de uma pessoa em cinco se envolve em alguma forma de automutilação física séria durante a vida.[3] E isso não inclui o ato mais grave — o suicídio em si (ou a tendência mais comum para a ideação suicida). Se você está insatisfeito consigo mesmo, por que trabalharia em seu melhor interesse? Talvez, em vez disso, algo vingativo emerja de você; talvez algo justificável, porque impõe o sofrimento hipoteticamente merecido, projetado para interferir em seu progresso. Se, em uma personalidade única, você agregar e unir conceitualmente tudo que, no seu interior, se opõe a você, às suas amizades e ao seu cônjuge, surge o adversário. É precisamente Mefistófeles na peça de Goethe — o diabo. Esse é o espírito que trabalha *contra* — e é exatamente assim que ele se descreve: "Sou o espírito que tudo nega."[4] Por quê? Porque tudo no mundo é tão limitado e imperfeito — e, com isso, causa tantos problemas e terror — que sua aniquilação não é apenas justificada, mas uma exigência ética. Pelo menos essa é a racionalização.

Essa não é uma mera abstração sem vida. As pessoas travam uma batalha mortal com essas ideias. As mulheres se debatem com essas ideias quando pensam em ter um bebê, perguntando-se: "Devo realmente trazer um bebê a um mundo como este? Isso é uma decisão ética?" Os seguidores da escola filosófica do antinatalismo, da qual o filósofo sul-africano David Benatar talvez seja o principal defensor,[5] com certeza responderiam "não" a ambas as perguntas. Alguns anos atrás, ele e eu debatemos suas opiniões.[6] Não que eu não tivesse entendido sua posição. Não há dúvida de que o mundo está mergulhado em sofrimento. Alguns anos depois, debati com outro filósofo, Slavoj Žižek — muito mais conhecido por suas predileções marxistas do que por suas convicções religiosas. Durante nosso debate, ele disse algo que pode ser teologicamente discutível, mas que achei de grande interesse. Na tradição cristã, até o próprio Deus, na forma de Cristo, se desespera a respeito do sentido da vida e da bondade de Seu Pai durante a agonia de Sua crucificação. No auge do sofrimento, pouco antes da morte, Ele pronuncia as palavras: *"Eli, Eli, lamá sabactâni* (isto é, meu Deus, meu Deus, por que tu me abandonaste?)"[7] — Mateus 27:46. Isso parece implicar fortemente, em sua forma narrativa, que o fardo da vida pode se tornar tão pesado que até o próprio Deus é capaz de perder a fé quando confrontado com a realidade insuportável da injustiça, da traição, do sofrimento e da morte.

É difícil imaginar uma história mais empática para meros mortais. Se o próprio Deus experiencia momentos de dúvidas em meio à Sua agonia autoimposta, como nós, meros humanos, não recairíamos nas mesmas falhas? E é possível que a compaixão tenha sido o que motivou a posição do antinatalista David Benatar. Não vi sinais óbvios de que ele fosse maligno. Parecia realmente acreditar — de um modo que me lembrou do Mefistófeles de Goethe — que a combinação de consciência, vulnerabilidade e mortalidade é tão terrível que simplesmente não há desculpa moral para sua continuidade. Porém, é possível que a opinião de Mefistófeles não seja confiável. Visto que ele é o próprio Satanás, não há razão para supor que o argumento que apresenta para justificar sua postura adversária em relação ao Ser seja válido, ou mesmo supor que ele de fato acredite nisso. E talvez fosse o caso de Benatar, que foi e é, sem dúvidas, vítima das fragilidades que caracterizam cada um de nós (e isso certamente me inclui, apesar de minha posição oposta). Mas eu acreditava, e ainda acredito firmemente, que as consequências de

REGRA 12

sua posição de autonegação são simplesmente terríveis. Ela leva diretamente a uma antivida ou mesmo a um niilismo anti-Ser tão profundo, que sua manifestação não consegue evitar exagerar e amplificar as consequências destrutivas da existência que já são foco dos hipoteticamente compassivos antinatalistas. (E não estou sendo sarcástico ou cínico sobre a existência dessa compaixão, embora entenda que ela esteja mal direcionada.)

A hipótese de Benatar era que a vida é tão cheia de sofrimento que, na verdade, é um pecado — em todos os sentidos — trazer quaisquer novos seres conscientes à existência, e que a ação ética mais apropriada dos seres humanos seria simplesmente parar de fazer isso: nos levar de forma deliberada à extinção. Em minha opinião, esse ponto de vista é mais difundido do que se imagina, embora raramente se sustente por muito tempo. Sempre que você é derrubado por uma das muitas catástrofes da vida, que um sonho desmorona ou alguém próximo é ferido de alguma forma fundamental — em especial um filho ou um ente querido —, você pode acabar pensando: "Talvez fosse melhor se toda essa desordem chegasse ao fim."

Certamente é isso que as pessoas pensam quando consideram o suicídio. Esses pensamentos são gerados, em sua variante mais extrema, pelos assassinos em série, pelos atiradores em colégios, por todos os agentes homicidas e genocidas em geral. Eles estão expressando a atitude antagônica da forma mais plena que podem. Estão possuídos, de uma forma que ultrapassa o meramente metafórico. Decidiram não apenas que a vida é insuportável e a maleficência da existência, indesculpável, mas que tudo deve ser punido pelo simples pecado do Ser. Se quisermos ter alguma esperança de lidar com a existência do mal e trabalhar para minimizá-lo, devemos entender esses tipos de impulsos. É, em grande parte, a consciência do sofrimento e da maldade que torna as pessoas amargas. E é em direção a essa amargura que acredito que a posição antinatalista, se adotada em larga escala, inevitavelmente descambará. Primeiro, pode ser a mera recusa em reproduzir. Mas não acredito que demoraria muito até que esse impulso de cessar a reprodução de uma nova vida se transformasse em motivação semelhante para destruir a vida que já existe, em consequência do julgamento "compassivo" de que algumas vidas são tão terríveis que sua extinção é misericordiosa. Essa filosofia surgiu relativamente cedo na era nazista, por exemplo, quando indivíduos considerados intoleravelmente danificados pela vida foram sacrificados para fins "moralmente misericordiosos". Essa linha de pensamento leva à questão: onde vai parar essa "misericórdia"? Quão doente, velho, intelectualmente debilitado, aleijado, infeliz, improdutivo ou politicamente inadequado você tem que ser para que dispensá-lo seja um imperativo moral? E, após a erradicação ou mesmo apenas a limitação da vida se tornar sua estrela-guia, por que você acreditaria que não continuaria nessa estrada até o seu fim infernal?

Achei os escritos dos assassinos do colégio de Columbine particularmente instrutivos a esse respeito. São rabiscos descuidados, incoerentes e narcisistas, mas há definitivamente uma filosofia subjacente: as coisas merecem sofrer pelo crime de sua existência. A consequência dessa crença é a elaboração e a extensão criativas desse sofrimento. Um dos assassinos escreveu que se considerava o juiz de tudo o que existe — um juiz que decidiu que o Ser, em especial na forma humana, era falho — e que seria melhor se toda a raça humana fosse erradicada. Isso definiu o escopo de sua visão horrível. Ele e seu parceiro atiraram em seus colegas de classe na escola local, mas esta foi apenas uma pequena fração do que estavam planejando. Espalharam dispositivos incendiários pela comunidade e, juntos, fantasiaram a destruição da cidade inteira. Esses planos são apenas um passo no caminho para a visão genocida definitiva.

REGRA 12

Você não tem esse tipo de visão, a menos que esteja profundamente possuído por algo muito semelhante ao espírito adversário. É Mefistófeles, cujo ponto de vista essencial pode ser parafraseado da seguinte forma: "A vida é tão terrível, por causa de suas limitações e maleficência, que seria melhor se não existisse." Essa é a doutrina central do espírito que atua em oposição a você. É um argumento discutível e não surpreende que surja — e parece tragicamente crível em momentos de crise —, embora eu acredite que esteja profundamente errado. Em parte porque, quando se concretiza, tudo o que faz é exacerbar uma situação já reconhecidamente ruim. Se você começar a piorar as coisas, é provável que elas, de fato, piorem. Não consigo ver como isso constitui uma melhoria, se sua primeira objeção foi motivada pelo terror essencial de nossa própria situação existencial. Não parece ser um caminho que uma criatura consciente, com um pouco de gratidão, possa percorrer. Há uma incoerência nesse argumento que é insustentável do ponto de vista lógico e que, portanto, parece torná-lo fundamentalmente ilusório e leva o ouvinte a pensar: "Há coisas acontecendo aqui nos bastidores que são, ao mesmo tempo, tácitas e indizíveis, apesar da lógica superficial."

As falhas na lógica do adversário não significam que construir um ponto de vista inabalável para combatê-lo seja uma questão simples. No sentido mais direto, identificar essa visão de objeção e vingança é útil, da mesma forma que o espaço negativo em uma pintura é útil: ele define o positivo, por contraste. O bem pode ser conceituado — embora vagamente em sua formulação inicial — como o oposto de tudo o que constitui o mal, que em geral é identificável com mais facilidade no mundo do que o bem. Tenho tentado encontrar critérios nesse caminho de oposição ao mal, para que as pessoas possam identificar o que pode ser esse bem. Alguns deles são muito práticos, embora difíceis. Tenho sugerido aos meus espectadores e ouvintes,[8] por exemplo — em especial os que estão sobrecarregados por uma doença fatal de um genitor —, que é útil assumir conscientemente a tarefa de ser a pessoa que mais se pode confiar após a morte, durante os dolorosos preparativos e para o funeral em si, bem como para o cuidado de familiares durante e após a tragédia. Nessa atitude, há um apelo ao seu potencial. Há um chamado para a força do próprio Ser — o Ser que pode se manifestar em você. A raça humana tem lidado com perdas e mortes desde sempre. Somos descendentes dos que souberam lidar com isso. Essa capacidade está dentro de nós, por mais sombria que a tarefa possa parecer.

Se você realmente ama alguém, pode parecer uma grave traição permanecer integrado e saudável, em essência, diante da ausência, ou da presença que tristemente se apaga. O que essa capacidade de se manter integrado indica, afinal, sobre a verdadeira profundidade do seu amor? Se você é capaz de testemunhar a morte de alguém querido e sobreviver à perda, isso não significa que o vínculo era superficial e temporário, e até mesmo substituível? Caso essa ligação fosse verdadeira, a perda não deveria destruí-lo (como às vezes acontece de fato)? Mas não podemos desejar que toda perda inevitável leve à destruição de todos os afetados, porque, assim, estaríamos todos condenados, de maneira muito mais imediata do que estamos hoje. E certamente não é o caso que o último desejo dos moribundos seja ou deva ser o sofrimento interminável daqueles que amam. Minha impressão, em vez disso, é que as pessoas tendem a se sentir culpadas em seu leito de morte (devido à sua inutilidade imediata e ao fardo que isso causa, mas ainda mais devido à sua apreensão sobre a dor e os problemas que causarão aos que ficarem para trás). Assim, seu desejo mais fervoroso, acredito, é que as pessoas que amam possam seguir em frente e viver felizes, após um tempo razoável de luto.

Desabar após uma perda trágica é, portanto, em termos mais precisos, uma traição à pessoa que morreu, em vez de um tribu-

REGRA 12 373

to, pois multiplica o efeito da catástrofe fatal. É preciso uma pessoa moribunda munida de egoísmo narcisista para desejar tristeza sem fim para seus entes queridos. A força diante da morte é melhor para a pessoa que está morrendo e para aqueles que continuam vivendo da mesma forma. Há familiares que estão sofrendo por causa de sua perda e que precisam de cuidados, e que podem estar muito velhos, enfermos e com problemas para lidar com a situação de maneira adequada. E, então, alguém forte tem que intervir e exercer a terrível autoridade que faz até da morte algo a ser enfrentado e vencido. Entender com clareza que você é moralmente obrigado, sob tais circunstâncias, a manifestar força diante da adversidade é indicar a si mesmo — e, talvez, a outras pessoas — que há algo em você de grandeza e poder suficientes para enfrentar o pior e ainda prevalecer. Isso é o que as pessoas precisam encontrar em um funeral. Há pouco a dizer, de forma explícita, diante da morte. Todos ficam sem palavras quando encontram a extensão infinita de vazio que cerca nossa breve existência. Mas retidão e coragem em tal situação animam e amparam.

Sugeri que a força no funeral de alguém querido e próximo é um objetivo digno mais de uma vez durante uma palestra (disponível no YouTube ou no podcast). Em consequência, um número significativo de pessoas me disse que conseguiu encontrar coragem em momentos de desespero por causa disso. Elas definiram a confiabilidade e a força em uma crise como uma meta consciente e foram capazes de administrar exatamente isso, de modo que as pessoas devastadas ao seu redor tivessem alguém em quem se apoiar e ver como exemplo em face de problemas genuínos. Isso, no mínimo, tornava a situação ruim muito menos terrível do que poderia ter sido. É algo notável. Se você vê alguém se erguendo em face da catástrofe, da perda, da amargura e do desespero, então terá evidências de que tal reação é possível. E pode imitá-la, mesmo em circunstâncias terríveis. Coragem e nobreza diante da tragédia é o reverso do cinismo destrutivo e niilista aparentemente justificado nessas circunstâncias.

Repito, eu entendo a atitude negativa. Tenho inúmeras horas de experiência clínica. Estive profundamente envolvido em algumas situações muito difíceis, junto com aqueles a quem eu estava ouvindo e com quem traçava estratégias, bem como em minha vida privada. As pessoas têm vidas árduas. Você acha que sua vida é difícil (e provavelmente é, pelo menos às vezes), mas então conhece uma pessoa e sua vida é tão melhor do que a dela que, não importa quais sejam suas dificuldades, você nem consegue imaginar como ela pode continuar a existir em sua miséria atual. E não raro descobre que essa mesma pessoa infeliz conhece alguém cuja vida é tão difícil que ela também sente o mesmo. E, muitas vezes, até ela se sente culpada por acreditar que o que enfrenta é muito difícil, porque sabe o quanto poderia ser pior.

Não é que o sofrimento e a traição — as catástrofes — não sejam graves o suficiente para transformar a amargura em uma opção real. Não há nada de bom nessa opção, apenas muitos danos evidentes. Então, qual é a alternativa? Comecei a contemplar seriamente o tópico dessa regra pouco antes do Dia de Ação de Graças, em 2018, quando estava em turnê pelos Estados Unidos. Esse feriado talvez tenha se tornado a maior celebração compartilhada dos Estados Unidos (e também é um grande evento no Canadá, cerca de um mês antes). Depois que a Páscoa perdeu a força, o único concorrente é o Natal, que também é, em certo sentido, um feriado de ação de graças que se concentra na chegada do eterno Redentor em meio à escuridão e ao frio do inverno [no hemisfério Norte] — motivo pelo qual reflete o eterno ciclo de renascimento da própria esperança. A ação de graças é uma alternativa à amargura, talvez *a* alternativa. Minha observação dos feriados norte-americanos — morei nos Estados Unidos por sete anos e passei algum tempo lá em inúmeras ou-

REGRA 12

tras ocasiões — é que a proeminência do Dia de Ação de Graças entre os feriados parece ser uma coisa boa, em termos práticos e simbólicos. O fato de que a principal festa de celebração de um país seja a de explicitamente "agradecer" aparece, em princípio, como um comentário positivo sobre a ética fundamental do Estado. Isso significa que o indivíduo está se esforçando para manter o coração no caminho certo e que o grupo está apoiando e incentivando esse esforço. Por que é assim, quando a vida é tão difícil? Porque você pode ser corajoso. Estar alerta, desperto, atento. Ver a vida como ela é e ser exigente, e enxergar isso com clareza. Mesmo assim, você pode permanecer grato, pois essa é a atitude intrépida em relação à vida e às suas dificuldades. É grato não porque seja ingênuo, mas porque decidiu tomar a iniciativa de encorajar o que há de melhor em você, no país e no mundo. Da mesma forma, você não é grato por causa da ausência do sofrimento, mas porque é corajoso lembrar o que tem e o que ainda pode receber — e porque a atitude de agradecimento adequada quanto a essa existência e possibilidade o deixa em melhor posição do que qualquer outra atitude em relação às vicissitudes da existência.

Ser grato por sua família é se lembrar de tratá-la melhor. Seus familiares podem deixar de existir a qualquer momento. Ser grato por seus amigos é despertar para a necessidade de tratá-los de maneira adequada, dada a relativa improbabilidade da amizade em si. Ser grato à sua sociedade é se lembrar de que você é o beneficiário de um tremendo esforço por parte daqueles que nos precederam e deixaram esse incrível arcabouço de ritual, cultura, arte, tecnologia, energia, água, saneamento e estrutura social para que nossas vidas fossem melhores que as deles.

A tentação de ficar amargurado é grande e real. É necessário um esforço moral genuíno para não seguir esse caminho, presumindo que você não é — ou que deixou de ser — ingênuo. A gratidão associada a esse estado de Ser é baseada na ignorância e na inexperiência. Isso não é virtude. Assim, se você estiver atento e desperto, e puder ver a estrutura do mundo, a amargura e o ressentimento o atraem como uma resposta viável. Então, você pode se perguntar: "Bem, por que não tomar esse caminho sombrio?" Parece-me que a resposta para isso, reitero, é a coragem: a coragem de decidir "não, isso não é para mim, apesar das razões que eu possa ter para ser tentado nessa direção" e, então, "apesar do peso de minha mortalidade agora desperta, vou trabalhar para o bem do mundo".

CORAGEM, SIM — MAS O AMOR É SUPERIOR

Essa decisão me parece ser a coragem subordinada ao amor. Se o ressentimento, a amargura e o consequente ódio são o que nos atrai na direção do tormento e da destruição de tudo o que vive e sofre, então talvez o amor ativo seja o seu antídoto. E me parece ser a decisão fundamental da vida, e que é correto identificá-la, pelo menos em uma parte vital, como um ato deliberado de vontade. As razões para a amargura, a raiva, o ressentimento e a maleficência são fortes e abundantes. Portanto, deve ser um ato de fé — uma decisão sobre um modo de ser não tão claramente justificada pelas evidências, em especial em tempos difíceis — que o Ser poderia ser fortalecido e apoiado por seus objetivos e atos. Isso é algo feito em um sentido profundo, a despeito de *"Eli, Eli, lamá sabactâni"* — algo que diga "apesar disso tudo, não importa o que *isso* seja, levante e dê a volta por cima" —, e esse é o exato empreendimento moral impossível exigido de cada um de nós para que o mundo funcione de forma adequada (ainda que para evitar a degeneração no inferno).

REGRA 12

É no âmbito dessa tarefa impossível — a decisão de amar — que a coragem se manifesta, permitindo que, mesmo nos piores momentos, cada pessoa que adota o caminho corajoso tome as difíceis atitudes necessárias para agir na busca do bem. Ao resolver manifestar as duas virtudes do amor e da coragem — ao mesmo tempo e de forma consciente —, você decide que trabalhará para tornar as coisas melhores, e não piores, até para si mesmo, ainda que saiba que, por causa de todos os seus erros e suas omissões, já está praticamente perdido.

Você trabalhará para melhorar sua situação, como se fosse alguém sob sua responsabilidade. Fará a mesma coisa por sua família e pela comunidade em geral. Você se esforçará para alcançar a harmonia que pode se manifestar em todos esses níveis, apesar do fato de conseguir ver a subestrutura defeituosa e danificada das coisas, e por isso ter sua visão prejudicada. Esse é o caminho correto e corajoso a seguir. Talvez seja essa a definição de gratidão, de reconhecimento, e não consigo ver isso como algo distinto da coragem e do amor.

Você pode muito bem perguntar: "As pessoas realmente percebem e agem dessa maneira?" ou até "Será que conseguem perceber e agir?". Uma das evidências mais convincentes que encontrei é o luto pela perda de alguém próximo. Mesmo que você seja ambivalente sobre a própria vida — e mesmo se for hesitante, até certo ponto, em relação à pessoa que perdeu, pois este pode certamente ser o caso —, sua reação provável à morte é o luto. E essa reação não é exatamente consciente. O luto é uma experiência estranha. Ele se apodera de você de forma inesperada. Você sente choque e confusão. Não tem certeza de como reagir. O que deveria fazer? Porém, se o luto for consciente — a expressão voluntária de uma reação supostamente apropriada —, ele não é real; não da maneira que o luto genuíno se apodera de você. E se não se sentir arrebatado, de forma involuntária, por algo que toma conta de você como se tivesse vida própria, pode pensar: "Não estou me sentindo como deveria. Não estou chorando. Não estou arrebatado pela tristeza. Estou seguindo meus afazeres diários com muita normalidade" (algo muito provável de ocorrer se você receber a notícia de uma morte em um local distante). Mas então, conforme se engaja em uma atividade trivial, como se tudo estivesse normal, o luto o atingirá como uma onda traiçoeira. Isso acontece repetidamente, só Deus sabe por quanto tempo. É algo que surge das profundezas e, inevitavelmente, o aprisiona em suas garras.

O luto deve ser um reflexo do amor. É talvez a prova definitiva do amor. É uma manifestação incontrolável da crença de que a existência da pessoa perdida, por mais limitada e falha que possa ter sido, valeu a pena, apesar das limitações e falhas até da própria vida. Caso contrário, por que você sentiria a perda? Caso contrário, por que se sentiria, involuntariamente, triste e desamparado (e isso vindo de uma fonte que não pode caracterizar autoengano)? Você sofre porque algo que valorizou não existe mais. Assim, no âmago do seu Ser, decidiu que a vida da pessoa era valiosa, apesar dos problemas que ela causou a você — e a si mesma. Na minha experiência, isso acontece mesmo quando morrem pessoas monstruosas. É raro haver uma pessoa cuja vida tenha se tornado tão catastroficamente errada que sua morte não traga tristeza.

Quando estamos de luto por alguém, há uma parte profunda de nós que decide que sua existência valeu a pena, apesar de tudo. Talvez seja o reflexo de uma decisão ainda mais fundamental: a existência em si vale a pena, apesar de tudo. Gratidão é, portanto, o processo de tentativa consciente e corajosa de agradecimento diante da catástrofe da vida. Talvez seja isso que estejamos tentando fazer quando nos reunimos com nossa família em um feriado, casamento ou funeral. Esses são assuntos frequentemente controversos e difíceis. Enfrentamos uma tensão paradoxal e extenuante. Trazemos pessoas que conhecemos e ama-

REGRA 12

mos para perto de nós; estamos satisfeitos com sua existência e proximidade, mas também desejamos que elas pudessem ser mais. Estamos inevitavelmente decepcionados uns com os outros e com nós mesmos também.

Em qualquer reunião familiar, há tensão entre o afeto que você sente e o vínculo proveniente de todas as memórias e experiências compartilhadas, além da tristeza que inevitavelmente os acompanha. Você vê alguns parentes em uma paralisia contraproducente ou vagando por um caminho que não é bom para eles. Vê outros envelhecendo, perdendo sua vitalidade e saúde (e essa visão interfere e perturba suas memórias dos "eus" mais poderosos e jovens deles: uma perda dupla, então, do presente e do passado). É algo doloroso de perceber. Mas a conclusão fundamental, apesar de tudo isso, é: "Que bom estarmos todos juntos e podermos compartilhar uma refeição, nos ver e conversar uns com os outros, e notar que estamos todos aqui, participando da celebração ou enfrentando a dificuldade juntos." E todos esperam que "talvez, se nos unirmos, possamos lidar com isso de maneira adequada". E então, quando se junta em comunhão com os seus, você toma a mesma decisão fundamental que resulta de uma situação de luto: "Apesar de tudo, é bom que estejamos juntos e que tenhamos um ao outro." Isso é algo verdadeiramente positivo.

O mesmo se aplica ao seu relacionamento com seus filhos. Nas últimas décadas, meu sofrimento na vida foi exacerbado pelo caso de minha filha, pois ela esteve muito doente por vários anos quando criança, adolescente e jovem adulta. A criança é um ser de enorme potencial, capaz de desenvolver uma autonomia e uma habilidade admiráveis, produtivas e sempre crescentes. Mas também há algo muito frágil sobre seus corpos de 3, 4 ou 5 anos (ou mesmo de 15 ou 25, pois essa fragilidade nunca desaparece de fato da percepção dos pais, após ser profundamente gravada pela experiência de cuidar de crianças pequenas). Tudo isso faz parte da alegria de ter filhos, mas também faz parte da dor. A dor é a certeza absoluta de que a fragilidade será explorada. Mesmo assim, pensei que quaisquer medidas que eu pudesse tomar para erradicar essa fragilidade em meus filhos também destruiriam aquilo pelo que sou grato. Lembro-me de pensar isso de forma bem clara quando meu filho tinha 3 anos, porque ele era superfofo e divertido. Mas tinha só 3 anos, então era pequeno. Ele caía, trombava a cabeça nas mesas, escorregava escada abaixo e se metia em pequenas brigas com outras crianças. Poderia muito bem estar brincando no estacionamento do supermercado e, distraído, sair correndo. Não é uma atitude sábia em um lugar dominado por carros. Em torno da criança, há uma vulnerabilidade inegável que nos desperta e nos deixa muito conscientes do desejo de protegê-la, mas também do desejo de favorecer sua autonomia e impulsioná-la para o mundo, porque assim a fortalecemos. É também uma vulnerabilidade que pode nos deixar com raiva da vida, por causa de sua fragilidade, e nos levar a amaldiçoar o destino que une as duas circunstâncias.

Quando penso em meus pais, a mesma coisa vem à mente. Eles estão envelhecendo. À medida que as pessoas envelhecem, em certo sentido, você as vê se condensando na essência do que são. Meu pai e minha mãe têm um caráter assertivo. Eram fiéis a si mesmos na casa dos 50 anos, e talvez sejam ainda mais agora. Eles têm suas limitações e suas vantagens (e, muitas vezes, as segundas são necessárias para as primeiras). Estão na casa dos 80 agora e são muito idiossincráticos. Às vezes é frustrante lidar com as pessoas e suas particularidades. Você pensa: "Não seria melhor se elas pudessem ser de outra forma?" Não estou dizendo que penso isso de meus pais em maior grau do que as pessoas geralmente pensam umas das outras. Não é, de nenhuma forma, uma crítica a eles. Além disso, não há dúvida de que eles (e outros — muitos outros) sentem o mesmo por mim. Mas é preciso entender que, assim como no caso das crianças, todas

REGRA 12

essas particularidades, fragilidades e limitações são parte integrante daquilo que você passa a amar.

Então, você pode amar as pessoas apesar de suas limitações, mas também as ama *por causa* dessas limitações. É algo que vale muito a pena compreender. Fazer isso pode ajudá-lo a perceber como a gratidão continua sendo possível. Apesar do fato de o mundo ser um lugar muito obscuro, e de cada um de nós ter seus elementos sombrios de alma, vemos uns nos outros uma mistura única de realidade e possibilidade que é uma espécie de milagre: um milagre que se manifesta, verdadeiramente, no mundo e nas relações baseadas na confiança e no amor. Isso é algo pelo qual você pode ser corajosamente grato. Isso é algo no qual você pode descobrir parte do antídoto para o abismo e as trevas.

Seja grato apesar de seu sofrimento.

Encerramento

Como mencionei na Abertura, grande parte deste livro foi escrita durante longos meses passados em hospitais — primeiro, visitando ou acompanhando minha filha, Mikhaila; depois, fazendo o mesmo por um longo período com minha esposa, Tammy; e, por fim — quando se tornou necessário —, durante minhas repetidas internações. Não acho apropriado escrever sobre essas provações pessoais com mais detalhes do que já escrevi na Introdução — em parte porque as circunstâncias comuns da pandemia de Covid-19 tornaram a vida de todos trágica de uma maneira inimaginável, de modo que parece supérfluo, em certo sentido, fornecer um relato detalhado do sofrimento familiar ou individual, e em parte porque este livro não é sobre os problemas de minha filha, de minha esposa ou meus, mas direcionado a tópicos de importância psicológica geral. O que realmente acho necessário relatar, no entanto, é o nosso apreço a todas as muitas pessoas que nos apoiaram durante esse período de provações. Portanto, um pouco mais de esclarecimento sobre nossas várias doenças parece inevitável neste ponto.

Da parte do público, recebemos muitos votos de boa sorte de milhares de pessoas que se familiarizaram com meu trabalho. Boa parcela dessas mensagens me foi transmitida pessoalmente, quando as pessoas encontravam comigo ou com Tammy em público; algumas foram enviadas por e-mail e redes sociais; e outras vieram em comentários nos meus vídeos do YouTube.

Foi incrivelmente encorajador. Minha irmã, Bonnie, coletou e imprimiu mensagens particularmente atenciosas para Tammy, enviadas por pessoas de todo o mundo, e as afixou em cores vívidas nas paredes do quarto do hospital, onde poderiam ser vistas com facilidade. As mensagens mais tarde dirigidas a mim ajudaram a reforçar minha convicção, frequentemente vacilante, de que eu poderia e deveria vencer as dificuldades que estava passando, e que o livro que você está lendo ou ouvindo manteria sua relevância, mesmo em face da terrível pandemia que atualmente atinge o mundo. Também recebemos cuidados médicos, em grande parte extremos, mas na maioria das vezes oferecidos com otimismo, cuidado e competência. As duas cirurgias de câncer de Tammy foram corajosamente realizadas pelo Dr. Nathan Perlis, do Princess Margaret Cancer Center, e, quando as complicações decorrentes se tornaram muito extremas, ela foi tratada pelo Dr. Maxim Itkin, diretor do Penn Center for Limphatic Disorders da Filadélfia.

No círculo mais íntimo, Tammy e eu éramos, individual e conjuntamente, os gratos beneficiários do constante apoio de familiares e amigos, que interrompiam suas vidas para passar dias, semanas ou meses conosco enquanto enfrentávamos nossas provações. Só posso esperar, em face das sérias dúvidas sobre o assunto, que escolheria ser tão generoso com meu tempo e minha atenção quanto eles se a situação se invertesse. Preciso agradecer em especial à minha família — minha filha, Mikhaila Peterson, e meu genro, Andrey Korikov; meu filho, Julian Peterson, e minha nora, Jillian Vardy; meu cunhado, Jim, e minha irmã, Bonnie Keller; meu irmão, Joel, e minha cunhada, Kathleen Peterson; meus pais, Beverley e Walter Peterson; meu cunhado, Dale Roberts, e sua esposa, Maureen, e a filha deles, Tasha; minha cunhada, Della Roberts, e seu marido, Daniel Grant; bem como nossos amigos Wayne Meretsky, Myriam Mongrain, Queenie Yu, Morgan e Ava Abbott, Wodek Szemberg e Estera Bekier, Wil Cunningham e Shona Tritt, Jim

ENCERRAMENTO

Balsillie e Neve Peric, Dr. Norman e Karen Doidge, Gregg e Dra. Delinah Hurwitz (Gregg também me ajudou imensamente a revisar e melhorar *12 Regras para a Vida: Um antídoto para o caos*), Dr. Cory e Nadine Torgerson, Sonia e Marshall Tully, Dr. Robert O. e Sandra Pihl, Dr. Daniel Higgins e Dra. Alice Lee, Dr. Mehmet e Lisa Oz, e Dr. Stephen e Dra. Nicole Blackwood — todos eles foram muito além do dever na atenção que prestaram a Tammy e a mim nos últimos dois anos. Por fim, há três homens de Deus que cuidaram de nós, em particular de Tammy: os padres Eric Nicolai, Fred Dolan e Walter Hannam.

Minha família tomou providências para que eu fosse tratado em Moscou por causa das consequências de uma reação paradoxal e, em seguida, de uma dependência a um medicamento ansiolítico benzodiazepínico, hipoteticamente seguro, mas na verdade muito perigoso. Apesar da época do ano (feriados de Natal e Ano-novo em 2019–2020), a empreitada foi organizada com eficiência excepcional por Kirill Sergeevich Mikhailov, o cônsul geral da Federação Russa em Toronto, e pela equipe consular que forneceu um visto urgente em questão de dias. Muitas pessoas, incluindo Kelly e Joe Craft, Anish Dwivedi, Jamil Javani, Zach Lahn, Chris Halverson, Metropolitan Jonah, o Rev.mo Victor Potapov e Dimitir Ivanov, ajudaram a acelerar o que seria um processo muito complexo e multidimensional. Enquanto estive na Rússia, minha segurança foi garantida por Alexander Usov, e minha sensação de isolamento diminuída pelas visitas diárias de Mikhaila e seu marido, Andrey, a quem nunca poderia agradecer o suficiente. As equipes médicas russas incluíam o centro médico IMC Addiction, de Roman Yuzapolski, que concordou em supervisionar meu caso, apesar de ter sido informado por diversos especialistas de que era muito perigoso fazê-lo, e os membros de sua equipe, Herman Stepnov, diretores administrativos e Alexandr, terapeuta, meu tradutor constante por um período de duas semanas, sem nem mesmo uma muda de roupas. A equipe da Academia Russa de Ciências Médicas me recebeu com pneumonia dupla não diagnosticada e em estado de catatonia e delírio, e restaurou minha capacidade de andar. A Dra. Marina Petrova, vice-diretora, e o Dr. Michael, o médico-chefe da ala conhecida como Enfermaria de Reanimatologia, foram de ajuda especial e notável. Uliana Efros, babá de minha neta, Elizabeth Scarlett, sempre nos ajudou e viajou comigo, Mikhaila e Andrey por oito meses da Rússia para a Flórida e a Sérvia, cuidando de Scarlett, incluindo ter que passar um mês em quarentena. Agradeço também à filha de Uli, Liza Romanova, que ajudou a cuidar de Scarlett na Rússia, para que minha filha e meu genro pudessem me visitar no hospital. Por fim, no lado russo, gostaria de agradecer a Mikhail Avdeev, que nos ajudou extensivamente com o fornecimento de medicamentos e tradução de informações médicas — sempre solicitados de última hora.

Mais tarde, em junho de 2020, procurei internação na IM Clinic for Internal Medicine em Belgrado, uma instituição dedicada à retirada de benzodiazepínicos, e fui submetido ao tratamento competente e cuidadoso fornecido pelo Dr. Igor Bolbukh e sua equipe. O Dr. Bolbukh voara para a Rússia anteriormente para me consultar enquanto eu estava em estado de delírio, forneceu meses de orientação médica gratuita, conseguiu me deixar em uma condição mais estável quando cheguei à Sérvia e administrou meus cuidados depois disso. A IM Clinic foi fundada pelo Dr. Nikolai Vorobiev, e sua equipe era muito paciente e gentil — uma façanha difícil de administrar nestes dias de Covid e inevitáveis e repentinas quarentenas.

Existem também aqueles que merecem imenso crédito, reconhecimento e gratidão no fronte profissional. Obrigado aos meus agentes, Mollie Glick, da Creative Artists Agency, assim como Sally Harding, da CookeMcDermid (Canadá), e seus colegas Suzanne Brandreth e Hana El Niwairi, da Cooke Agency International Canada. Obrigado aos editores de *12 Regras para a Vida: Um antídoto para o caos*: Craig Pyette, editor sênior da

ENCERRAMENTO

Penguin Random House Canada, que desempenhou um papel diligente e instrumental no controle de qualidade e aprimoramento; ex-CEO Brad Martin; atual CEO Kristin Cochrane; Anne Collins, editora do grupo editorial Knopf Random House Canada; Scott Sellers, vice-presidente, editor associado e diretor de estratégia de marketing; Laura Stickney, editora da Penguin Random House no Reino Unido, sua colega Penelope Vogler e o CEO Tom Weldon; e Markus Dohle, CEO da Penguin Random House International. Agradecemos aos editores deste livro, um grupo que abrange os indivíduos anteriormente mencionados, bem como o pessoal adicional da Penguin Random House dos EUA, incluindo Adrian Zackheim, editor dos selos Portfolio e Sentinel, e a editora Helen Healey. Por fim, agradeço ao professor Bruce Pardy e ao advogado Jared Brown por seu apoio ativo às minhas ideias durante um período em que isso poderia ser realmente perigoso para a reputação profissional e a segurança.

A turnê mundial de 160 cidades que Tammy e eu empreendemos durante o período de incubação deste livro, bem como sua formulação preliminar, foi organizada com eficiência excepcional e altruísmo pelos representantes da Creative Artists Agency, Justin Edbrooke (assistido por Daniel Smith) e Ari Levin (assistido por Colette Silver), assim como Andrew Levitt, da Live Nation. A turnê na Austrália e na Nova Zelândia se beneficiou da atenção do produtor australiano Brad Drummond, da TEG Dainty; do gerente de turnê Simon Christian; e do segurança Scott Nicholson. Gunnlaugur Jónsson e sua equipe foram excepcionalmente hospitaleiros com Tammy e comigo (assim como com minha mãe e minha tia, que nos acompanharam nos dias que estivemos na Islândia). John O'Connell atuou como gerente de turnê principal e foi extremamente profissional, ótimo na resolução de problemas e consistentemente otimista e solidário durante os meses de viagem e organização.

ENCERRAMENTO

Dave Rubin, do programa *The Rubin Report*, viajou conosco, apresentou minhas palestras e os momentos de perguntas e respostas que se seguiram, adicionando um pouco de leveza necessária ao que, de outra forma, poderia ter sido sisudo demais. Rob Greenwald, da Rogers & Cowan, ajudou a garantir a cobertura adequada da mídia. Joe Rogan, Ben Shapiro, Douglas Murray, Gad Saad e Steven Crowder ofereceram sua amizade e compartilharam sua extensa presença na mídia. Zachary Lahn estava presente sempre que necessário, e Jeff Sandefer abriu sua extensa rede de conexões. Bill Vardy, Dennis Thigpen, Duncan Maisels e Melanie Paquette serviram como motoristas para a etapa da turnê na América do Norte, quando usamos motorhomes. Tammy e eu também gostaríamos de agradecer à designer Shelley Kirsch e à equipe da SJOC Construction por concluírem a reforma de nossa casa durante esses tempos difíceis, com supervisão mínima de nossa parte. Tanta coisa aconteceu nos últimos três anos, tenho certeza de que deixei de citar pessoas importantes e, por isso, peço sinceras desculpas.

Obrigado, também, a todos vocês que leram ou ouviram meus livros — *Mapas do Significado: A arquitetura da crença,* bem como os dois volumes de 12 regras — e/ou acompanharam meus podcasts e vídeos do YouTube. Estou muito impressionado, assim como as pessoas próximas a mim, com a lealdade e o cuidado excepcionais que vocês demonstraram na última metade da década. Que todos que estão lendo ou ouvindo este livro enfrentem com sucesso esses tempos difíceis. Espero que vocês estejam cercados por pessoas que amam e que também os amam. Espero que consigam enfrentar o desafio apresentado por nossas atuais circunstâncias e que todos nós possamos ter a sorte de, em algum momento, nos concentrar na reconstrução do mundo após o dilúvio.

Notas

INTRODUÇÃO

1. Este é o famoso "problema da indução" do filósofo David Hume. Para saber mais, veja D. Humes e P. Millican, *An Enquiry Concerning Human Understanding* (Nova York: Oxford University Press, 1748/2008).
2. J. B. Peterson, *12 Regras para a Vida: Um antídoto para o caos* (Rio de Janeiro: Editora Alta Books, 2018).

REGRA 1: NÃO DENIGRA AS INSTITUIÇÕES SOCIAIS OU AS REALIZAÇÕES CRIATIVAS DE FORMA NEGLIGENTE

1. S. Hughes e T. Celikel, "Prominent Inhibitory Projections Guide Sensorimotor Communication: An Invertebrate Perspective", *BioEssays* 41 (2019): 190088.
2. L. W. Swanson "Cerebral Hemisphere Regulation of Motivated Behavior". *Brain Research* 886 (2000): 113–64.
3. F. B. M. de Waal e M. Suchak, "Prosocial Primates: Selfish and Unselfish Motivations", *Philosophical Transactions of the Royal Society of London: Biological science* 365 (2010): 2711–22.
4. J. B. Peterson e J. Flanders, "Play and the Regulation of Aggression", em *Developmental Origins of Aggression*, eds. R. E. Tremblay, W. H. Hartup e J. Archer (Nova York: Guilford Press, 2005), 133–57.
5. J. Piaget, *Play, Dreams and Imitation in Childhood* (Nova York: W. W. Norton & Company, 1962).
6. F. de Waal, *Good Natured: The origins of right and wrong in humans and other animals* (Cambridge, Mass.: Harvard University Press, 1997).
7. K. S. Sakyi et al., "Childhood Friendships and Psychological Difficulties in Young Adulthood: An 18-Year Follow-Up Study", *European Child & Adolescent Psychiatry* 24 (2012): 815–26.
8. Y. M. Almquist, "Childhood Friendships and Adult Health: Findings from the Aberdeen Children of the 1950s Cohort Study", *European Journal of Public Health* 22 (2012): 378–83.

NOTAS

9. Todos os dados de adultos são extraídos de M. Reblin e B. N. Uchino, "Social and Emotional Support and Its Implications for Health", *Current Opinions in Psychiatry* 21 (2009): 201–2.
10. R. Burns, "To a Louse: On Seeing One on a Lady's Bonnet at Church", *The Col- lected Poems of Robert Burns* (Hertfordshire, Reino Unido: Wordsworth Poetry Library, 1786/1988), 138.
11. J. B. Hirsh et al., "Compassionate Liberals and Polite Conservatives: Associations of Agreeableness with Political Ideology and Moral Values", *Personality and Social Psychology Bulletin* 36 (2010): 655–64.
12. J. F. Fenlon, "Bible Encyclopedias, The Catholic Encyclopedia, Codex Bezae", Study Light.org, www.studylight.org/encyclopedias/tce/c/codex-bezae.html. Veja também *The Catholic Encyclopedia*, "Codex Bezae" (Nova York: Robert Appleton Company, 1913).

REGRA 2: IMAGINE QUEM VOCÊ PODERIA SER E MIRE ESSE ALVO COM DETERMINAÇÃO

1. Descobrimos recentemente, por exemplo, que novas experiências ativam novos genes, que codificam para novas proteínas, que constroem novas estruturas da mente e do corpo. Portanto, novas demandas parecem ativar interruptores biológicos, permitindo que pensamentos e ações antes latentes se manifestem. Para uma revisão, veja D. J. Sweatt, "The Emerging Field of Neuroepigenetics", *Neuron* 80 (2013): 624–32.
2. Do tradicional spiritual "Go Down Moses", ca. 1850.
3. C. G. Jung, *Psychology and Alchemy*, vol. 12 de *Collected Works of C. G. Jung* (Princeton, N.J.: Princeton University Press, 1968), 323. Publicado no Brasil com o título *Psicologia e Alquimia*.
4. Esse conjunto de ideias, bem como o mito da criação mesopotâmico, é discutido em detalhes em meu primeiro livro, J. B. Peterson, *Maps of Meaning: The architecture of belief* (Nova York: Routledge, 1999). Publicado no Brasil com o título *Mapas do Significado: A arquitetura da crença*.
5. Tábua 7:112, 7:115; A. Heidel, *The Babylonian Genesis* (Chicago: Chicago University Press/Phoenix Books, 1965), 58.
6. I. H. Pidoplichko, *Upper Palaeolithic Dwellings of Mammoth Bones in the Ukraine: Kiev-Kirillovskii, Gontsy, Dobranichevka, Mezin and Mezhirich*, trad. P. Allsworth-Jones (Oxford, Reino Unido: J. and E. Hedges, 1998).
7. J. R. R. Tolkien, H. Carpenter e C. Tolkien, *The Letters of J. R. R. Tolkien* (Boston: Houghton Mifflin, 1981), carta 25. Publicado no Brasil com o título *As Cartas de J.R.R. Tolkien*.
8. Veja Peterson, *Mapas do Significado*, para uma discussão mais ampla desse mundo simbólico e as razões para suas diversas equivalências.
9. Abordei isso com muito mais detalhes em J. B. Peterson, *12 Regras para a Vida: Um antídoto para o caos* (Rio de Janeiro: Editora Alta Books, 2018), Regra 2: "Cuide de si mesmo como cuidaria de alguém sob sua responsabilidade".

NOTAS

10. Algumas das neuropsicologias desse antigo sistema de detecção de predadores, cuja desinibição acarreta luta ou fuga, medo ou pânico, são detalhadas em Peterson, *Mapas do Significado*.

REGRA 3: NÃO ESCONDA NA NÉVOA O QUE É INDESEJÁVEL

1. J. Habermas, *Discourse Ethics: Notes on a Program of Philosophical Justification*, em *Moral Consciousness and Communicative Action*, ed. J. Habermas, trad. C. Lenhardt e S. W. Nicholsen (Cambridge, Mass.: MIT Press, 1990).

2. É interessante notar que todos esses são significados variantes ou o *tohu wa bohu*, o caos a partir do qual Deus fez a ordem, de acordo com os versículos iniciais do livro de Gênesis. Rabino Dr. H. Freedman e M. Simon, eds., *The Midrash Rabbah: Genesis*, vol. 1 (Londres: Soncino Press, 1983), 15.

REGRA 4: PERCEBA QUE A OPORTUNIDADE SE ESCONDE ONDE A RESPONSABILIDADE FOI ABDICADA

1. Aqueles que trabalham 45 horas por semana em vez de 40 (um aumento de 13% no tempo) ganham, em média, 44% mais dinheiro. W. Farrell, *Why Men Earn More* (Nova York: AMACOM Books, 2005), xviii.

2. J. Feldman, J. Miyamoto e E. B. Loftus, "Are Actions Regretted More Than Inactions?", *Organizational Behavior and Human Decision Processes* 78 (1999): 232–55.

3. É por essa razão, entre outras, que a figura de Satanás, a representação cristã do próprio mal, é de fato um desenvolvimento posterior da personalidade de Set. J. B. Peterson, *Maps of Meaning: The architecture of belief* (Nova York: Routledge, 1999). Publicado no Brasil com o título *Mapas do Significado: A arquitetura da crença*.

4. J. B. Hirsh, D. Morisano e J. B. Peterson, "Delay Discounting: Interactions Between Personality and Cognitive Ability", *Journal of Research in Personality* 42 (2018): 1646–50.

5. J. Gray, *The Neuropsychology of Anxiety: An enquiry into the functions of the septalhippocampal system* (Nova York: Oxford University Press, 1982).

6. N. M. White, "Reward or Reinforcement: What's the Difference?", *Neuroscience & Biobehavioral Reviews* 13 (1989): 181–86.

REGRA 5: NÃO FAÇA O QUE ODEIA

1. W. G. Clark e W. A. Wright, eds., *Hamlet: Prince of Denmark* (Oxford: Clarendon Press, 1880), 1.3.78, 17.

2. Para uma revisão crítica, veja H. Pashler et al., "Learning Styles: Concepts and Evidence", *Psychological Science in the Public Interest* 9 (2008): 105–99.

3. M. Papadatou-Pastou, M. Gritzali e A. Barrable, "The Learning Styles Educational Neuromyth: Lack of Agreement Between Teachers' Judgments, SelfAssessment, and Students' Intelligence", artigo 105, *Frontiers in Education* 3 (2018).

NOTAS

4. V. Tejwani, "Observations: Public Speaking Anxiety in Graduate Medical Education — A Matter of interpersonal and Communication Skills?", *Journal of Graduate Medical Education* 8 (2016): 111.

REGRA 6: ABANDONE A IDEOLOGIA

1. F. Nietzsche, *The Gay Science*, trad. W. Kaufmann, seção 125 (Nova York: Vintage Books, 1880/1974), 181. Publicado no Brasil com o título *A Gaia Ciência*.
2. F. Nietzsche, *The Will to Power*, trad. W. Kaufmann e R. J. Hollingdale (Nova York: Vintage, 1880/2011). Publicado no Brasil com o título *A Vontade de Poder*.
3. F. Dostoiévski, *The Devils (The Possessed)*, trad. D. Magarshack (Nova York: Penguin Classics, 1872/1954). Publicado no Brasil com o título *Os Demônios*.
4. F. Nietzsche, *The Will to Power: An attempted transvaluation of all values*, trad. A. M. Ludovici, vol. 14 de *The Complete Works of Friedrich Nietzsche*, ed. Oscar Levy (Londres: T. N. Foulis, 1914), 102–3. Publicado no Brasil com o título *A Vontade de Poder*.
5. Veja J. Panksepp, *Affective Neuroscience* (Nova York: Oxford University Press, 1998).
6. Uma variante muito interessante desse "princípio de Pareto" foi identificada por D. J. de Solla Price, *Little Science, Big Science* (Nova York: Columbia University Press, 1963), que indicou que metade do trabalho era feito — ou metade do valor era acumulado — pela raiz quadrada do número de pessoas envolvidas.
7. T. A. Hirschel e M. R. Rank, "The Life Course Dynamics of Affluence", *PLoS One* 10, nº 1 (2015): e0116370, doi:10.1371/journal.pone.0116370. eCollection 2015.
8. F. Nietzsche, *On the Genealogy of Morals*, trad. W. Kaufman e R. J. Hollingdale, e *Ecce Homo*, trad. W. Kaufman, ed. W. Kaufman (Nova York: Vintage, 1989), 36–39. Publicados no Brasil com os títulos *Genealogia da Moral* e *Ecce Homo*.
9. Na URSS, por exemplo, ações mortais foram destinadas àqueles cujos pais ou avós eram considerados "inimigos de classe" por causa de sua relativa prosperidade econômica. Veja A. Solzhenitsyn, *The Gulag Archipelago*, ed. resumida (Nova York: Vintage, 1973/2018).
10. *Monty Python's Flying Circus*, temporada 3, episódio 2, "How to Play the Flute", 26 de outubro de 1972, BBC.

REGRA 7: DEDIQUE-SE AO MÁXIMO A PELO MENOS UMA TAREFA E VEJA O QUE ACONTECE

1. B. E. Leonard, "The Concept of Depression as a Dysfunction of the Immune System", *Current Immunology Reviews* 6 (2010): 205–12; B. E. Cohen, D. Edmonson e I. M. Kronish, "State of the Art Review: Depression, Stress, Anxiety and the Cardiovascular System", *American Journal of Hypertension* 28 (2015): 1295–1302; P. Karling et al., "Hypothalamus-Pituitary-Adrenal Axis Hypersuppression Is Associated with Gastrointestinal Symptoms in Major

NOTAS

Depression", *Journal of Neurogastroenterology and Motility* 22 (abril de 2016): 292–303.

2. A incapacidade de inibir a agressão adequadamente desde a mais tenra idade parece caracterizar cerca de 15% das crianças. S. M. Côté et al., "The Development of Physical Aggression from Toddlerhood to Pre-Adolescence: A Nation Wide Longitudinal Study of Canadian Children", *Journal of Abnormal Child Psychology* 34 (2006): 71–85.

REGRA 8: TENTE DEIXAR UM CÔMODO DE SUA CASA O MAIS BONITO POSSÍVEL

1. N. F. Stang, "Kant's Transcendental Idealism", *Stanford Encyclopedia of Philosophy* (Winter 2018), ed. E. N. Zalta, plato.stanford.edu/archives/win2018/entries/kant-transcendental-idealism.

2. E. Comoli et al., "Segregated Anatomical Input to Sub-Regions of the Rodent Superior Colliculus Associated with Approach and Defense", *Frontiers in Neuroanatomy* 6 (2012): 9, doi.org/10.3389/fnana.2012.00009.

3. D. C. Fowles, "Motivation Effects on Heart Rate and Electrodermal Activity: Implications for Research on Personality and Psychopathology", *Journal of Research in Personality* 17 (1983): 48–71. Na verdade, Fowles argumentou que o coração bate para recompensar, mas também que a segurança convidativa de escapar de um predador iminente era uma grande recompensa.

4. E. Goldberg e K. Podell, "Lateralization in the Frontal Lobes", em *Epilepsy and the Functional Anatomy of the Frontal Lobe*, vol. 66 de *Advances in Neurology*, eds. H. H. Jasper, S. Riggio e P. S. Goldman-Rakic (Newark, Del.: Raven Press/University of Delaware, 1995), 85–96.

5. R. Sapolsky, comunicação pessoal com o autor, 11 de setembro de 2019. Contei essa história para algumas plateias, substituindo erroneamente gnus por zebras. Caprichos da memória. Mas o animal correto é o gnu.

REGRA 9: ESCREVA EM DETALHES TODAS AS VELHAS LEMBRANÇAS QUE AINDA O PERTURBAM

1. J. B. Peterson e M. Djikic, "You Can Neither Remember nor Forget What You Do Not Understand", *Religion and Public Life* 33 (2017): 85–118.

2. P. L. Brooks e J. H. Peever, "Identification of the Transmitter and Receptor Mechanisms Responsible for REM Sleep Paralysis", *Journal of Neuroscience* 32 (2012): 9785–95.

3. J. E. Mack, *Abduction: Human Encounters with Aliens* (Nova York: Scribner, 2007).

4. R. E. McNally e S. A. Clancy, "Sleep Paralysis, Sexual Abuse and Space Alien Abduction", *Transcultural Psychiatry* 42 (2005): 113–22.

5. D. J. Hufford, *The Terror that Comes in the Night: An experience-centered study of supernatural assault traditions* (Filadélfia: University of Pennsylvania Press, 1989).

6. C. Browning, *Ordinary Men: Reserve police battalion 101 and the final solution in Poland* (Nova York: Harper Perennial, 1998).

7. I. Chang, *The Rape of Nanking* (Nova York: Basic Books, 1990).

NOTAS

8. H. Ellenberger, *The Discovery of the Unconscious: The history and evolution of dynamic psychiatry* (Nova York: Basic Books, 1981).
9. H. Spiegel e D. Spiegel, *Trance and Treatment* (Nova York: Basic Books, 1978).
10. J. B. Peterson, *Maps of Meaning: The architecture of belief* (Nova York: Routledge, 1999). Publicado no Brasil com o título *Mapas do Significado: A arquitetura da crença*.
11. M. Eliade, *A History of Religious Ideas*, trad. W. Trask, vols. 1–3 (Chicago: University of Chicago Press, 1981).
12. Veja a concordância em Strong's Hebrew para a versão King James — uma ferramenta que lista todas as ocorrências de uma determinada palavra (vinte em dezenove versos no caso de *tohuw*).
13. H. Zimmern, *The Ancient East*, vol. 3 de *The Babylonian and Hebrew Genesis*, trad. J. Hutchison (Londres: David Nutt, 1901).
14. E. Neumann, *The Great Mother: An analysis of the archetype*, trad. R. Manheim (Nova York: Pantheon Books, 1955); E. Neumann, *The Origins and History of Consciousness*, trad. R. F. C. Hull (Princeton, N.J.: Princeton University Press/Bollingen, 1969).
15. D. E. Jones, *An Instinct for Dragons* (Nova York: Psychology Press, 2002).
16. Veja, por exemplo, Salmos 74, Salmos 104:24–26 e Isaías 27:1.

REGRA 10: PLANEJE E SE ESFORCE PARA MANTER O ROMANCE EM SEU RELACIONAMENTO

1. J. Gottman, *What Predicts Divorce? The Relationship Between Marital Processes and Marital Outcomes* (Hillsdale, N.J.: Erlbaum, 1994).
2. C. G. Jung, *Mysterium Coniunctionis*, vol. 14 de *Collected Works of C. G. Jung*, trans. G. Adler e R. F. C. Hull (Princeton, N.J.: Princeton University Press, 1970), 407, doi:10.2307/j.ctt5hhr0d. Publicado no Brasil com o título *Mysterium Coniunctionis*.
3. M. Eliade, *Shamanism: Archaic techniques of ecstasy*, trad. W. R. Trask (Princeton, N.J.: Princeton University Press, 1951).
4. C. G. Jung, "The Philosophical Tree", em *Alchemical Studies*, vol. 13 de *The Collected Works of C. G. Jung*, trad. G. Adler e R. F. C. Hull (Princeton, N.J.: Princeton University Press, 1954/1967), 251–349.
5. C. G. Jung, "Gnosticism as Dealing with the Feminine", em *The Gnostic Jung: Including seven sermons to the dead*, ed. S. A. Hoeller (Nova York: Quest Books, 1982), 114–18.
6. Definidos como incapacidade de conceber dentro de um ano de tentativa: W. Himmel et al., "Voluntary Childlessness and Being Childfree", *British Journal of General Practice* 47 (1997): 111–18.
7. Statistics Canada, "Common-Law Couples Are More Likely to Break Up", www150.statcan.gc.ca/n1/pub/11-402-x/2011000/chap/fam/fam02-eng.htm.
8. Exceto, talvez, no primeiro ano. M. J. Rosenfeld e K. Roesler, "Cohabitation Experience and Cohabitation's Association with Marital Dissolution", *Journal of Marriage and Family* 81 (2018): 42–58.

NOTAS

9. Departamento do Censo dos Estados Unidos, 2017. Os dados representam crianças que vivem sem pai biológico, padrasto ou pai adotivo. Veja também E. Leah, D. Jackson e L. O'Brien, "Father Absence and Adolescent Development: A Review of the Literature", *Journal of Child Health Care* 10 (2006): 283–95.

REGRA 11: NÃO PERMITA QUE VOCÊ SE TORNE RESSENTIDO, DISSIMULADO OU ARROGANTE

1. J. L. Barrett, *Why Would Anyone Believe in God?* (Lanham, Md.: AltaMira Press, 2004).
2. P. Ekman, *Emotions Revealed*, 2ª ed. (Nova York: Holt Paperback, 2007).
3. A. Öhman e S. Mineka, "The Malicious Serpent: Snakes as a Prototypical Stimulus for an Evolved Module of Fear", *Current Directions in Psychological Science* 12 (2003): 5–9.
4. J. Gray e N. McNaughton, *The Neuropsychology of Anxiety: An enquiry into the function of the septo-hippocampal system* (Nova York: Oxford University Press, 2000).
5. L. W. Swanson, "Cerebral Hemisphere Regulation of Motivated Behavior", *Brain Research* 886 (2000): 113–64.
6. Todas essas ideias encontram sua demonstração empírica em J. B. Hirsh et al., "Compassionate Liberals and Polite Conservatives: Associations of Agreeableness with Political Ideology and Moral Values", *Personality and Social Psychology Bulletin* 36 (dezembro de 2010): 655–64.

REGRA 12: SEJA GRATO APESAR DE SEU SOFRIMENTO

1. Isso foi abordado em detalhes na Regra 8: "Diga a verdade ou, pelo menos, não minta", em J. B. Peterson, *12 Regras para a Vida: Um antídoto para o caos* (Rio de Janeiro: Editora Alta Books, 2018).
2. Já discuti essa peça anteriormente, tanto em J. B. Peterson, *Mapas do Significado: A arquitetura da crença*, quanto em *12 Regras para a Vida: Um antídoto para o caos*.
3. J. J. Muehlenkamp et al., "International Prevalence of Adolescent Non-Suicidal Self-Injury and Deliberate Self-harm", *Child and Adolescent Psychiatry and Mental Health* 6 (2012): 10–18.
4. J. W. Von Goethe, *Faust*, trad. George Madison Priest (1806). Publicado no Brasil com o título *Fausto*.
5. D. Benatar, *Better Never to Have Been: The harm of coming into existence* (Nova York: Oxford University Press, 2008).
6. Jordan B. Peterson e David Benatar, *The Renegade Report*, 9 de janeiro de 2018, podtail.co/en/podcast/the-renegade-report/jordan-b-peterson-david-benatar.
7. Jesus na Cruz, citação de abertura do Salmo 22.
8. Menciono isso brevemente no Encerramento de *12 Regras para a Vida*.

Índice

A

aconselhamento conjugal, 269
acordos voluntários, 16
adaptação social, 31
administração doméstica
    harmonia, 297
agressividade, 190
alma, 166
alquimista, 59
amadurecimento, 117
ambição, 27
antinatalismo, 369
aprendizado, 192
    lembrança, 53
Apsu, 70
    ordem, 74
arrogância, 349–353
arrumar o quarto, 201
arte, 203–230
    abstrata, 226
    agentes civilizadores, 216
    coleção em massa, 212
    conhecimento, 215
    e política, 217
    impressionismo, 226
    percepções, 210
atenção
    de outras pessoas, 7
autoconsciência, 354
autoengano, 95–100
    Sigmund Freud, 95–96
autopreservação, 319
autoridade, 26
    e poder, 28

autotraição, 131

C

Carl Jung, 4
casamento, 127
    e adultério, 289
    hierarquia de responsabilidades, 295
    problemas, 94
certeza esmagadora, 162
cinismo, 275
Columbine, assassinos, 370
competência, 28
competição, 14
comportamento adequado, 131
compromissos, 188
comunicação, 84
comunismo, 163
confiança, 104, 275
conflito, 93
confusão, 107
conhecimento
    estágios, 213
consciência, 166
    temporal, 130
conservadores, 336
    e cultura, 338
conservadorismo
    e criatividade, 31
    equilíbrio, 36
contradição performativa, 96
cooperação, 14
coragem, 121, 349
corrupção, 95–100
cultura, 150
    ocidental, 197

ÍNDICE

D

declínio, 307
depressão
  consequências
    físicas, 184
    sociais, 184
desafios
  como enfrentá-los, 122
desenvolvimento do caráter, 233
desigualdade econômica, 172
deslocamento, 96
determinação de culpa ou inocência, 175
diferenças de status, 30–31
dificuldade, 113
disciplina, 189–193
dissimulação, 348–355
dores de consciência, 234
drama humano, 315
dúvida insidiosa, 162

E

egoísmo, 127
elemento primordial, 59
emoções, 182
  positivas
    fontes, 129
escravidão, 282
esfera do caos, 61
estados fundamentais do ser social, 282
estados motivacionais, 15, 182
estilos de aprendizagem, 146
estruturas hierárquicas, 341
evitação
  e lágrimas, 285
evolução, 14
exercício de redação online, 253–255
Êxodo, 56
experiência religiosa, 166
exploração, 320

F

fé, 368
felicidade, 128–130
  e senso de responsabilidade, 128
Fiódor Dostoiévski, 162
formação reativa, 96
fracasso, 187
Friedrich Nietzsche, 161

super-homem, 164
fundamentalismo, 173
futuro, 126

G

gratidão, 18, 375

H

Harry Potter, saga, 62
  e cristianismo, 86
heroísmo, 39, 84
hierarquia, 27–30
  de importância, 187
  e sociedade, 32
  e supervisão, 29
  organização social, 14
  personalidade, 38–49
hipotálamo, 319
história
  comunicação, 311–314
  do Ocidente, 260
  e caos, 85
  inesquecível, 57
  São Jorge, 74
  São Miguel, 75
  São Patrício, 75
humildade, 18

I

Ideal, 263
identificação, 96
ideólogos, 174
Iluminismo, 165
imitação, 57, 84
Immanuel Kant
  númeno, 208
imprevisibilidade, 324
impulsos, 13, 182
incapacidade de esquecer, 234
indecisão, 183
individualidade
  desenvolvimento, 189
inércia, 365
informação, 106
  e experiência, 106
ingenuidade, 275
instituições sociais, 32
intelectualização, 96

ÍNDICE

J
Jean Piaget, 15
jogo
   justo, 63
   limpo, 16
J. R. R. Tolkien, 75

K
Karl Marx, 173

L
liberais, 336
   e cultura, 338
liberdade
   plena, 37
livre arbítrio, 256
lógica estrita, 95
luto, 377

M
maleficência, 319
Malévola, 316
mandamentos, 194
Marduk, 70
marxismo, 172
maturidade, 207
mecanismos de defesa, 96
medo, 100, 318–320
memória, 237–238
   percepções, 210
   recuperação, 255–257
mentira, 351–357
mimetismo, 84
mito
   do herói, 67
   labiríntico do herói, 118
mitologia
   Hórus, 121
   Osíris, 119
monoteísmo
   equivalente psicológico, 134
morte, 82
motivações de substituição, 13
museus, 212

N
narrativas, 39
natureza, 320–333

e caos, 324
nazismo, 168
necessidades básicas, 9
negação, 96
   plausível, 97
negociação
   relacionamento, 283–284
niilismo, 352

O
objetivo, 184
obstáculos e falhas, 233
opressão, 175
ordem social, 56
otimismo e pessimismo, 363
O Tolo, 19

P
palavra
   importância, 262
papéis tradicionais, 294
paralisia do sono, 241
patriarcado, 28
pecados, 348
   por comissão, 349
   por omissão, 352
pedido
   a Deus, 264
perigo
   paralisia, 81
persistência, 284
personalidades parciais, 183
Peter Pan, 116
pobreza, 169
política, 337–338
politicamente correto, 143
   palavras, 142
possibilidade, 310–311
   futuro, 310
potencial, 59, 309
preocupações, 256
presente
   e futuro, 207
presunção de inocência, 175
problema não resolvido, 265
problema social, 169
projeção, 96
propósito, 103

ÍNDICE

psicologia profunda, 4
psique, 166

R
racionalização, 96
realidade, 257
   objetiva, 69
reciprocidade, 25
Regra de Ouro, 64
regras, 55
rejeição, 154
relacionamento, 269–306
   aspecto sexual, 273
   confiança, 275
   falta de especificidade, 274
   mentira, 276
   romance, 300–305
relativismo, 191
representação, 214
   e expressão, 83
repressão, 95
responsabilidade, 160
   abdicada, 136
   como assumir, 112
   e liberdade, 38
   filosofia, 27
   social, 126
ressentimento, 175–178, 343–348
romance, 276

S
sacrifícios, 188, 322
sanidade, 4–7
senso de significado, 64, 135
senso de superioridade moral, 176
sentimentalismo
   excesso, 328
sentimentos, 104
Set, 120
sexo, 300–304
sexualidade, 172
Sigmund Freud, 4
sistema
   cognitivo, 13
   ideológico, 335
   -ismo, 168
socialização, 66, 192
soluções de problemas, 10

somatização, 245
sonho, 216, 329–330
sublimação, 96
sucessos, 233
superproteção, 325

T
talento, 37
temperamento, 31–32
terceirização da sanidade, 192
terror, sistemas, 232
Tiamat, 69
   retorno, 107
tirania, 148, 282–283
trabalho, 151
tradicionalismo, 225
transformação criativa, 36–37
   disciplina, 37
transmutação, 214

U
união interna
   falta, 183
União Soviética, 167

V
vítimas e acusados, 175
vitimização, 345

W
William Blake, 208

CONHEÇA OUTROS LIVROS DA ALTA BOOKS

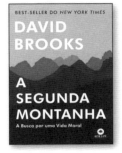  

Todas as imagens são meramente ilustrativas.

CATEGORIAS

Negócios - Nacionais - Comunicação - Guias de Viagem - Interesse Geral - Informática - Idiomas

SEJA AUTOR DA ALTA BOOKS!

Envie a sua proposta para: autoria@altabooks.com.br

Visite também nosso site e nossas redes sociais para conhecer lançamentos e futuras publicações!

www.altabooks.com.br

ALTA BOOKS
EDITORA

/altabooks ▪ /altabooks ▪ /alta_books

Este livro foi impresso nas oficinas gráficas da Editora Vozes Ltda.,
Rua Frei Luís, 100 – Petrópolis, RJ.